ET Scrittori
1329

Dello stesso autore nel catalogo Einaudi

Fiona

Mauro Covacich

A perdifiato

Einaudi

www.einaudi.it

ISBN 88-06-16984-x

A perdifiato

1.

Sono appena rientrato dall'allenamento – oggi Corto Lento, nove chilometri senza cardiofrequenzimetro – e sento Maura al telefono che dice: «Sèghed? Si pronuncia cosí? Sèghed?»

Alla televisione, credo in un servizio del Tg, uomini con mascherina e impermeabile giallo buttano in mezzo alla strada dei pesci enormi aiutandosi con forconi da contadino. Sotto i covoni di pesci boccheggianti, nell'angolo in basso a destra dello schermo, c'è la scritta SZEGED.

Maura sta indicando la televisione come per spiegarmi qualcosa e intanto continua a ripetere al telefono: «Sèghed. Sí, sí, Sèghed, ho capito. Gli dico di chiamarti dopo la doccia». Il sudore mi brucia gli occhi. Sento Sèghed, leggo SZEGED. L'unico dettaglio che mi appare chiaro è che quel posto con i pesci enormi buttati sulla strada è lo stesso della sua telefonata. Quando mette giú, si gira con l'aria di una che è stata or ora tagliata via dal suo corpo, l'aria di una testa decapitata. Tenendo ancora il dito puntato sui pesci, riesce a dirmi solo:

– Devi andare lí.

2.

Non è che non ce lo aspettassimo: anche Maura sapeva che prima o poi la Federazione mi avrebbe spedito a guadagnarmi lo stipendio. È solo che la convocazione non doveva coincidere con l'arrivo di Fiona, tutto qui. Che nello stesso momento della tua vita ti assegnino un lavoro e una figlia, be', sembra assurdo a entrambi. Senza contare che, secondo i notiziari, la mia destinazione è stata appena colpita da una non meglio precisata catastrofe naturale, qualcosa che fa schizzare i pesci fuori dai fiumi.

Maura è seduta sul letto con la foto di Fiona in una mano e il Child Study nell'altra. Ha i gomiti sulle ginocchia in una solida posizione a uovo e tiene vicini i due punti fermi del suo futuro proprio come se impugnasse i bastoncini da discesa. Si è riappropriata del suo corpo ora, e non piange. Guarda un po' i documenti e un po' la figlia che arriverà. Vede tutto nero, ma la pista è davanti a quei pugni uniti e giú di là bisogna andare. Quante volte me l'ha spiegata l'ombra dopo il sole: «Sparisce tutto, non ci sono piú neanche le punte degli sci, non ti resta che tenere gli occhi sui guanti e buttarti. Ma che vuoi capire tu, che vai a venti all'ora». Già, che voglio capire io? Ho mai fatto una discesa libera? Le sue gare non duravano mai piú di tre minuti, le mie non sono mai finite prima di due ore e dieci. Metto una mano sulla splendida schiena di mia moglie, non so bene se per accarezzarla o spingerla piú velocemente giú per il suo muro ghiacciato. Sono io per primo che dovrei essere consolato, io per primo che non vorrei lasciarla sola adesso, in avanzato delirio premaman. A me chi mi consola? Tutti e due ci rendiamo conto che sul piú bello la stanchezza ci ha teso un'imboscata.

Mi allunga la foto senza voltare la testa. Fiona è in piedi dentro il suo grembiulino celeste dentro il suo lettino bianco dentro lo stanzone dell'Istituto Holy Cross dentro una città haitiana chiamata Jacmel e dentro mille altre scatole da noi aperte negli ultimi due anni per raggiungere un qualsiasi essere umano adottabile. Solo che Fiona non è piú un qualsiasi essere umano adottabile. Anche la scelta del fotografo di ritrarla con i lettini intorno al suo tutti vuoti sembra pensata apposta per aiutarci a isolarla dalla nebulosa multietnica che ha accompagnato la nostra attesa. Ecco vostra figlia, d'ora in poi immaginate lei. Fiona fissa l'obiettivo come si può fissare una pietra. Ha l'aria di una che non batte le palpebre da almeno cinque minuti e che potrebbe non farlo per altri cinque. L'umidità dei suoi occhi immobili è l'unica cosa che brilla nella poca luce di questa foto. Il Child Study, una specie di pedigree vidimato dall'ambasciata haitiana di Milano, fotocopiato e controfirmato da noi davanti a un notaio e subito rispedito all'orfanotrofio, dice che si tratta di una bambina di nove mesi, sana, normodotata. Ormai non dovrebbe mancare tanto perché nasca di nuovo, che nel linguaggio della nostra assistente sociale significa che ci chiamino a prenderla.

3.

Quando sono uscito dalla doccia non ho avuto la forza di telefonare. Sono rimasto in terrazzo insieme a Maura a contemplare il sole che moriva. Non ho neanche aperto l'atlante. Tanto sapevo già dov'è Szeged. O perlomeno sapevo con certezza dove non è Szeged. Quelle immagini televisive e quel nome non mi facevano venire in mente niente di californiano. E visto che le mie destinazioni possibili erano state fino a ieri «Berkeley CA o una città dell'Ungheria (nome in seguito), ottimi impianti, fiume, bell'argine per le sedute di Lungo» – sto leggendo dal fax ormai ingiallito della Federazione –, non potevo avere dubbi sulla rotta orientale del mio prossimo volo. Cosí ho passato la serata accanto a mia moglie. L'ho aiutata a uscire dalla sua posizione a uovo e alla fine siamo scesi sul lungomare di Barcola a sentire da vicino il caldo estivo di questo ottobre ai limiti della putrefazione. Lei avrebbe voluto portarsi dietro anche il Child Study, a mo' di orsacchiotto – era già fuori dalla porta con i documenti arrotolati e schiacciati tra le braccia in croce – ma poi le ho parlato come si fa con i bambini, l'ho fatta ragionare, anche se purtroppo Maura ragiona benissimo, e abbiamo passeggiato per mezz'ora buona tenendoci addirittura per mano. Totale parole emesse, compreso il semibisticcio sul pianerottolo di casa: una cinquantina scarsa.

A Carlo, il mio capo, Direttore della Sezione Maratona, ho telefonato questa mattina.

– Oh, ecco il Filosofo, finalmente.

– Non chiamarmi cosí, lo sai che non mi va.

– Be', qualche esame l'hai fatto, no? Che colpa ho io se sei l'unico maratoneta studiato?

– Ex maratoneta.

– Uuu, che *palloso* che sei stamattina.

– Perché l'Ungheria, Carlo?

– Perché l'Ungheria, perché è andata in porto con loro. E poi scusa, California, Ungheria: che differenza fa? Sei un *professionista* o no?

– Certo, certo. È solo che a Berkeley ho già lavorato.

– Lavorato? Diciamo che hai *villeggiato*.

– Berkeley è un ambiente perfetto, forse un po' piovoso in questa stagione, ma insomma ci sono le salite, i percorsi giusti, e poi ho degli amici lí.

– Te li farai anche *qui* gli amici». Szeged era già diventato qui. Carlo ha una bravura tutta sua nel sottolineare parlando.

– Non posso diciamo... saltare un giro?

– Dario, cosa ti risponderebbe il Presidente? «Mamma Fidal[1] è come l'esercito: se ti chiama...»

– Se mi chiama... Okay, okay. È che pensavo mi sarebbe potuta andare meglio. Cristo, è il mio primo stage da trainer.

– Ti farai le ossa. Sei mesi passano presto, vedrai».

– Sei mesi.

– Loro sono contenti di averti. Continuano a ripetere: «Sesto a New York! Pèro!» Parlano tutti italiano.

– Ovviamente non gli hai detto che ad Atlanta mi sono ritirato al ventottesimo.

– E che c'entrano le Olimpiadi? Faceva caldo, no? Stavi male. *Non stavi male?* – No, non stavo male. Mi stavo semplicemente staccando. Dai primi e dalla realtà. Soprattutto dalla realtà. Mi stavo staccando dalla vita e di colpo qualcosa mi ha fermato in tempo. Ma

[1] Federazione Italiana di Atletica Leggera.

con 41,8 di temperatura inguinale (referto medico uf-
ficiale dell'ambulanza) non si sta male, non si sta *piú*
male. Questo avrei dovuto dirgli. Invece gli ho detto:
   – Sí sí...
   – E allora perché parlare di Atlanta, se a New York
sei arrivato sesto? Cazzo, a *New York*!
   – Ho capito, ho capito. Solo che, non so... c'è la que-
stione del cianuro.
   – Quale cianuro? Quella è *roba da niente*.
   – Be', i giornali parlano di sciagura ecologica.
   – Macché sciagura ecologica, mi hanno garantito che
è tutto sotto controllo.
   – Sarà. Però parlano di catastrofe naturale, di carpe
che schizzano fuori dall'acqua per salvarsi. E i tizi coi
forconi e l'impermeabile giallo li ho visti anch'io in Tv
–. Veramente l'espressione catastrofe naturale era di
Maura che si sente senza pancione e allora tende a esagerare.
   – Ma lascia perdere la Tv. In Romania tiravano fuori i cadaveri dall'obitorio perché *vedessimo* le strade piene di morti per la rivoluzione. Da quelle parti sono fatti cosí. Mi hanno assicurato che si sistema tutto in un
paio di giorni, te l'ho detto.
   – Sí, però, c'è Maura... e la bambina che arriva. Insomma...
   – Lo so, lo so, ma qui c'è di mezzo il ministero degli Esteri, non si può tornare indietro. Avrai tutti i per-
messi che ti serviranno...
   – Senti Carlo, non credo di poter...
   – Senti tu, Filosofo, mamma Fidal ti ha *mantenuto*
per un bel po' di anni, mi pare, no? – Avrei dovuto dirgli che la Federazione non è mia madre e che mi ha semplicemente schiavizzato contando sul fatto che so soltanto correre, avrei dovuto dirgli di non chiamarmi Filosofo, ma è tutto molto complicato quando Carlo
attacca. Mi è venuto appena un:
   – Non sto dicendo...
   – Ti ha *coccolato* quando hai fatto New York, anche se dal tuo sesto posto non poteva guadagnarci nul-

la, giusto? E ci hai guadagnato solo tu con quei cazzi di sponsor e di consigli sulle cosiddette riviste specializzate, giusto? – Gli sponsor, mi stavo dimenticando degli sponsor. I miei contratti ancora aperti, quelli dovevo assolutamente ricordarglieli.

– Carlo, non sto dicendo che...

– E mamma Fidal ti ha pure portato a Berkeley, e nei boschi finlandesi d'estate, e sui monti keniani d'inverno, e in ogni cazzo di ambiente ideale per la preparazione, giusto? Per tre lunghissimi anni ti abbiamo asciugato, spalmato, massaggiato, ossigenato in giro per il pianeta, giusto?

– Sí.

– In vista delle Olimpiadi, giusto? E tu? Oh, tu ti sei preparato a meraviglia.

– Guarda che prima ti ho parlato io di Atlanta.

– Ecco, bravo, hai fatto bene. Cosí adesso te ne parlo io. Perché se non ricordo male ad Atlanta non hai ottenuto dei risultati diciamo proprio *esaltanti*, giusto? Ritirarsi al ventottesimo chilometro dopo tre anni di seghe in giro per il pianeta non è proprio una bella ricompensa per una mamma cosí generosa, ti pare? – Oltre che nelle sottolineature, Carlo è bravissimo a non vergognarsi di niente.

– Se per te sono seghe duecentoventi chilometri alla settimana...

– Erano le Olimpiadi, cazzo! Eri la *Nazionale Italiana*, cazzo!

– Sono rimasto con i primi fino alla fine.

– Quella non era la fine, quella era la *tua* fine, Dario. La fine vera era *quattordici chilometri e centonovantacinque metri dopo*. Ma io non voglio rinfacciarti niente –. Mi aveva chiamato Dario, gli stava passando. Dovevo ricordargli i contratti con gli sponsor. Ormai ero già a Szeged.

– Ah no?

– No, Dario. Perché tu sei un bravo ragazzo e noi abbiamo continuato a *credere in te*. Non puoi negarlo. Ti abbiamo tenuto con noi perché sai dire le tue cose,

hai studiato e noi sapevamo che ci saresti stato prezioso anche dopo. Ti abbiamo dato un *mestiere*. A *trentacinque* anni. Ecco il nostro trainer filosofo, cazzo!

– Non sono un…

– Fammi finire. Noi ti paghiamo per il tuo mestiere, ma tu il tuo mestiere ce lo devi fare –. Paghiamo,
pagare, nella mia testa sfrecciava la concatenazione
sponsor-contratti-penale.

– Hai già parlato con quelli della Gensan?

– Sali, maltodestrine, aminoacidi, creatina, tutto
Gensan, tranquillo.

– E la Mizuno?

– Gli ungheresi sono coperti dalla Adidas. Sono riuscito a fargli accettare le scarpe. Per il resto vediamo.

– Devo avere tutti i materiali Mizuno, lo sai.

– Eccolo il nostro Filosofo che pensa alla bottega.

– Non mi chiamare…

– Va bene, va bene. Vedrò di farti avere tutta la *ro-
baccia* Mizuno. Serve altro, dottore?

– Non mi hai detto quando devo partire.

– Troverai all'aeroporto un prepagato Trieste-Vien-
na-Budapest per dopodomani. Lí ti verranno a prendere.

– Dopodomani? – Con gli sponsor ero a posto, adesso volevo solo rompergli ancora un po' i coglioni, a questo schiavista di merda.

– Sí, dopodomani, dottore. Qualcosa in contrario?

– Sono mezzofondisti, ovviamente.

– Ovviamente. I migliori che hanno.

– Okay, prima della partenza dammi una conferma
per la Mizuno.

– Tranquillo.

– Okay.

– Ah, dimenticavo… – Dimenticava? Cosa dimenticava? Partivo nella direzione sbagliata, abbandona-
vo una madre in fieri senza pancione, avevo una figlia
che mi aspettava in fondo a tutte quelle scatole aperte
e io me ne andavo incontro a un fiume di cianuro. Cosa dimenticava?

– Si tratta della squadra femminile.
– Cioè?
– I loro *migliori* mezzofondisti, la squadra *femminile*.

4.

Da: alberto.lentini@uclink4.berkeley.edu
Data: lunedí, 15 ottobre, 19:42
A: dario.rensich@katamail.com
Oggetto: lí non si arriva

dario, la tua mail me la sono stampata perché non
ci credevo. volevo toccarla e rileggerla anche,
mentre bevo un decaffeinato alla nocciola in quel
posto su shattuck, quello di fronte alla stazione
della bart, ti ricordi?, dove vi ho portati spesso a
te e a maura e dove torno quando sto da schifo.
ripetere quell'anno, noi tre insieme, sarebbe stato
cosí bello. ci ho provato, credimi. ma è piú facile
(adesso almeno lo sappiamo) parlare con gli amici
haitiani che con i burattini del coni. al ministero
mi hanno bruciato il contatto alla seconda
telefonata, professore non chiami piú, qui è già
tutto definito. a port-au-prince, io ateo, il mio
collega evangelico, il funzionario metodista, le
suore cattoliche eppure, zac, ci hanno regalato le
bébé créole. quanto hai aspettato le carte per
fiona? due tre settimane, se non sbaglio. mi hanno
detto che c'è gente che aspetta anni. ma alle
decisioni delle divinità atletiche de roma, no, lí
non si arriva.
è contenta maura? della bambina, intendo. qui se
la ricordano tutti come una cosa piuttosto

indimenticabile. è ancora cosí meravigliosa? perché non ce la mandi, intanto che tu sei a sbacchettare il mezzofondo magiaro? avrebbe intorno un sacco di zii volenterosi, te l'assicuro. e poi ci sarebbe bisogno di un po' di aria nuova: questo porcile stracolmo di premi nobel e futuri premi nobel e aspiranti premi nobel fa venire davvero i conati. scusami, non è certo il momento di scherzare. è che mi dispiace davvero tanto non potervi avere di nuovo da me.

salutami maura. almeno lei a trieste resterà in salvo. lí dove vai tu la terra ha iniziato la fine e chissà cos'è capace di combinarti prima di tirare le cuoia. cauto, mi raccomando alberto

ps. oggi ripetute in salita a grizzly peak, 6 x 4 minuti a 170 battiti (90% freq. max.). ti ricordi i cartelli su come comportarsi in caso di incontri ravvicinati con gli orsi? io mi sono ricordato la tua faccia. dio, quanto ho riso. hai trovato tu quel picco. sarai un grande trainer, vedrai.

5

Allo scalo di Vienna i televisori delle sale d'aspetto sono sintonizzati sulla Bbc World. Il tizio sullo schermo ha la mascherina abbassata come il chirurgo appena uscito dalla sala operatoria. Con la mano destra porge verso la telecamera un mucchietto di ghiaia ocra vagamente luccicante.

Per ottenere questo…

Primo piano sulla mano.

… è successo questo.

L'inquadratura si allarga sulla ruspa alle sue spalle, intenta a spostare le carogne di pesci e uccelli da quello che potrebbe anche essere l'argine di un fiume.

Per separare l'oro dagli altri minerali si usa il cianuro. Tre giorni fa, in seguito a un'eccezionale alluvione, centomila metri cubi di acqua mista a cianuro sono tracimati dal laghetto di spurgo della miniera Gold di Nagybánya, poco al di là del confine rumeno, e si sono riversati nel Maros. Si tratta della più grande dose di veleno mai iniettata nel nostro pianeta. Il cianuro ha attraversato la frontiera portandosi dietro, alla velocità di sei chilometri all'ora, tutte le creature strappate alla vita lungo il corso del Maros e confluendo nel Tibisco proprio qui, a Szeged, con un'impressionante piena di morte. Come vedete, le autorità locali hanno predisposto una diga di navi, sei in tutto, per liberare almeno in

parte il fiume dal suo carico di cadaveri. Vigili del fuoco, pescatori, volontari stanno lavorando ininterrotta-
mente da piú di dodici ore. Finora sono state raccolte
circa venti tonnellate di pesci. I biologi sostengono che
il 70 per cento della fauna e della flora del fiume è stato distrutto e che l'intero ecosistema sarà compromes-
so per almeno vent'anni, forse per sempre. Nessuno ha
mai sperimentato gli effetti di un simile avvelenamen-
to. La soglia di tolleranza del cianuro è di 0,01 milligrammi per litro e oggi in queste acque è stata rilevata
una concentrazione trecento volte superiore. I primi
commentatori parlano già di una nuova Chernobyl, come se la sua nube fosse tornata dal passato per lique-
farsi nel maggior affluente del Danubio.

Béla Sárkány, Szeged, Bbc World.

6.

Ogni volta che salgo su un aereo capisco che cos'è l'aldilà. Capisco che è un'invenzione sensata, perché in quei momenti – in questo momento – io sono vivo ma non esisto. Non è questione di paura: so che non precipiterò, so perfettamente che gli aerei non precipitano. Mentre volo però riesco a vedere tutto, tutte le persone che conosco, tutte quelle che non conosco e tutte le cose, senza poter intervenire su niente e nessuno, proprio come un'anima cinematografica. Al check-in non chiedo il finestrino, non mi interessa guardar fuori, io vedo tutto dal mio posto in corridoio. Mi basta staccarmi da terra per diventare onnisciente e smettere di esistere.

Vedo Maura incollata alla vetrata dell'aeroporto di Trieste. Vedo il suo corpo tagliare la terrazza, riprendere le scale mobili, raggiungere il parcheggio. Vedo le teste che si voltano verso quella rossa con le tette troppo grandi e la pelle troppo bianca. Vedo l'attenzione rispettosa, quasi intimidita, per come spingono energia nell'asfalto i suoi polpacci. Vedo, proprio al centro delle labbra, l'alone di rossetto che le ho portato via col bacio asciutto di stamattina, un pezzo di bocca nuda a forma di atollo.

Fisso il marchietto Air Dolomiti in rilievo sull'appoggiatesta del sedile davanti al mio – la *A* scalena diventa la coda dell'aereo – e vedo dall'esterno il Super80 su cui sto volando. Procedo alla sua stessa velocità, distante quanto basta per tenerlo tutto nello sguardo. Da qui fuori è evidente che non si sta spostando verso la meta giusta. Berkeley resta sempre piú alle sue spalle. A questo punto è sotto il mondo. Vedo il campus rimasto ancora al mattino, con i ragazzi che studiano sulle scale antincendio, indietro ormai di dieci undici ore. Ai piedi degli eucalipti, nel prato a sud di Euclide Street, ci sono scoiattoli grossi come cocker. E poi, tutto intorno, le casette senza barbecue, i cani senza guinzaglio, le salite tortuose, i boschi del Tilden e le altre forniture di questa collina edificata in modo da poter seguire da ogni finestra lo show del sole che casca tra i due pilastri del Golden Gate Bridge e abitata solo da gente colta, ricca, bianca, ambientalista, liberal, devota al fitness e sostanzialmente antiamericana. In mezzo a loro vedo Alberto, mi invento con estrema facilità la faccia che potrebbe avere adesso. Qualsiasi cambiamento da quassú è semplicissimo. Eccoci al cocktail del consolato a San Francisco, cinque anni fa. Il viceconsole che ci presenta: «Dario, il professor Lentini, 2 e 46 sulla distanza, si dice cosí no?, antichista di lusso rubatoci da quei signori sull'altro lato della Bay. E questo, professore, è Dario Rensich, la figura bianca sulla destra dei cinque africani, NYC Marathon, premiazione, ha in mente, no?, la foto sui giornali. Be', eccolo, le presento un campione in vacanza premio». Vedo il mascherone denutrito di un vegetariano sulla cinquantina in chiara fase di overtraining, tutti i chilometri in eccesso comparsi come graffiti, allenamento dopo allenamento, agli angoli degli occhi, della bocca, nell'incrocio delle sopracciglia. Vedo il massacro ipoproteico di un autolesionista con la testa rasata, un paio di New Balance da pista ai piedi e una bottiglia di integratori salini in mano. «Okay, immagino che avrete un sacco di cose da dirvi» dice il viceconsole easy-going, abbandonandoci nei nostri cilindri di silenzio.

Vedo le scatole per arrivare al Child Study: Richiesta di Adozione al Tribunale dei Minori, Interrogatorio Esplorativo in Questura, Dichiarazione all'Ufficio Assistenza, Tre Colloqui di Coppia con l'Assistente Sociale, Due Colloqui Individuali con l'Assistente Sociale, Visita Ispettiva dell'Assistente Sociale in Casa della Coppia, Certificazione di Idoneità all'Adozione, Ricerca dell'Associazione di Appoggio, Redazione della Documentazione della Coppia, Traduzione in Inglese della Documentazione della Coppia. Vedo l'accelerazione impressa dalle telefonate di Alberto ai santoni dell'Université d'Etat d'Haiti e la foto di Fiona – già, Fiona, mia figlia!, nata, cresciuta, fotografata, prenotata durante questa farraginosa operazione di apertura – saltar fuori da un plico imbottito della Dhl (un'altra scatola) sotto il naso incredulo di sua madre. «Cazzo, se non era per lui...», quante volte ho sentito Maura dire questa frase? Non la chiude mai, la lascia precipitare nel vuoto di tutto ciò che ci sarebbe potuto capitare senza le telefonate di Alberto. Il debito che ho con lui mi fa provare qualcosa di simile a quando, nonostante la glicerina, compaiono abrasioni tra le cosce e i pantaloncini: non fa male, non ci si ritira mica, però si nota il sangue che cola nel sudore e l'andatura non è piú la stessa.

– Succo d'ananas, grazie –. Questa povera ragazza Air Dolomiti con le calze a compressione graduata e due uova di struzzo al posto delle ginocchia è esattamente come vedo ciò che mi aspetta dopo l'atterraggio. – No, niente biscotti, grazie, – sorrido ancora al suo sguardo cercando di non soffermarmi sui brufoli che ha stuccato con cura prima di partire. La vedo nella sua officina femminile intenta a lavorare di fard e so perfettamente a cosa vado incontro. Ecco come saranno le mie allieve ungheresi, personale di volo in classe economica. Figlie di madri con i denti in resina, la pelle lucida, perpetuamente in lotta con le vene varicose.

Le varici fanno da retino al verde della Puszta. Ovviamente non sto parlando dei canali di irrigazione. Non sono al finestrino, quindi niente coltivazioni intensive, niente kolchoz, niente pezzature rettangolari da veduta aerea. I corsi di liquido scuro li vedo dal mio posto in corridoio. Solcano una zona piatta e senza pe-

li di un organismo simile a un contorsionista raggomitolato dentro un cubo di plexiglas vagante nello spazio. La Puszta non potrebbe essere un gomito. Né
un'ascella. La Puszta è il pezzo di collo che scende
dall'orecchio. La pelle è tesa nello sforzo di tenere la
testa ben dentro le ginocchia e lí in quel punto pulsa in
modo particolare. Vedo la vena chiamata Danubio. Accanto, un'altra piú piccola si attarda in anse che sembrano groppi. Il suo nome è Tibisco. Vedo una siringa
provenire dallo spazio, riempita fino all'ultima tacca.
Il contorsionista non sta benissimo, è piegato cosí da
troppo tempo, ma quella non ha l'aria di una medicina
e comunque la dose è chiaramente eccessiva. Vedo la
scena – l'ago che entra nel fiume, il pistoncino che spara il cianuro, il collo che si gonfia e annerisce – come
se fosse in un cartoon di Hanna e Barbera. L'unico invisibile è l'autore dell'iniezione, ma trattandosi di
un'overdose proveniente dallo spazio potrei essere io.
Da quassú vedo tutto meno me. E proprio mentre mi
sto immedesimando nel vero protagonista del cartoon,
il carrello si apre praticamente sotto i miei piedi e capisco che sto per tornare ad esistere.

7

Maura sarebbe stata perfetta per quei concorsi con le T-shirt bagnate a Miami Beach o in posti del genere. Avrebbe vinto un sacco di premi. Invece si è convinta che le tette sovradimensionate erano il suo destino di madre, una specie di logotipo genetico su cui, dopo il precoce fallimento della carriera agonistica, andava costruito un nuovo e piú vero progetto di vita. L'abbondanza in natura ha sempre un senso e, visto che quelle due ghiandole ipertrofiche non erano servite a guadagnare centesimi in discesa e visto che Maura non ha mai avuto troppa simpatia per i concorsi di pin-up, la situazione sembrava – a lei, ai suoi genitori, agli allenatori della Squadra B che la scaricavano, a quelli della Squadra C che non volevano rilevarla – semplicemente imbarazzante per la sua evidenza.

L'imbarazzo però si è capovolto quando l'andrologo ci ha mostrato i miei spermatozoi senza coda.

Ci alternavamo con l'occhio sul microscopio. Il medico perforava il nostro silenzio con tutti i carotaggi di stronzate che è costretto a dire in quei momenti, si prendeva una pausa e poi sondava «non è detta l'ultima parola, eh?», ne prendeva un'altra e poi sondava «c'è sempre la fecondazione assistita, no?», un'altra e «ci sarebbe anche l'opzione adottiva, potete pensarci con calma, eh?, siete giovani» e cosí via, pausa e stronzata perforante, pausa e stronzata perforante, mentre noi ci davamo il cambio a osservare il mio sperma handicappato, blindati in un'afasia assolutamente granitica. Su quel vetrino migliaia di testoline col lenzuolo da fantasma ristagnavano quasi immobili in una macchia senza confini. Io me li immaginavo col pettorale, a pochi istanti dallo sparo dello starter, in una classica ripresa dall'elicottero. Solo che la partenza era già stata data e anche da cosí in alto si vedeva bene che i fantasmini erano privi di energia, brancolavano spossati, demotivati, arresi prima ancora di iniziare a lottare.

L'andrologo ci ha consigliato una specie di cura ormonale non farmacologica. Si trattava di sfruttare al meglio l'aumento naturale di testosterone che procura di norma una seduta di allenamento. Cosí, per circa sei mesi, ci siamo accoppiati negli spogliatoi dei campi sportivi, nella cabina doccia di casa, spesso prima ancora dello stretching e del Gatorade, spesso lei calando solo un poco i pantaloni della tuta giusto per fare la puntura e io allargandomi appena l'elastico del giro coscia e facendogliela. Maura mi chiedeva di essere un altro, ogni volta uno diverso. Immaginava in preferenza slalomisti, preparatori atletici, montanari con nomi che sembravano soprannomi, gente del suo vecchio mondo, uomini che intuivo essere almeno il doppio di me. Cambiava con metodo il suo oggetto sessuale tenendosi sempre a un piano accessibile – mai star del cinema, maschi mitici eccetera – simulando solo realistiche sveltine con quei giganti per mettere un velo di eccitazione sopra il nostro esercizio. Io mi lasciavo chiamare coi nomi sbagliati, Peter, Seba, Runghi, concentrandomi sullo scopo ultimo della missione. Maura aveva la delicatezza di sganciarsi il reggiseno, ma io non toccavo. Vedevo mia moglie china, con le tette che muovevano dall'interno il felpone della tuta completamente scollegate dal corpo, e tornavo con la testa all'allenamento, lo ripassavo, ne valutavo la qualità, entravo nel mio organismo e osservavo il passaggio dalla fase catabolica a quella anabolica, dallo sforzo al recupero, ammiravo la ricostruzione delle molecole distrutte e la progettazione di nuovi e piú fitti mitocondri nella muscolatura stimolata quel giorno. La mia fabbrica lavorava per tutti e due. Percepivo la biosintesi degli steroidi e lo sperma arricchirsi. Poi lo sparo dello starter, e un'ondata di storpi e paraplegici strisciava verso il miraggio di una fecondazione.

Il 7 febbraio di due anni fa, dopo circa sei mesi di tentativi, Maura si è fermata sul punto di cominciare, proprio un attimo prima di attribuirmi il personaggio. Mi ha detto: «Aspetta». Si è girata, me lo ha risistemato nel sospensorio e mi ha dato un piccolo dolcissimo bacio. L'indomani siamo andati insieme al Tribunale dei Minori per compilare la richiesta di adozione.

8.

Accanto a me, sul tavolo degli oratori, siedono gli stessi tre uomini che sono venuti a prendermi all'aeroporto. I loro nomi sono stampati sulle targhette, come il mio, eppure non mi sembra possibile che corrispondano ai suoni che ho sentito al momento delle presentazioni, lí agli Arrivi di Budapest. Anche adesso che mi sforzo di trattenerli, non c'è niente di questa lingua che mi venga incontro. Loro comunque sono: Zoltan Csányi, membro dello staff dirigenziale della Federazione magiara, Imre Ferencné, assessore allo sport di Szeged, e László Zsolnayné, allenatore delle ragazze. Ovviamente nessuno di noi dirà niente su ciò che ha visto arrivando. Non occorre accordarsi per capire che qui i camion incrociati sulla statale ricolmi di uccelli e pesci sanguinanti non devono entrarci. Niente Tibisco qui dentro, niente discorsi con le parole forconi, impermeabili gialli, morte, Romania eccetera. Questa è la festa dell'atletica e tale deve rimanere. Non sarà un'ottima produttrice di cianuro come la Cold a rovinare un evento internazionale organizzato da mesi. Siamo entrati nel tempio della maratona. Qui parla solo la maratona, intesi? Intesi.

I poster della Mizuno con me trionfante al traguardo di Carpi sono affissi in quantità un po' troppo generose sulle pareti laterali della saletta conferenze. E anche fuori, sulle vetrate all'ingresso dello József Horváth Kollégiuma Atlétika, in cui sono stato deportato immediatamente, senza neanche una finta visita al cen-

tro cittadino. A dire il vero, non mi dispiace che esa-
gerino con le foto: per sei mesi dovrò mangiare, dormire, lavorare in questo posto. Un piccolo vantaggio in
partenza può essere utile, anche se viene da quell'idiota felice di aver vinto una maratona cosí mediocre. In
platea staranno facendo confronti: sul poster ho una
faccia non molto piú giovane e di certo piú stravolta,
ma sono felice, cazzo, quello lo vedono tutti. Sulla felicità non c'è scampo, la differenza è netta. Io invece
scorgo a malapena le persone sedute nelle prime file, il
resto si perde in una semioscurità abbastanza gremita.
A occhio una cinquantina di teste, non so quanto felici. Tra loro devono esserci le mie allieve, pronte ad
ascoltare il loro manipolatore straniero, pronte a subi-
re la trasformazione psicofisica piú radicale a cui una
ragazza possa sottoporsi spontaneamente pur di essere
lanciate nel ranking mondiale, pronte a innamorarsi del
dolore pur di ricevere ingaggi in giro per il pianeta,
pronte a farsi del male pur di entrare nel circuito pro-
fessionistico e uscire da mamma Ungheria. E se mi sba-
gliassi? Magari sono tutte patriote magiare e pensano
solo alla nazionale, magari hanno tutte un'autentica vocazione per la maratona. Già, ma come fa una ragazza
di diciott'anni a desiderare quattro ore al giorno di corsa? Quale parte del suo corpo si è accorta della bellezza di un gesto lungo 42 195 metri? Il cervello? Non
scherziamo.

Intanto, mentre io cerco risposte e l'assessore Ferencné ha già quasi finito il suo intervento, un ultimo
curioso si infila nella saletta. L'addetta alla porta lo
squadra e subito richiude, non prima però che una zaf-
fata di merda biochimica, vagamente simile a olio di
mandorle bruciato, si butti dietro di lui. L'uomo svanisce verso il fondo. L'odore invece resta. La sua sagoma di fantasma scivola verso le prime file: potrei ri-
calcarla con una matita, guidato dagli sguardi di chi mi
sta di fronte. Nessuno cede alle smorfie, arriccia nasi
o cose del genere – siamo alla festa dell'atletica, per
dio. Solo un comune irrigidimento di occhi e mascelle

mi segnala fin dove si è spinto il fantasma, dov'è il preciso confine della sua esibizione.

Tocca a Zoltan Csányi. Il suo è lo stile del tecnico diventato manager. Sa di cosa parla perché viene dalla pratica, ma lo dice già da lontano, muovendosi con la Mercedes della Federazione da un campo all'altro del paese. Ha allenato, certo, ma adesso la corsa la vede in Tv. Nei campi dove arriva, tiene conferenze, organizza seminari. Gli atleti li incontra la sera, davanti ai videogame o al biliardo, in tuta di riposo. È il corrispettivo di Carlo, il mio capo, in una Federazione con molti meno miliardi. In macchina a un certo punto, guardando nello specchietto retrovisore, mi ha detto: – Ho telefonato con Carlo. Siamo amici, sai? Mi ha raccomandato di tenerti d'occhio, che non fai solo defaticamento con nostre bambine –. Hu hu hu, che ridere. Inutile dire che Csányi, come tutte le spie, è poliglotta e anche adesso, nel suo intervento, alterna spesso l'italiano all'ungherese perché mi arrivino chiari i suoi complimenti. Sento un insieme di suoni con dentro New York e, dopo un attimo, il tutto viene ripetuto nella mia lingua: sesto, primo bianco, edizione memorabile, applausi. Ogni volta che questo accade, l'allenatore delle ragazze gira appena la testa verso di me e si sforza di sorridermi. Anche prima, in macchina, quando Csányi smetteva di parlarmi per spiegare a lui e all'assessore le mie qualità, László Zsolnayné approfittava di essermi seduto a fianco per sorridermi di sbieco. Niente di strano, per sei mesi dovrà solo guardare, imparare, ubbidire. Vedrà le sue creature diventare le mie creature – da mezzofondiste a maratonete –, senza poter fare altro che seguirci in bicicletta con le bevande isotoniche. László ha ottenuto ottimi risultati, a giudicare dalle tabelle che mi ha sciorinato per tutto il viaggio. Tempi di assoluto rispetto sui tremila e i millecinque, non fosse che almeno dieci juniores russe e altrettante rumene hanno prestazioni migliori. La Federazione, ovvero Csányi, ha deciso di puntare su una nicchia meno affollata – ci sono le giapponesi e le afri-

cane, d'accordo, ma quei maledetti cugini dell'Est non
ce l'hanno una scuola di maratona – e quindi László deve imparare, se non vuole trovarsi a fare il professore
di ginnastica. Ecco il succo dei non detti, da Budapest a Szeged. Il buon László dovrebbe anche smettere
di mangiare – a trent'anni ha una plica soprailiaca sti-
mabile nell'ordine dei 150, 160 millimetri e corrispondente secondo i calcoli di Durnin al 34% di grasso corporeo – ma questo è un altro discorso.

Finalmente, proprio quando mi stavo chiedendo se
avrei dovuto rivolgermi a delle ragazze invisibili,
Csányi ha invitato l'allenatore Zsolnayné ad alzarsi in
piedi, applausi, e a chiamare le sue campionesse allo
scoperto. László, l'unico in tuta (Adidas per di piú), ha
preso il microfono e ha cominciato a pronunciare nomi che io provo ad abbinare a quelli scritti sul mio fax
d'incarico cercando di non perdere chi di volta in volta affiora dalla semioscurità, fronteggia la messinscena
con un impercettibile aúgh della mano e raggiunge il
piú rapidamente possibile un posto in prima fila accanto alle compagne già presentate. Kovács Katalin,
Vizikozmú Dora, Kiss Mihályne, Tóthné Mónika, Kiskocsma Magdolna, Bánóczki Agota, Seregélyes Imréné. Eccole qui davanti, sette diciottenni vestite da signorine, subito di nuovo confuse in una nebulosa di occhi e zigomi e code di cavallo protesa verso ciò che dirò.

Ciò che dirò, ciò che sto per dire, perché ormai è evidente che devo prendere la parola. Gli applausi sono
stati riassorbiti dal breve silenzio che precede un intervento. E manco solo io, l'ospite – «l'unico bianco
che non ha stato umiliato dai keniani» sta dicendo
Csányi – io, il fabbricante di maratoneti, il mago in
onore del quale questa gente ha annusato l'olio di mandorle bruciato senza fiatare, io, l'idiota del poster Mizuno.

Vorrei dire: La maratona è un'arte marziale. Chi la
corre compie una scelta estetica, non una sportiva. Lo
sport non c'entra niente. Vorrei dire: Resistere alla piú
alta velocità possibile per una strada cosí lunga è la co-

sa piú bella che una mente umana possa produrre. La mente non è il cervello, la mente è il sistema del corpo che pensa. La mente è la rete in cui il mio avampiede, il mio cuore, il mio glicogeno, i miei desideri, la mia memoria, tutto me stesso dialoga con tutto me stesso e con tutto ciò che dall'esterno modifica o può modificare me stesso. Ecco, il corpo che pensa raggiunge il piú alto grado di bellezza nella maratona. Credo che ciò varrebbe anche se sapessimo volare. Vorrei dire: Non ho mai visto niente di piú bello di Paul Tergat che vomita il Gatorade in eccesso dopo il traguardo. Non ho mai visto niente di piú bello dell'allungo di John Kosgey sulla Fifth Avenue. Niente di piú bello di quei bastardi di masai con le ali ai piedi, niente di piú bello di me stesso che muoio alle loro spalle. Ora, siate sincere, bambine, volete davvero che vi insegni la mia arte? Questo vorrei dire, invece, quando László mi passa il microfono col solito mezzo sorriso e la speranza in sala sembra volermi risucchiare nel suo campo elettromagnetico, dico:

– Be', vi ringrazio dell'accoglienza. Sono molto contento di essere qui e so già che mi piacerà lavorare con voi.

Csányi traduce, l'assessore gongola, le ragazze sono un unico sguardo annoiato.

– Parlo soprattutto delle vostre atlete. Avete ragione di esserne orgogliosi. Il loro allenatore mi ha informato sui risultati e il progetto maratona parte indubbiamente da ottime premesse.

Csányi traduce. Questa volta a gongolare è László. Le ragazze restano un concentrato di narcolessia. A questo punto mi rivolgo direttamente a loro.

– Domani cominceremo subito con i primi test in pista. La velocità di base che avete è piú che sufficiente. Noi lavoreremo in prevalenza attorno alla soglia di Van Aaken.

Csányi traduce. László si irrigidisce, finalmente si sente impreparato. Nell'istante in cui sto per riprendere, una ragazza alza la mano. Le altre la guardano piú o meno come László guarda me. Ha i capelli neri, quasi blu, tagliati corti, un tailleur rosso coi bottoni dorati e una piccola antenna di cellulare che esce dal taschino. Tiene gli occhi puntati sui miei in attesa che le dia la parola. Occhi molto distanti, zigomi molto sporgenti, un herpes all'angolo sinistro, no, destro di una bocca molto grande. In perfetto italiano, chiede:

– Scusi, che cos'è la soglia di Van Aaken?

– La soglia di Van Aaken è il punto oltre il quale il fiatone non consente piú di chiacchierare. Non è ancora quella anaerobica, ma è già ben oltre quella aerobica. Noi lavoreremo sulle componenti aerobiche periferiche, sull'utilizzo degli enzimi mitocondriali e degli acidi grassi. Insomma, sullo sforzo prolungato. Diciamo che, rispetto a prima, farete meno Ripetute Veloci e molti piú Lunghi e Lunghissimi.

Csányi rinuncia a tradurre, giustamente. Non gliene frega a nessuno della mia risposta: i miasmi del Tibisco devono aver riconquistato i pensieri di quasi tutti i presenti. La spia federale dice che la festa è finita o comunque qualcosa che fa applaudire la gente e la fa uscire dalla saletta. Poi saluta l'assessore e si avvicina alle ragazze. Io e László lo imitiamo. Csányi sta per parlare di nuovo, ma questa volta si tratta di comunicazioni di servizio:

– Agota, traduci tu, cosí io posso esprimere nell'italiano e non devo ripetere per Dario. Dario, lei è Agota. Tu, Agota, farai doppio lavoro: atleta e interprete. Hu hu hu. Domani di mattina vi conoscerete tutti bene. Intanto, due cose. Primo, tutto quello che dice Dario è ordine: in allenamento, in pranzo, in libera uscita. Secondo, con quelli sei mesi la Federazione vi dà grande possibilità e vi dà anche da mangiare, da dormire, e tutto che vi serve per correre: voi dovrete ricambiare, in futuro sí, ma il futuro comincia con l'adesso. Chiaro, sí? Bene. Allora, Dario, quando vinciamo la prima maratona?

Agota interrompe il bisbiglio della sua traduzione e mi guarda.

– Be', abbiamo un po' di tempo per pensarci. Direi che ne sceglieremo una primaverile, potrebbe essere Stoccolma ad esempio. Però parlerei piuttosto di verifica finale.

– Va bene, va bene, il trainer mette avanti sue mani. Va bene, cosa ti serve per domani?

– Cosa mi serve, vediamo... Abbiamo sette cardiofrequenzimetri? No, lo immaginavo. Be', faremo l'ora in pista al mattino, per misurare, lo so che László l'ha già fatto, diciamo per rimisurare la soglia anaerobica. Il pomeriggio invece esploreremo il percorso dei Lunghi. Voglio vedere l'asfalto, lo sterrato eccetera. Segue il corso del fiume, no?

Agota interrompe di nuovo la sua traduzione bisbigliata e mi guarda. Ma non ti sei accorto di niente? Non hai sentito la merda biochimica? Non sai che il fiume non è più un fiume? Temo che me le faccia sul serio queste domande. O forse sarebbe meglio, perché potrei subito dirle che non ho scelta, e neanche loro. Mi rendo conto perfettamente dell'assurdità, ma se il fiume scaccia i suoi pesci proprio quando noi dobbiamo, e sottolineerei *dobbiamo*, fare il nostro stage, non ci sono cazzi: noi correremo i nostri Lunghi in mezzo ai pesci boccheggianti.

– Ah certo, – risponde Csányi, – segue il corso di Tibisco. Proprio sull'argine. Vedrai, è perfetto.

– Bene, ci serviranno due bici con il contachilometri e una bomboletta di colore. Andremo solo io e László. Le ragazze riposeranno. A partire da dopodomani cominceremo con le doppie sedute quotidiane.

– Molto bene, – dice la spia Csányi, già pronto a saltare sulla sua Mercedes e riferire al mio capo. – Io vi lascio in buone mani. Tornerò presto a trovarvi. Voi ragazze, forza, raccomando. Adesso filate in mensa, che c'è la pasta regalata dagli amici italiani della Barilla. Anzi no, aspettate, a proposito con i regali, la Mizuno, grazie a Dario, vi ha mandato tre coppie di scarpe a testa. Vedete lì?

In fondo alla saletta, ora completamente illuminata,

una bella pila di scatole Mizuno prende tutti di sorpresa. Le ragazze trattengono per discrezione un piccolo orgasmo. Materiali mai provati, alta tecnologia Wave®, tre regali a testa, subito, cash. Salutano cortesi e ci mollano all'istante. Quando Csányi se ne va, non insisto sul resto dell'equipaggiamento Mizuno, sulla copertura completa che Carlo aveva promesso e io avevo promesso al mio sponsor, essendo evidente che il loro contratto con l'Adidas è piú grosso del mio. A László, che mi guarda fiero nella sua tuta da allenatore obeso, chiedo invece sillabando:

– Co-me ma-i A-go-ta co-no-sce l'i-ta-lia-no?

E lui, senza neanche piú sforzarsi di sorridere, mi risponde qualcosa che credo significhi boh.

9.

Aveva ragione la spia Csányi, l'argine è perfetto. È una sporgenza sulla pelle della Terra, una piega in rilievo alta quindici metri, una piccola muraglia cinese fatta di terra ed erba, che continua sempre uguale per decine di chilometri verso la Romania. Il fiume lo si vede a tratti, nei pochi buchi concessi dagli alberi e da una vegetazione iperprotettiva. La distanza tra il letto e l'argine sarà di almeno duecento metri, spazio colmabile da una piena che pare tutti aspettino. «If rain, it's good» mi ha appena detto László, facendo il gesto della pioggia che scende e gonfia il fiume e lava via ogni cosa, anche il cianuro. «But not too much» ha aggiunto subito, imitando l'acqua che esonda e sparge la sua merda di qua, dove la Puszta è ancora casette neoborghesi, campi di cavoli neri, vita quasi urbana.

Mi fa piacere che László abbia ripreso a parlarmi. Non credevo che digerisse cosí presto la discussione di stamattina. Con queste biciclette da passeggio sembriamo due fidanzati. Come poteva credere che non me ne accorgessi? Le ragazze capisco, ma lui come ha potuto essere cosí ingenuo?

Mi è bastato guardarle per tre giri di pista. «Look at. Wonderbabies, yes?» Wonderbabies, le chiama László. Gambe piene di carne, gommose come può essere gommoso un copertone di jeep e potenti, troppo potenti. Spalle e braccia scolpite, quasi maschili. Omeri dalla testa grossa, cresciuti in fretta, e cosí il resto dello scheletro. Occhi in allerta, di chi non sta correndo

verso qualcosa ma sta fuggendo da qualcos'altro, occhi
da teppiste, da scippatrici. Nessuno avrebbe potuto dubitare di essere davanti a delle splendide bambole con
tanto ormone Gh quanto ne sta nell'ipofisi di un gigante, bambole somatotropizzate, anabolizzate, moti-
vate a suon di efedrina.

Dora faceva l'andatura insieme a Imréné e Mihályne, tre ragazze di Pécs, gemelle nel passo e nel body
verde a due pezzi della nazionale. Seguivano Katalin e
Magdolna, una con la coda di cavallo biondissima e il
completo in poliestere canottiera e calzoncini, l'altra
coi capelli mesciati e stratinti al punto da non avere un
colore e la T-shirt della divisa estiva, entrambe di Szeged. Poi c'era Mónika, la piú alta, la piú forte, con un
sacco di elastici arancioni in testa, già una piccola ce-
lebrità nella sua Debrecen dopo la vittoria dei millecinque ai campionati ungheresi juniores. Infine Agota,
body rosso a due pezzi, piercing all'ombelico, smalto
blu sulle unghie, chiudeva il gruppo risparmiandosi, o
comunque dando l'impressione di essere nettamente
sotto i suoi limiti. Secondo i dati di László, Agota ha
una soglia anaerobica di 16,8 km/h e il ritmo imposta-
to questa mattina era a dir poco precauzionale: 3´40″
al chilometro con una proiezione di 16,3 chilometri alla fine del test. Sempre secondo i dati di László, Agota è di Budapest.

Dopo i primi quindici minuti le ho gridato:

– Agota, vai davanti. E gira piú veloce –. Lei mi ha
guardato un po' seccata e un po' contenta di essere stata scoperta.

Il gruppo si è allungato con qualche imprecazione di
adattamento, subito ingoiata dai rumori delle scarpette. Stamattina indossavano tutte un paio nuovo di Mizuno Adrenaline che all'inizio fanno sempre un gran
strappare e appiccicare, come se la pista fosse cospar-
sa di miele. Adesso che la velocità era sui 3´35″, Agota aveva aumentato ancora la falcata, invece che la frequenza. Era molto bello vederla condurre il trenino, a
ginocchia alte, volando tra un appoggio e l'altro, toni-

ca, muscolare, esibendo il suo piercing nel reticolato degli addominali. Lo stile di corsa del mezzofondista è davvero spettacolare, salvo che si tratta dello stile sbagliato.

Al quarantunesimo giro compiuto, ho chiamato gli ultimi trenta secondi. Il gruppo si è sgranato in un accenno di rush. Agota e Mónika hanno chiuso in testa, facendo altri duecento metri prima che scoccasse il sessantesimo minuto e dando comunque non piú di una quindicina di metri alla settima, Imréné. Totale: 16,6 chilometri in un'ora.

Mentre le ragazze si accartocciavano sul prato del giavellotto, io ho dovuto parlare.

– Mi pare bene. Secondo i dati di László siamo un po' sotto, ma questo dell'ora è un modo approssimativo per misurare la soglia e poi all'inizio vi siete risparmiate.

Agota lottava col fiatone per tradurre e io avrei voluto dire: Siete molto belle quando correte ma quel tipo di bellezza non ci interessa. Non siete delle majorette al Columbus Day. Non è quella la bellezza della maratona e io vi farò diventare brutte. Invece ho detto:

– Oggi ho visto una buona corsa. La maratona però non permette un simile spreco. Le ginocchia e le spalle devono essere basse, la falcata contenuta. I piedi devono sollevarsi il meno possibile per conservare tutta l'energia cinetica. Dovete immaginare di avere delle ruote.

Agota mi guardava. Nessuna di loro si sarebbe pensata volentieri con le ruote. László rideva, credendo fosse una battuta.

No, caro László, io le tue wonderbabies le faccio diventare delle biciclette. Esatto, sí, proprio come queste che ci fanno sembrare due froci. Tu, László, non devi ridere, devi spruzzare un po' di vernice qui. Ecco, una bella tacca gialla sul ventesimo chilometro della nostra muraglia cinese, cosí per oggi abbiamo finito e possiamo tornare indietro. Adesso László è bravo e ubbidiente. Stamattina però, quando ha riso nella sua obesità da giovane allenatore fallito, gli ho detto dritto in faccia:

– Ah sí, un'altra cosa. *No doping*.

László si è mangiato la risata all'istante e ha preso a scrollare la testa. Agota mi guardava. Io avrei voluto dire: Finché ci sono io dovete restare pulite, non voglio avere grane. Ma László continuava a fare il furbo, cosí ho detto:

– No, vi prego, non negate.

Ho preso Magdolna per un braccio e l'ho messa davanti a László, tipo lo scheletro nell'ora di scienze.

– Guarda questo braccio László, guarda queste ossa. Si chiama ormone Gh. Basterebbe una goccia di urina di Magdolna per far crescere un albero.

Nessuno ha riso. Chissà come traduceva Agota, che non smetteva di guardarmi.

– E qui cos'abbiamo? – ho sollevato Dora per un'ascella. Il contatto della mia mano fredda con la sua pelle bollente, bagnata. Non volevo che la cosa fosse cosí traumatica come stava diventando, ma László doveva purgare. – Vieni Dora, stand up. Guarda questi occhi, László –. In realtà gli occhi da teppiste erano perfetti. Cosí volevo le mie maratonete: teppiste, scippatrici. Ma cazzo, troppa efedrina. – Cosa mi dici di questi occhi? Metà delle anfetamine prese da Dora basterebbe a far ballare i vecchi di un ospizio.

Nessuno ha riso. In compenso László ha piegato la testa sulla sua stupida cartellina. Sarebbe stato il momento di affrontare la questione peso e annunciare la dieta ipoglicidica – le wonderbabies devono dimagrire – ma data la situazione, mi sono limitato a dire:

– Ripeto, *no doping* –. E poi: – Da oggi, cibo, integratori, barrette, bevande: prenderete tutto sotto il mio controllo. Okay?

Nel silenzio ferito del gruppo, Agota mi ha guardato e ha detto:

– Okay.

László non ha detto okay, ma adesso mi sta dietro di mezza bici, con la sua bomboletta gialla. Ogni tanto mi indica un grosso uccello, dice il nome e spalanca gli occhi e la bocca, perché anch'io mi stupisca che in questo cielo volino ancora cose vive. Rientrando incontriamo via via le tacche dei chilometri spruzzate all'andata. Abbiamo dato una misura al fiume, una distanza alla città, che appare lí in fondo come un groppo lievemente piú scuro in cui questa piega entra. Tutto ha una misura, tutto una distanza, un tempo di passaggio, un'andatura. Ma questa non è una piega, né una muraglia cinese. Come ho fatto a sbagliarmi cosí? Di colpo mi torna in mente il contorsionista raggomitolato nel cubo di plexiglas, esattamente come mi è apparso in aereo: il collo teso, la vena che pulsa. No, quest'argine non è una piega. È un osso curvo che entra nella spina dorsale, lí all'orizzonte. Ecco, quella vertebra laggiú deve chiamarsi Szeged. Correrle incontro per di qua, sarà come farlo su una costola di un pianeta smagrito.

– Grazie per quell'okay, Agota, – le ho detto, mentre attraversavamo il prato verso gli spogliatoi. Eravamo rimasti un po' indietro. Era stato tutto troppo traumatico. Volevo rimediare. Lei mi ha guardato: aveva del muco sotto le narici e sulla guancia, l'herpes di nuovo spaccato, luccicante, gli zigomi rosso Ferrari. Cosí le ho detto l'unica cosa a cui non pensavo:

– E io che ti credevo una brava signorina, con quel tailleur, ieri sera. Guarda che roba: il piercing, le unghie blu. Come mi sono sbagliato, eh?

E lei, riuscendo per l'ennesima volta a guardarmi senza l'ombra di un sorriso, con quegli occhi che da vicino sembrano ancora piú distanti, mi ha fatto trovare la sua lingua in bocca.

Questura di Trieste. Una scatola.

«Prego, accomodatevi. Signora, ecco, lei si metta lí. Ci sbrigheremo presto, non preoccupatevi. Questo è solo un colloquio esplorativo. Abbiamo ricevuto la comunicazione del Tribunale dei Minori circa la vostra richiesta di adozione. Lei, signora, è Fozzer Maura, in Rensich?»

«Sí».

«Nata?»

«A Bolzano, il 4 luglio del '67».

«Residente?»

«A Trieste, in via Biasoletto 26. Con mio marito».

«Professione?»

«Insegnante. Insegno educazione fisica, lavoro...»

«Sí, lo so, lo so dove lavora».

«Infatti, tutte queste cose le abbiamo già scritte sul modulo che ha lí davanti».

«Stia buono lei, sto parlando con la signora. Poi verrò anche a lei. Allora, dov'eravamo, ah sí, signora Fozzer, lei è iscritta a un partito politico?»

«No».

«È iscritta a un sindacato?»

«No».

«È iscritta a qualche associazione umanitaria?»

«No».

«Appartiene a qualche setta religiosa?»

«Scusi, ma a lei che gliene impor... cioè, voglio dire, che importanza hanno queste cose?»

«Le ho già detto di non interrompermi, sto parlando con la signora. Signora Fozzer, possiede armi?»

«No».

«Possiede il porto d'armi?»

«No».

«La casa in cui abita è di sua proprietà?»

«Sí. Stiamo pagando il mutuo».

«Maura, ma questi sono affari nostri!»

«Glielo dico per l'ultima volta, stia zitto. Lasci parlare la signora. Signora Fozzer, quali sono le ragioni della sua richiesta di adozione?»

«Maura, non rispondere. Non ha il diritto di farci queste domande. Lei non ha il diritto di chiederci questo».

«Lei invece sta rischiando grosso. Non mi faccia arrabbiare. Io qui ho tutti i diritti del mondo, sto facendo il mio lavoro e basta. Signora, risponda prego».

«Non sono in grado di avere figli naturali».

«No, *io* non sono in grado di avere figli naturali».

«Senta, signor Rensich, senta bene, perché mi sa che lei non ci sente, avevo già capito che qualcosa sarebbe andato storto con lei, anche solo leggendo queste carte».

«Perché? Le abbiamo compilate con tutta la cura possibile. Ogni casella, ogni dato. Abbiamo tutto in regola».

«Questo, se permette, sarò io a deciderlo. Qui, ad esempio, c'è scritto maratoneta. Mi spiega, gentile signor Rensich Dario, che professione è maratoneta?»

In mensa lo sgomento delle ragazze superava le barriere linguistiche. Non sono riuscito a capire se era per ciò che pensavo io, oppure per ciò che le inservienti mettevano sul loro vassoio: tre etti di spinaci bolliti, una mela golden, tre fette biscottate, cinque pillole di aminoacidi ramificati Gensan. Sono arrivati i prodotti Gensan.

Agota si è aggiunta per ultima alla tavolata con una T-shirt dei R.E.M. in concerto a Budapest e i jeans strappati sopra il ginocchio. Katalin e Magdolna le hanno fatto spazio in mezzo a loro continuando a molestare ognuna il proprio cellulare. Anche le altre non si dicevano molto, ma poi, d'un tratto, impugnavano il telefonino e frullavano Sms a due mani. C'era un mondo fuori dal nostro Kollégiuma Atlétika che godeva abbastanza dei messaggi che riceveva, almeno a giudicare dalla sollecitudine delle sue risposte. Le ragazze mi sapevano seduto al tavolo dietro di loro, mandavano giú gli spinaci a piccoli bocconi guardandosi come nella sala d'aspetto del dentista. Tradivano lo sgomento solo con la frenesia degli Sms. Che sta succedendo? Cosa vuole farci quello?

Finché ha trillato il mio, di telefono. Per un istante ogni attività ha smesso. Agota si è voltata fino a pescarmi con la coda dell'occhio. Alzandomi ho fatto segno a László che se voleva poteva finire il mio gulasch e mi sono allontanato.

Era Maura. Maura che parla del caldo di quest'au-

tunno, di Trieste putrefatta, Maura che mi chiede degli allenamenti, del mio nuovo appartamento, se dà sul
fiume, se ci sono i pesci in agonia, Maura che si rifu-
gia nelle cose perché le sue parole non volino e non suonino troppo, Maura che è una donna dolce quando non
ci sono. Maura, la madre di Fiona, mia figlia. E io che
le dico della dieta ipoglicidica, della mancanza di ver-
dura cruda, dei venti chilometri di Medio che le ragazze devono farsi domattina senza colazione, dei dodici chilometri di Progressivo che le aspettano nel pomeriggio. Io che vedo Maura seduta sul letto, chiusa
nella sua posizione a uovo, e le dico tutto. Quasi tutto.

Sono tornato in mensa pensando che la distanza abbia un po' lenito la nostra stanchezza e subito sor-
prendendomi di questo pensiero.

Le ragazze non hanno avuto bisogno di abbandonare i loro cellulari per sentire che sono rientrato. Ho fissato l'ora per la sveglia, naturalmente senza prepararr-
le al digiuno, ho raccomandato loro di non far casino
visto che stanno al piano sopra il mio, ho dato un tentativo di pacca sulla spalla a Sancho László Panza cercando di fargli andare di traverso l'ultimo pezzo di carne, dopodiché mi sono rimesso alla bontà oppiacea dei
novanta canali satellitari della mia Tv. Bbc World stava trasmettendo una replica del servizio quotidiano da
Szeged. È stato proprio mentre mi rilassavo davanti alla faccia di Sárkány, qui, pochi minuti fa, nel mio nuovo appartamento, nel mio nuovo vendéglakás, che il
cellulare mi ha segnalato un messaggio. Io non scrivo
mai Sms e mai ne ricevo. Una scarica di adrenalina mi
è corsa sotto le unghie e tra le radici dei capelli. Mi sono visto impugnare il telefono come le ragazze in mensa, e ben sapendo che stavo per aprire la pancia a un
cavallo di Troia, ho premuto Yes.

Ecco fatto.

Da: + 36309101865. Sconosciuto, ungherese. Il testo dice: SEI SPOSATO?

*Proseguono i lavori, a Szeged. E purtroppo prosegue
lo stato di emergenza. Ora si teme che le piogge previste per i prossimi giorni alzino il livello del fiume fino
a una possibile inondazione delle campagne circostanti. Agricoltori e allevatori sono i piú allarmati. Qualche capo di bestiame è già morto abbeverandosi all'argine, ma finora la vittima principale è stata la fauna sel-
vatica: un'inondazione invece sarebbe una vera e
propria ecatombe per cavalli, bovini e altri animali di
allevamento. «La regione subirebbe un danno econo-
mico incalcolabile» ha dichiarato oggi il sovrintenden-
te regionale István Hamar.*

*Intanto la tossicità del fiume è leggermente diminuita
– si parla di 2,2 milligrammi di cianuro per litro –, le
sue acque però continuano a trascinare verso il Danubio carcasse di caprioli, lontre, aquile retiche. In certe
anse poco piú a nord rispetto al punto da cui vi stiamo
parlando la sua superficie è ancora completamente coperta da uno strato brulicante di lucci, carpe, siluri, sto-
rioni e altri grossi pesci agonizzanti.*

*Nonostante l'odore insopportabile la gente non si
sposta da qui. Chi non è impegnato nelle operazioni di
smaltimento resta comunque a vegliare il fiume. Lunghi cordoni di persone – ci sono anche molti bambini
– assistono al lento fluire di questa colata di pece fino
a tarda sera. Guardano in silenzio. Respingono timida-
mente i nostri microfoni. Qualcuno getta fiori dal
Belvárosi Híd, il ponte vecchio. Qualcuno cammina fra*

i detriti rimasti negli spazi di battigia ripulita. È il loro fiume che muore e loro vogliono esserci. Come noi. Béla Sárkány, Szeged, Bbc World.

13.

Da: alberto.lentini@uclink4.berkeley.edu
Data: giovedí, 24 ottobre, 20:06
A: dario.rensich@katamail.com
Oggetto: l'umiliazione delle stelle

caro dario,
gli uomini (e le donne) sono entità sublunari. lo so
che lo sai. te lo dico solo per tranquillizzarti.
quello che mi racconti non è strano. basta che
proprio adesso non ti metti a fare cazzate.
secondo basilio, santo guastatore della macchina
aristotelica, anche i corpi celesti sono sensibili alle
affezioni. non hanno desideri né bisogni, eppure
dal loro semplice girare infinito traggono piacere. è
la loro grande umiliazione, l'umiliazione delle
stelle. quindi consolati. girassimo anche intorno al
mondo, su due punti diversi della stessa orbita,
eternamente, tu partendo dalla puszta, io dalla
california, non smetteremmo per questo di essere
umiliati.
e comunque, puoi correre quanto vuoi. non
diventerai mai una stella.
alberto
ps. sta' contento, fiona si aspetta genitori
sublunari.

14.

Eccole le mie teppiste, le mie scippatrici. Eccomi al passo, insieme a loro.

L'asfalto scorre piú rapidamente ora, sotto le nostre Mizuno Wave Rider. Come se precipitasse nel vuoto subito dietro l'ultimo del gruppo, come se non reggesse una simile velocità pedonale e si sciogliesse in una vasca di niente un istante dopo il nostro passaggio. Stiamo andando. Quando le macchie di chewing-gum del marciapiedi fanno una scia sulla retina vuol dire che stai andando. Quando i moscerini ti si spiacciano sul viso e cominci a sentirti uno scooter senza parabrezza significa che stai andando. E noi stiamo andando. E il terzo e ultimo segmento di Progressivo: quattro chilometri a 3´30″, quattordici minuti a 17,3 km/h, la conclusione ad elevata concentrazione di lattato di una giornata sostanzialmente aerobica e assolutamente esaltante. Abbandoniamo l'argine e penetriamo nel placido viavai della città. Per raggiungere il Kollégiuma Atlétika dobbiamo attraversare Újszeged, il quartiere nuovo al di qua del fiume. Percorriamo un tratto della Népkert Sor, entriamo nel parco Népliget. Oggi i nomi mi si stampano nella corteccia. È sempre cosí, sopra i 140 battiti la mente, il corpo che pensa, torna a funzionare. Usciamo sull'incrocio da cui le arcate pesanti di Belvárosi Híd si aggrappano al cielo, ma non prendiamo il ponte, restiamo sulla Alsó Kikötő Sor e aumentiamo ancora, superando biciclette, saltando rotaie, seminando il panico tra la gente che aspetta il tram. Affianco Mónika e Agota, in testa al gruppo, a un'andatura che comincia ad assomigliare alla mia. Anche le scarpette, gli appoggi, trovano l'asfalto in perfetta sincronia. – Slower, – dico, e apro la mano verso il basso a mo' di flat per stabilizzare il nostro atterraggio. Le ragazze mi guardano, ovviamente senza sorridere e si riportano a un buon 3´30˝. Mi volto per controllare il gruppo: Imréné e Mihályne sembrano le piú affaticate, hanno una profonda V di sudore in mezzo alle tettine. Ma l'unico che non reggerebbe un altro segmento è László. A ogni lieve salita la sua citybike tappezzata di adesivi Adidas perde contatto. Guarda come imparano presto le tue wonderbabies, László, guarda che belle biciclette stanno diventando. Pedala, László, e impara.

Tra le inferriate di quello che ha tutta l'aria di essere un centro sportivo, in una nebbia che ha tutta l'aria di essere termale, compaiono le calottine gialle di pallanotisti in allenamento. La scritta dice Ligetfürdő. Quei tizi sono immersi in una piscina scoperta a cento metri scarsi dal Tibisco e al suo stesso livello, devo ripetermelo piú volte per crederci. – Szeged water-polo, premier league, – mi urla László con tutto il fiato rimastogli. La puzza di uovo sodo delle terme copre per trenta secondi quella di olio di mandorle bruciato. Solo adesso mi accorgo che siamo circondati da passanti con la mascherina. Anche di là, sull'argine opposto, dove ci sono alcune chiatte ristorante e una piccola tribuna in pietra, c'è un sacco di gente allineata in piedi, come se dovesse sfilare qualcosa. Ma il fiume è immobile.

Mónika intanto, con la sua testa piena di elastici arancioni e gli occhi adrenalinici, sta di nuovo attaccando. Basta una lieve distrazione e il ritmo sale, è inevitabile. La fretta nasce da una sensazione nuova e dal desiderio istintivo che smetta il piú presto possibile. I muscoli hanno cominciato a cannibalizzarsi. Le ragazze non avevano mai provato a correre cosí prive di carboidrati, cosí completamente svuotate. Vedo i loro culi, le loro gambe in preda a una rabbia cieca, entrare furiosi nei magazzini lipidici e mangiarsi tutto, mangiarsi piccoli brani della loro stessa carne, rosicchiarsi anche i mitocondri delle fibre veloci. Vedo l'insulina di Agota gridare: il glucosio, cazzo, chi ha nascosto il glucosio! Con il dorso della mano si è di nuovo spalmata un moccolo sulla guancia. L'herpes sembra quasi guarito. Non avere paura, Agota. È una cosa nuova. Lascia che il tuo corpo si organizzi, lascialo pensare una soluzione, non mettergli fretta, goditi una sofferenza che non conoscevi. Ma non dico niente di tutto ciò, anche perché, quanto a novità, queste sono frasi che dovrei rivolgere a me stesso.

– Perché ci fai mangiare tanto poco? – mi ha chiesto Agota in mensa, dopo i venti chilometri di Medio di stamattina.

– È una curiosità tua o una protesta di tutto il gruppo?

Le altre seguivano il nostro dialogo già sedute davanti alla loro tazza di brodo. La biondissima Katalin era passata direttamente alle fette biscottate (tre) e al prosciutto (un etto). László pregustava la sedizione, girandosi tra le dita una bustina di maltodestrine Gensan.

– Sí, anche loro domandano perché, – ha detto Agota, confortata da un timido abbassamento di palpebre di Katalin.

Avrei dovuto rispondere semplicemente: Perché siete grasse, perché nessuna maratoneta può permettersi di pesare cinquanta chili, perché tutti quei muscoli vanno bene per sfigheggiare in pista ma una volta finito il glicogeno vi lascerebbero per strada, perché voi wonderbabies, cosí come siete, vi impiombereste al trentesimo chilometro. Invece ho detto:

– Allora, visto che si tratta di un'interpellanza ufficiale della rappresentante del sindacato top-runner del futuro, vi devo informare che il vostro corpo corre grazie all'Atp, ovvero all'acido adenosin-tri-fosfato prodotto e utilizzato dai vostri muscoli attraverso una combinazione di ossigeno e glicogeno.

László aveva smesso di torturare le maltodestrine, adesso mi fissava con la bocca leggermente aperta.

– Quando anche il vostro fegato ha esaurito le scorte di glicogeno voi, per produrre Atp, cominciate a utilizzare i grassi. Ecco, questo non deve avvenire *dopo*, deve avvenire *subito*, perché il passaggio tra consumo di zuccheri e consumo di grassi è mortale per chi non ci è abituato. E voi non volete morire, vero? Voi volete vincere maratone, o sbaglio? Quindi bisogna che educhiate il vostro metabolismo a fornirvi fin dai primi chilometri una miscela di zuccheri e grassi, cioè l'ideale per fabbricare le quantità sconsiderate di Atp che una maratona pretende. Ora, l'educazione del metabolismo prevede una dieta con meno amidi e zuccheri, abbinata a Lunghi e Lunghissimi, ma se tu, Agota, hai un'idea migliore sono tutt'orecchi.

Agota, che si era attardata in una traduzione apparentemente analitica, si è bloccata sull'ultima frase e mi ha guardato. Le altre hanno guardato tutte come Agota mi guardava. Io ho chiuso il cerchio distogliendo lo sguardo da lei e guardando loro, con un sorriso che nessuna, giustamente, si è sognata di ricambiare.

László ci passa davanti con le bottiglie semivuote di AdHoc Gensan che sbattono nel cestello. Vuole farci strada, qui, nell'ultimo chilometro, dove la pista ciclabile è stranamente affollata da cani e persone con le borse della spesa. È un bel gesto, che però le ragazze non apprezzano. Mónika aumenta, imprecando, e prende subito la scia della bicicletta, il gruppo si allunga in fila indiana e Agota si gira verso di me, che sono l'unico fuori fila, per capirmi, interpretarmi, leggermi da qualche parte un permesso di volata.

Anche se tu, Agota, piú che leggermi hai cominciato a scrivermi e quello che sto diventando adesso lo sai solo tu.

– Perché mi tratti cosí male? – mi ha chiesto a bruciapelo, appena ho aperto la porta. Cristo, aveva osato bussare alla porta del mio vendéglakás, in pieno riposo postprandiale, in pieno corridoio, con la sua T-shirt cortissima e i jeans strappati e gli zoccoli. Aveva osato, e io avevo già aperto e stavo già per rispondere, cercando di sottrarre parole al dilemma che in quel momento mi assillava: la faccio entrare, non posso farla entrare, la faccio entrare, non posso farla entrare.

– Entra.

Eravamo in mezzo alla stanza, uno di fronte all'altra. Con gli zoccoli era alta quasi come me. Non si vergognava di mostrarmi le unghie nere, i piedi distrutti.

– Perché ti tratto cosí male, dici –. Ho preso una pausa. Nel cervello sentivo una cosa che non sapevo neanche identificare che mi toglieva ossigeno. – Non so come hai fatto ad avere il mio cellulare, ma non voglio che mi mandi messaggi, chiaro? – Lei mi guardava. Non riuscivo a decidermi su quale dei due occhi fissarmi, passavo continuamente dall'uno all'altro. Aveva i capelli ancora bagnati. Sentivo il profumo del dopo-shampo. – Io sono il tuo trainer. Siamo qui per lavorare, giusto?

– Sí, giusto. Ma tu... sei sposato?

Mi ero fissato sull'occhio sinistro. Talmente nero che non si vedeva neanche dove finiva l'iride e cominciava il buco della pupilla. Sono sposato? Certo che sono sposato. E mentre ho pensato a quanto fosse ovvio e giusto per me essere sposato, mi sono sentito dire:

– No, non sono sposato.

E subito dopo mi sono trovato di nuovo la sua lingua in bocca.

Avevo bisogno di ossigeno. Quella cosa che non sapevo identificare me lo stava rubando tutto. Sentivo il gusto acidulo dell'herpes, stavo baciando Agota. Ho provato a toccarla, a risalire lungo il fianco, dentro la maglietta, fino alla piega delle tette. Era tutto pieno, sodo, teso. Mi pareva difficile anche solo palpare quel corpo. Quando si è slacciata i jeans, ho provato ad afferrare, a strizzare due belle manate di culo, ma niente, Agota è di mescola dura, è isoprene vulcanizzato a forma di donna. Solo li, in mezzo al pelo, la carne si fa piú morbida e accogliente. E Agota mi ha accolto. Prima in bocca, nella sua grande bocca di adolescente, poi, quando la cosa che non sapevo identificare ha lasciato che un po' di sangue raggiungesse il cazzo, lei mi ha disteso sul divano, svelta, pratica, come un'infermiera, e ci si è seduta sopra. Muoveva il bacino con quel movimento ondeggiante, delfinato, che non credevo le donne conoscessero già a diciott'anni. E mentre ero in ostaggio della perizia tecnica di Agota e accompagnavo il suo culo pneumatico colpo dopo colpo solo per mostrare il contrario, ho realizzato di essere senza preservativo e mi sono subito vergognato per quanto offensivo fosse un simile pensiero nei confronti di quella bellissima bambola senza sorriso che sicuramente doveva aver pensato la stessa cosa, ma poi, per non offendermi, mi aveva accolto cosí, senza. Vergognati, il preservativo. E sentivo le pareti della vagina stringersi come ganasce e tornare docili, lattiginose, dopo ogni spasmo. Vergognati, idiota, chi è piú sano di noi? E intanto avrei voluto vedere se dietro l'orecchio di Agota ci fosse una porta seriale in cui inserire il Kamasutra, il nuoto a delfino e ogni altro software per le necessità della vita. Ma no, Agota non è un androide.

– Non sei ancora venuto? – mi ha chiesto a quel punto, con gli occhi che visti da sotto erano quasi nascosti dagli zigomi e mi scrutavano, perché evidentemente Agota ha in mente i tempi dei ragazzini e quindi non sa tutto e quindi non è un androide. Non immaginavo che una semplice domanda potesse eccitarmi tanto. Mi sono aggrappato ai suoi fianchi stretti e l'ho tirata a me con piú forza e piú velocemente. Mi è venuto su un lamento roco che non mi ero mai sentito. Anche il divano si lamentava. Avrei voluto fare meno rumore. Solo lei riusciva a trattenersi. Aveva la faccia tutta rossa, gli occhi rovesciati, ma non emetteva che lievissimi, ultrasonici igen. Igen, igen. L'unico sí bisillabico che conosca. Mi sarei accontentato di vedere l'herpes che si spacca di nuovo, sotto sforzo, ma ormai era troppo tardi.

– Resta, – mi ha detto. Come resta? Erano gli ultimi colpi. Come resta? Non posso restare. Cioè sí, io so che posso restare, io so che ho uno sperma handicappato, ma tu no.

– Vienimi dentro, – mi ha ripetuto, perché in quei momenti essere stranieri può creare comunque malintesi. Vienimi dentro? Io sapevo che le avrei iniettato una popolazione innocua, già morta. Ma lei no. Erano proprio gli ultimi colpi. Agota non si è sottratta e io ho spinto fin dove arrivavo, *restando*, come lei voleva. Con uno strano dubbio, però.

Poi si è distesa su di me, dandomi la nuca. Aveva la maglietta umida. Era calda, leggera. No, non leggera, completamente senza peso. Un angelo col profumo di doposhampo. Da dove toglierò per portarla a quarantacinque chili? Cosa sparirà di Agota? Se la guardo adesso, mentre risponde all'attacco di Mónika, allungando la falcata, alzando le ginocchia, commettendo i soliti errori, vedo bene come si asciugheranno le sue fibre, l'intaglio che disegneranno sui quadricipiti a suon di mangiarsi l'un l'altra. Ma a un angelo, come fai perdere cinque chili a un angelo?

– Vai a riposarti, che al pomeriggio c'è il Progressivo, – le ho detto, con la testa però ancora tutta in quello strano dubbio.

– Correrai anche tu?

– Sí, correrò anch'io.

– Che bello, correremo insieme, – e mi è parso che gli angoli della bocca le salissero un poco. Un poco di piú di quanto richieda la parola insieme. Era una specie di *cheese* o un sorriso vero? Un altro dubbio. E lei, già con la mano sulla maniglia, notando quanto la mia testa fosse scollegata da ciò che ci stavamo dicendo, ha aggiunto: – Non ti preoccupare, prendo la pillola.

15

– Pronto, Maura?
– Sí, chi parla?
– Sono io, Alberto.
– Cosa?! Alberto?! Che sorpresa! Come stai?!
– Non lo so, cerco di non chiedermelo. E tu?
– Be', io, sai, Dario non c'è e io...
– Lo so, lo so che non c'è.
– Ti ha detto lui di chiamarmi?
– Ma no. Lo so e basta. È appena partito, no?
– Sí, lui è partito e io sono qua, sola come una disgraziata, ad aspettare Fiona. Cristo, quante volte sono stata lí lí per prendere su il telefono e ringraziarti. Non è giusto, dovevo farla io questa telefonata.
– Puoi rimediare.
– Ah sí, meno male. E come?
– Vieni ad aspettarla qui, la bambina.
– Cosa?!
– Dai, ti ho già ordinato un mokappuccino. Sono al solito posto, su Shattuck. Muoviti, se no si raffredda.
– Oh no, ti prego Alberto, non dire cosí, che mi fai venire voglia.
– Be'... non speravo cosí tanto, mi sa che il Moka-coffee non è il posto adatto allora. È meglio se ci vediamo direttamente a casa mia. Ricordi come ci si arriva, no? Un paio di aerei, la Bart e un cab. Non fartela passare. Si tratta di resistere solo una dozzina di ore.
– Che scemo che sei. Non scherzare. Mi piacerebbe venire sul serio.

– Ahi, qui il discorso si fa sempre piú difficile. Venire sul serio, eh? Io non posso garantirti nulla. Vedremo quello che si può fare. Con me però non dovrai fingere.

– Venire, Alberto, nel senso di spostarsi verso chi parla. Sei sempre il solito maiale. Ma cos'è, vi fanno un test d'ingresso, a voi berkeleyani, oppure è una roba che si impara lí?

– Vedo che ti ricordi ancora dei miei colleghi. Anche loro si ricordano benissimo di te, sai?

– Immagino. Allora, rispondimi, trattasi di prerequisito o viene dopo?

– Il sesso è nato qui a Berkeley. 1968, ti dice niente questa data?

– No eh? Non attaccare con il '68. Sono una giovane donna italiana. Anzi, una donna italiana appena nata in procinto di diventare mamma. Non voglio sentir parlare di ammucchiate d'epoca.

– Be', mi hai fatto una domanda. Comunque per me è diverso dai miei colleghi. Lo sai, il mio problema è quel branco di depravati greci e latini con cui mi accompagno dai tempi del liceo. E poi c'è anche il fatto che con la corsa dopo i cinquant'anni non produci piú tante endorfine e un po' di voglia ti resta sempre. Per Dario è diverso, no?

– Eddai, smettila. Dimmi piuttosto, com'è che ti sono venuta in mente?

– Oggi ero alla Black Oak e mi sono ricordato di quella volta che ti sei messa a ridere perché c'erano tre scaffalature per lesbiche e il libraio ha fatto il muso lungo e tu hai tentato di spiegarti, ti ricordi?

– Cazzo se mi ricordo. Piú gli dicevo che non ce l'avevo con nessuno e piú tutti diventavano rossi, anche tu e gli altri clienti che non c'entravate nulla.

– E ti credo! Nessuno si sarebbe mai sognato di parlare di quelle targhette. Lesbian. Omosexual. Figurarsi di riderci sopra. Senonché oggi mi sono trovato di fronte a una lesbica in mimetica e zatteroni che si comprava il suo saggio per lesbiche, mi sono trovato di fron-

te a lei e al libraio che glielo metteva nel sacchetto con
quel sorriso da civiltà superiore e ti ho pensata. Stasera la chiamo, mi sono detto.

– Dovevo farlo io.

– Be', comunque non è che mi sei venuta in mente.
Io ti ho *sempre* in mente.

– Anch'io, se è per questo.

– Ah sí? E come mi hai in mente?

– In che senso?

– Voglio dire, nessuno ha in mente qualcuno in
astratto. Io ti ho in mente in un certo posto, in un certo momento, in un certo modo.

– Sí, mentre faccio la peggior figura della mia vita.

– No, la Black Oak non c'entra.

– A no? E dove allora?

– Tu, dove?

– No, dillo prima tu.

– Non so se ho proprio voglia di dirtelo.

– Cazzo, Alberto, sembriamo due bambini.

– …

– Alberto?

– Ti ricordi di quella volta delle fragole.

– …

– Eravamo rientrati da una gita a Bear Creek, c'erano anche Dean, Robin e gli altri ragazzi di Frisco, siamo andati da Andronico's a comprare da mangiare e
abbiamo fatto uno strawberry party a casa mia, ti ricordi?

– …

– Che c'è, hai perso la lingua?

– No… vai avanti.

– Dario era di là con Dean e gli altri, a togliere i libri dal tavolo. In cucina c'eravamo solo io e te. Io con-
trollavo il depuratore del calcare e tu eri al lavello che
tagliavi le fragole. Ti ricordi?

– …

– Come fai a non ricordare?

– Sí, ricordo.

– E ti ricordi che a un certo punto mi hai chiesto se

ti prendevo nella tasca dei bermuda una forcina perché i capelli ti andavano sugli occhi?

– Sí.

– Io mi sono messo dietro di te per far entrare meglio la mano destra nella tasca destra. Era la tasca destra. La tasca destra davanti, ricordi vero?

– ...

– Per un po' hai continuato a tagliare le fragole, poi ti sei fermata ad aspettare. Ci mettevo davvero troppo per tirar fuori una forcina da una tasca.

– ...

– Be', ho fatto finta di non trovarla subito. Questo lo sapevi, vero?

– ...

– Ci sei ancora?

– Sí, ci sono.

– Lo sapevi, vero?

– ... Sí.

– C'era solo quella fodera sottilissima tra te e le mie dita. Era umido e caldo, lí dentro. Eravamo appena tornati dalla scampagnata. Non c'era alcuna premeditazione in me. Fino a un istante prima non ci avevo pensato e adesso ero lí con le mie dita... e tu stavi ferma ad aspettare.

– ...

– Ecco, io ti ho in mente lí, in quel momento».

– ... Anch'io.

– Cosa?

– Sí, anch'io ti ho in mente cosí...

– Non ci posso credere.

– Se chiudo gli occhi è quella la scena che viene per prima.

– Oh Cristo...

– ...

– ...

– ...

– E se io adesso... ti chiedessi di metterti la mano lí e pensare che...

– ...

– ... e pensare che...

– Non ho tasche, sono in pigiama.

– Be', da sopra il pigiama... e pensare che al posto tuo ci sia...

– Alberto, cazzo.

– Va bene, scusami.

– Non sai cosa significa aspettare Fiona. Una figlia, capisci? Ogni telefonata ho il batticuore. Qua è quasi mezzanotte.

– Scusami, hai ragione. Ho telefonato troppo tardi. So quanto desideri la bambina.

– Massi, certo che lo sai. Sei stato tanto gentile con noi. Con tutto quello che hai fatto, guarda, mi sento così stupida, avrei dovuto ringraziarti.

– Lo stai facendo ora.

– Si, lo sto facendo ora. Vorrei ringraziarti. Grazie. Sul serio.

– Maura...

– ...

– Maura...

– ...

– Mettiti la mano lí.

– Oddio, non...

– Chiudi gli occhi, pensa alle fragole...

– ...

– Toccati lí.

16.

Se sistemo gli specchi in modo da vedermi di profilo, dal centro del labbro superiore sboccia un piccolo frutto a grappolo, una specie di mora trasparente, incastonata proprio in punta. Di fronte, è semplicemente un pezzo di mucosa scolorato. È domenica e ho l'herpes.

Ieri, dopo la seduta del mattino, le ragazze sono tornate a casa. Grazie alle pressioni della loro sindacalista hanno ottenuto che i week-end contemplino almeno 36 ore di libera uscita. Avrei potuto accompagnare Agota a Budapest, ma lei non me l'ha chiesto e io non l'ho fatto. Così sono rimasto a presidiare lo József Horváth Kollégiuma Atlétika, che nei giorni festivi sarebbe una struttura ottima per girare il remake di *Shining*.

Agota mi ha detto che ogni tanto deve andare dai suoi per non insospettirli. È giusto. Mi scrive un sacco di Sms:

MI MANCHI
OGNI VOLTA È PIÚ BELLO
COSA PROVI PER ME?
È SOLO SESSO?

E io mi ritrovo chino sui tastini a digitare, in mezzo alla strada, nei bar, nel mio vendéglakás, premurandomi di non lasciarla mai senza risposta. Oggi sono così stremato che per interrompere la catena ho dovuto spegnere il cellulare. È una strana sensazione camminare per la città senza sentirlo trillare.

Nonostante i ripetuti annunci di pioggia di László e di Béla Sárkány, Szeged prolunga il suo periodo sahariano. Sotto il Belvárosi Híd si vede con precisione di quanto si è ristretto il fiume: le palafitte degli stabilimenti balneari, le tribune di pietra, il terrapieno dietro le chiatte, il boschetto della riva destra, ogni pezzo di argine ha una fascia giallastra alta un paio di metri, un tempo immersa, ora asciugata da un sole stacanovista. Le strade sono cosí deserte che potrei mettermi a fare gincana sul tratteggio della mezzeria. Tutta la gente è raccolta nello Stefánia Várkert, la terrazza-giardino che dalla piazza del museo si affaccia sul Tibisco. Mamme, cani, bambini in bicicletta: non c'è quasi spazio per passare. Chi non ha la mascherina si tiene un fazzoletto premuto sul naso. È incredibile quanto poco rumore produca questa folla. Anche sulla piccola tribuna di pietra, che immagino costruita per il canottaggio, ci sono centinaia di ragazzi seduti in silenzio. Non so se si aspettano davvero che succeda qualcosa davanti ai loro occhi, magari che il fiume si muova, oppure se è solo perché le gare si facevano di domenica – un'abitudine insomma.

Prima dell'ora di cena perlustro lo struscio di Kárász Utca in cerca di Katalin e Magdolna, le due wonderbabies locali. Ieri le ho beccate che si strafogavano di hamburger, insieme a László. Le avevo salutate dopo l'allenamento, consegnando anche a loro l'elenco dei cibi proibiti e le razioni Gensan di aminoacidi, maltodestrine, creatina, e al pomeriggio le vedo nella vetrina di McDonald's. Ho riconosciuto la coda di cavallo di Katalin. Fosse stato per le facce, erano talmente sformate dai bigbocconi che non mi sarei accorto di niente. Invece, to', una coda di cavallo biondissima. Sul tavolino c'erano almeno cinque confezioni aperte di polistirolo. Una settimana di lavoro buttata nel cesso. Ce la faranno, queste ragazze? László rideva e masticava, godeva della gioia delle sue bambolone. Sono entrato abbastanza deciso, poi però, passo dopo passo, mentre ormai ero nel loro campo visivo e Magdolna era già arrossita e bigsprofondata nel suo panino, ha preso il sopravvento l'herpes. Ieri non era ancora cosí maturo ma non era neanche invisibile, anzi. Certo, l'herpes può sbocciare in qualsiasi momento, per mille ragioni, però, però. Ecco, piú mi avvicinavo e piú c'era questo però che mi frenava: anch'io come loro vedevo perfettamente la bocca che avrebbero messo al posto della mia. Cosí, ho detto ciao, senza fermarmi, come se fosse la cosa piú normale del mondo imbattersi nelle mie allieve stravolte dal piacere di patatine e cheeseburger, e ho ordinato una Coca-Cola media. Ovviamente, l'unico ad avere il coraggio di parlare è stato László. – Maybe rain tomorrow. Good –. Sí László, bravo László, mangia László. Intanto anche oggi c'era il sole e il tuo futuro di meteorologo mi pare abbia le stesse probabilità di successo di quello di istruttore federale.

Comunque questo pomeriggio, sulla Kárász Utca, Katalin e Magdolna non ci sono. Non da McDonald's, non da Pizza Hut, non all'Internet Pöintz, non da Pannon Gsm, non allo store della Virgin gremito di ragazze attaccate alle colonnine delle cuffie e dove, nello stesso istante, realizzo che nessuna può comprarsi niente e nessuna ha la coda di cavallo. Tornando al mio vendéglakás, pregusto anch'io il momento del walkman. L'altra notte, mentre era ancora lí sul divano che si rivestiva, Agota ha tirato fuori dalla tasca dei jeans una cassetta e me l'ha data.

«Che cos'è?»

«È *Up* dei R.E.M. Lo conosci? È il mio album preferito. Te lo presto. Ti terrà compagnia».

Ogni volta che arriva *Diminished* mi preparo bene, alzo il volume e canto a squarciagola il ritornello. Canto: Sing aloooong, sing aloooong, sing aloooong, finché non comincio a piangere.

Martedí mi ha chiamato Carlo.

– Dario, come stai? – Aveva saltato tutta la solfa del Filosofo, non era un buon segno.

– Starei meglio nel Tilden di Berkeley, ma non mi lamento.

– Ecco, bravo, non ti lamentare. Mi hanno detto che ti stai già mettendo nei casini –. Lo sapevo, l'herpes.

– Non è come pensi tu.

– No, guarda, io non penso niente. Io ti dico solo lasciagli le loro abitudini –. Le loro abitudini? Non era l'herpes! Allora, con sollievo, ho dato vigore alla campagna antidoping:

– Le hanno riempite di qualunque cosa.

– E tu lascia che le riempiano. O vuoi fare lo *schizzinoso*? *Vuoi*? *Puoi*? – Ecco il solito maestro di sottolineature.

– Come posso costruirci un lavoro decente sopra? Che figura ci faccio se alla fine del master le beccano piene?

– Alla fine del master loro correranno una maratona preparata grazie agli insegnamenti della Federazione Italiana di Atletica Leggera. Quelle le porti tranquillamente sotto le 2 ore e 40′. È un tempo decente con cui una ragazza può segnalarsi a Vancouver, Rotorna, Wrocław e nelle altre maratone di seconda fascia. *Segnalarsi*. Nessuno ti viene a controllare se ti segnali a Wrocław, ti pare? Loro saranno contenti e noi anche.

– Sí, ma dopo? – Neanch'io fino a qualche giorno fa pensavo a un dopo, ma adesso era impossibile non vederlo: c'era Agota laggiú, dietro quel dopo, che mi guardava.

– Alla fine del master tu te ne torni a Trieste. Del resto non ti devi preoccupare. Dario non strafare, te lo ripeto, resta sul tuo, sii cauto. Quelli hanno i loro metodi, i loro giochi, non puoi arrivare lí, far casino e poi vendere i tuoi sponsor.

– Ti hanno detto questo? Cristo, sono prodotti puliti! È tecnologia dell'alimentazione! – Mi stavo aggrappando ad espressioni davvero umilianti.

– Lo so, lo so. Però quelli parlano. Per cosa pensi che ti abbiano messo vicino quel… come cavolo si chiama?

– László, László Zsolnayné, – Sancho László Panza.

– Quello lí, sí. Pensi che l'abbiano messo a farti da aiutante? Lí, nessuno ti aiuta, credimi –. Era già nella fase conclusiva. Tutto sommato il bilancio non era disastroso. Si era parlato del doping, non dell'herpes. Non mi costava niente annuire:

– Ti credo, Carlo, ti credo –. E proprio quando stavo pensando che in fondo era andata bene, lui ha detto:

– Mi raccomando, non fidarti di nessuno. Di nessuno e di *nessuna*.

18

Il Lunghissimo ha messo in difficoltà alcune ragazze. Magdolna ha una crisi emorroidaria in corso.
Imréné ha avuto due scariche diarroiche, sopravvenu-
te a perfezionare un principio di disidratazione. A
Mihályne è capitata la cosiddetta indigestione d'acqua,
che è l'altra faccia dello stesso problema, e lo stomaco
le si è riaperto solo stamattina con una flebo deconge-
stionante. Poco male, il primo Lunghissimo può fare
questo effetto. Per Magdolna poi sono proprio contento. Sarà divertente incrociarla sulla Kárász Utca, sabato, mentre porta a spasso quei suoi capelli a piú ri-
crescite senza poter smettere di allargarsi le mutande
dal taglio del culo. Sarà divertente vederla passeggiare
a gambe larghe, magari a braccetto del suo amico László. Non è strano che in uno sforzo cosí intenso e prolungato ti si lacerino i muscoli rettali, però se ti capita
a diciott'anni, cara Magdolna, quella sarà la tua croce
per tutta la carriera.

All'inizio l'avevano presa quasi per scherzo. Correre ai ritmi del Lunghissimo in effetti non sembra una
cosa seria. A 4´20″, ovvero a un minuto circa sotto la
soglia, le ragazze rischiavano di ingolfarsi. Non erano
mai andate cosí piano, non sapevano dove scaricare tutti i watt dei loro polpacci, delle loro caviglie, della loro precedente vita di mezzofondiste. Nel tratto cittadino che conduce all'argine chiacchieravano, facevano
i loro stupidi balzi, indicandosi i piedi, aggiustandosi
il top, esibendo ai tizi delle fermate dei tram un relax

sofferto, non voluto. Dovevo riprenderle in continuazione. – Keep down the knees, Mónika –. Ci si metteva anche la prima della classe: davanti, come al solito,
piú alta di mezza testa, Mónika zampettava, si girava
a destra e a sinistra, le mancava solo il bastone da majorette. Dietro di lei, Agota sprecava millilitri di ossigeno per gridare a László di tenersi piú largo dal gruppo
con un'insistenza e una foga onestamente esagerate.
Finché per fortuna, passate le villette a schiera di Fürj
Utca, anche l'ultima traccia di pubblico è svaporata nella bruma della campagna. L'argine ci aspettava subito
dietro un edificio in costruzione. Ecco la costola, finalmente. Sporgeva da fare impressione: dritta fin quasi a dove si vedeva, curva laggiú, dove il pianeta cur-
vava. Quando ci siamo montati sopra, la concentrazione è venuta da sola.

Via via che incontravamo le tacche uscite dalla bomboletta di László, le ragazze prendevano coscienza della misura dell'impresa. Alla dodicesima, bisognava toc-
carne ancora sette e poi tornare indietro. Prendeva forma nella loro mente l'idea del Lunghissimo. Facevano
i conti: 38 km a quel passo significava due ore e tre
quarti almeno di corsa ininterrotta una durata di cui
non avevano esperienza ma che ora iniziavano a immaginare. Io seguivo i cambiamenti. Guardavo i calzoncini già fradici di Agota, i glutei rosa in trasparenza, la pelle luccicante delle spalle: alla fine dell'allenamento avrebbe perso circa tre chili, in buona parte poi
reintegrati con liquidi e sali, ma il suo corpo non avrebbe smesso di consumare. Spaventato, quasi impazzito
per la quantità di calorie richieste, avrebbe continuato a bruciare adipociti anche nel sonno. Era bello fi-
gurarsela accesa, in funzione, mentre dorme. Questa
cosa qui in calzoncini bianchi è mia. L'ho trovata, me
l'hanno regalata, e adesso è tutta per me. Cercavo di
non farmi sorprendere dalle altre mentre la osservavo,
ma ormai su ognuna era scesa una calotta di solipsismo.
Nei tratti asfaltati il gruppo si allargava, nei tratti ster-
rati si assottigliava in due file assecondando le piste

senz'erba, i binari consumati dai mezzi. Si apriva e si
chiudeva. Tutto avveniva naturalmente. Nessuno diceva niente perché succedesse. Era un unico grande
polmone che respirava. Indossavamo le Wave Phoenix,
che hanno un modo speciale di cullarti a velocità di crociera. Anche il loro rumore tendeva a sincronizzarsi,
creando, insieme a quello del fiato, una specie di me-
tronomo collettivo. Tre passi al secondo, duecento-
trenta metri al minuto, quattordici chilometri all'ora.
Solo la citybike di László cigolava fuori tempo. – You
need visa to go Romania, – scherzava il nostro portaacque. In effetti eravamo talmente lontani dall'ultima casa che potevamo immaginare di avere già abbandonato l'Ungheria. Era come se stessimo attraversando
una sterminata terra di nessuno, una terra che appartiene alla Terra e basta, un pezzo di pelle teso come solo il collo di un contorsionista può esserlo. Ogni tanto
incontravamo qualcuno intento a spargere letame. Le
sventagliate di merda salivano di parecchio oltre la cabina del trattore. La puzza copriva quella del fiume e
László chiosava: – This not bad smell, this good –. Dei
due lati, quello era il lato della vita: il lato destro andando, il lato sinistro tornando. Di qua c'era la morte,
con i suoi alberi e le sue frasche avvelenate, ma di là
no, di là c'era la vita, la vita concimata della pianura.
Era questo che voleva insegnarmi László, credo. Intanto passavamo accanto a una dozzina di contadini
piegati sui loro campi neri. I cavolfiori che estraevano
dalla zolla sembravano teste sepolte di fresco, abbandonate lí dopo una decapitazione di massa. Il loro lavoro aveva tutta l'aria di una riesumazione post ecci-
dio. Ho girato la testa verso il Tibisco e ho visto le nostre ombre vatusse proiettate sulla sterpaglia, in fuga
accanto a noi. Sugli alberi, solo corvi. Anche in mezzo
ai rovi, alle canne e al fango. Tanti, moltissimi corvi,
che scintillavano come piccole carrozzerie sotto il sole
di mezzogiorno. Dovevano essere loro gli uccelli che
avevamo visto in cielo, io e László, il giorno delle mi-
surazioni in bicicletta: non c'era nient'altro che fosse

capace di volare nel raggio di quindici chilometri. Tutto era fermo ora. Fermo e silenzioso. Gli alberi, il fiume, i contadini, i corvi, il collo del contorsionista. Solo noi ci muovevamo lí sopra.

I problemi sono cominciati al ritorno. Dopo il ristoro del trentesimo chilometro abbiamo dovuto fare due minuti di corsa sul posto, in attesa che Imréné scaricasse. Intanto Mihályne aveva già avuto alcuni conati e Magdolna aveva preso a correre schiacciata sui talloni, con le cosce divaricate e una mano costantemente in cerca dell'ano. Comunque non si trattava di una disfatta: le altre quattro stavano reggendo a meraviglia. Mónika in particolare, salvo la perdita di qualche elastico arancione, non aveva praticamente cambiato aspetto. Quando siamo rientrati in città mi sono messo io davanti per impedire che la disperazione le costringesse a incrementare l'andatura. Sentivo la stanchezza massaggiarmi dolcemente le meningi, viziarmi con dosi smodate di endorfine, come un pusher innamorato. Sentivo i lamenti sommessi di Mihályne, la prima esplosione di vomito, la sua vergogna. – Well done, Mihályne. Don't give up, – le ho gridato. E lei è stata colta da un'altra esplosione, proprio davanti alle inferriate del Ligetfürdő. Dovevano essersi voltati anche i pallanotisti. Che schifo! Teppiste! Sí, sí, teppiste, dite pure, dite quello che volete. Ma Mihályne non ha mollato.

Subito dopo lo stretching ho chiamato Maura. Le ho raccontato delle mie ragazze, di come se la cavano. Le ho detto che una ha cagato nel parco, che un'altra esplode vomito come Paul Tergat e inspiegabilmente non ne va fiera, e poi che l'indomani avrei dovuto concedere una colazione seria se no l'ammutinamento era garantito. Insomma cercavo di divertirla, lei però sembrava ascoltarmi con mezzo orecchio. Perdeva le battute, rideva a sproposito. A un certo punto mi ha chiesto:

– Farai correre cosí anche tua figlia?

Sono rimasto a fissare il termosifone. Era come se la mano di Maura fosse uscita dal telefono e mi avesse

strappato la spina dorsale. Distrattamente, il bello è
che l'aveva fatto distrattamente. E io di colpo ero privo del sistema nervoso centrale.

– Dario, mi senti?

– Sí sí.

– Che fai? Non mi rispondi?

– Non so.

– Massí, lo so io. La farai correre cosí, la nostra piccola. Già vi vedo, ogni mattina, su a Basovizza, nel tuo
boschetto. Ti vedi? Ti vedi con Fiona? – Nel suo tono la distrazione era svanita. Adesso c'erano picchi
molto acuti. – Oppure, nel Tilden, a Berkeley. Perché
potremo anche andare a trovare Alberto, no? Io vi vedo benissimo voi tre, che girate tra gli eucalipti. Eh?
Ti vedi? Ti vedi con Alberto e la bambina?

Io in effetti vedevo tutto. Vedevo il boschetto di Basovizza, i suoi sassi, il suo tappeto di aghi di pino. E
poi vedevo il Tilden, gli eucalipti e io e Alberto che ci
corriamo in mezzo. Ma anche di piú: vedevo Trieste
per intero, che si cala da Basovizza giú giú fino al mare, le salite e le discese della mia città, le salite e le discese di Berkeley, le salite e le discese del mondo rimasto fuori da Szeged. C'era solo una cosa che non vedevo.

– Rispondi. Ti vedi? Te la vedi Fiona che corre con
te?

Solo una cosa. Comunque ho risposto sí.

19

Dopo che le ho detto di non essere sposato, Agota non mi ha piú chiesto nulla. Vede che la sera sto al telefono per ore, ma per lei l'argomento è chiuso. Ciò che sa le basta, del resto preferisce non impicciarsi. Quando trilla il mio cellulare in mensa, ho l'impressione che le sue compagne non si voltino piú verso di me, bensí guardino lei.

– Loro si sono accorte? Hanno capito, vero? – le ho chiesto stanotte. Era già tardi. Oggi abbiamo una seduta di Ripetute sui mille e Agota doveva assolutamente riposare. Mi ero ripromesso di non aprire se avesse bussato, ma lei non ha bussato e alla fine sono stato io ad andare a cercarla. Aveva spento il telefono. Era un segnale? Dovevo accettarlo? Cosa ci facevo al primo piano, a mezzanotte? Cosa avrei risposto? Nella fuga del corridoio scorgevo la luce spettrale del distributore di Pepsi. Una sete improvvisa? Che scusa era? Di Pepsi ce n'erano anche giú, al piano terra. Cercavo di darmi un tono, ma cosí, senza neanche essermi preparato una scusa decente, riuscivo a malapena a non strisciare lungo i muri. E adesso? Avrei bussato? Agota è l'unica a dormire in una singola. Nello smistamento compiuto da László è capitato cosí. È capitato? Avevo le domande che sfrecciavano nel cervello una attaccata all'altra, come un unico superrapido, senza lo spazio per buttarsi. Come potevo non farmi sentire dalle altre se bussavo? In quel momento la luce del distributore è stata semioscurata da una sagoma, sempre piú grande via via che si avvicinava, una sagoma dai capelli corti, il collo nudo, che camminava in punta di piedi e indossava un pigiama. Oddio, un pigiamino che sventola a metà polpaccio. L'erezione è stata cosí violenta da strapparmi una manciata di peli. Il pigiamino gliel'ho abbassato con i denti, venti secondi dopo, sul mio letto. Aveva gli elefanti e profumava di pesce.

– Loro si sono accorte? Hanno capito, vero?

– Non lo so, non parlo molto con loro –. Si era rivestita, era appoggiata sul mio petto, aveva il pigiama umido, stava bruciando adipociti anche a riposo.

– Be', qualcosa ti avranno chiesto.

– Non mi hanno chiesto niente. Comunque sí, credo che abbiano capito. Però non ti devi preoccupare, qui da noi è normale che un allenatore si metta con un'allieva.

– Oh be', se è per questo anche da noi. Solo che cosí... subito...

– Non badare agli altri. L'importante è quello che provi tu, – già, non badare agli altri.

– Cazzo, che saggia che sei.

– Stupido, – Agota ha imparato a sorridermi, un poco. – Ma tu cosa provi per me?

Cosa provo per te? Be', per me tu sei la Felicità Pura, la Felicità Pura venuta a rovinarmi l'esistenza. Non so cosa provo per te. Avrei voluto parlarle cosí, invece le ho detto:

– Devi andare a fare la nanna ora. Le tue amichette sono già a letto da un bel po'. Su, da brava.

– Non mi vuoi rispondere, eh? – e mi ha dato un finto pugno sulla spalla.

– E tu cosa provi per me? – Mi ci ero messo anch'io, adesso. Praticamente ci stavamo mandando Sms orali. Prima che le dicessi di lasciar perdere però, lei mi aveva già risposto:

– Io ti amo.

Avevo la Felicità Pura appoggiata sul petto, con il pigiama sudato, intenta a disintegrarmi la testa. Agota sembra assolutamente determinata a mandare in frantumi anche la piú piccola briciola di ciò che sono, o dovrei dire ciò che sono stato. Porta il piacere dentro di me in grossi candelotti di plastico e poi lo fa brillare: io ti amo. Nessuno mi ha insegnato a lottare contro un simile piacere.

– Come si dice in ungherese?

– Szeretlek.

– Pare impossibile che sia cosí semplice.

– Prova a dirlo.

– No, non ci riuscirei.

– Stupido, – e mi ha dato un altro finto pugno sulla spalla. Subito dopo ha ripreso a carezzarmi. Vedevo la sua mano – il dorso pieno, le unghie corte, lo smalto blu – abbandonare il capezzolo, attardarsi nella scanalatura delle costole e scendere ancora.

– Ma tu dove hai imparato l'italiano? – La mano si è fermata. Proprio ciò che non volevo. – Ehi, che c'è? Ti ho chiesto com'è che sai parlare la mia lingua, tutto qui.

– La so parlare, che c'è di strano? Guardo la Tv italiana, ho amici italiani. A Budapest è facile conoscere gente, non è come qua. Molti sanno l'italiano a Budapest. Non c'è niente di strano –. Si era sollevata dal petto e mi guardava da sopra, con gli occhi acquattati dietro gli zigomi. La mano era bloccata. Il mignolo appoggiava sui primi peli del pube. Il cazzo era già su, preso in contropiede.

– Infatti, non c'è niente di strano. Era solo una domanda. Adesso, potresti dire alla tua mano…?

– No, scusami, forse è meglio che vada. Domani ci sono le Ripetute e non voglio che le altre mi vedano in difficoltà.

Mi sono sforzato di sorridere. Non riuscivo a trovare una maglietta, un lembo di lenzuolo, qualcosa che potesse soccorrermi.

– Sí, hai ragione. Vai, buonanotte, – ho detto, quando ormai Agota era scesa dal letto senza neanche baciarmi e si stava già inoltrando, con i suoi elefantini, le sue caviglie e la sua mano assassina, nella densa semioscurità del corridoio, lasciando il mio cazzo solo al centro della stanza.

20.

Pensate, per uccidere un cormorano adulto è sufficiente una sola molecola di cianuro.

Mentre nelle piante il veleno annienta la clorofilla, negli animali si attacca all'emoglobina bloccando il trasporto di ossigeno nel sangue. La morte avviene per soffocamento. L'effetto è immediato. Pochi istanti fa, mentre ci preparavamo al collegamento, un cane da caccia si è avvicinato alla riva e, nonostante le urla della gente e i richiami disperati del padrone, ha bevuto. Sono bastati pochi sorsi perché si buttasse schiena a terra in preda a terribili convulsioni. Il tempo di raggiungerlo e il cane è morto davanti ai nostri occhi.

Ma è lí sotto, nelle profondità del fiume, che il cianuro prosegue con nocumento ancora maggiore il suo capillare sterminio. Non sono solo grossi animali a morire, ma ogni piú piccola presenza di vita. Il letto del Tibisco è stato bruciato dal piú indiscriminato dei diserbanti e ora è una zuppa immonda di alghe e altri vegetali putrefatti. Senza la microfauna pesci piccoli come l'alborella che si nutrono di plancton spariranno, e senza l'alborella spariranno pesci piú grandi come l'amur e il siluro che si nutrono di alborelle, e cosí via. Insomma la catena alimentare è stata sconvolta al punto da minacciare l'estinzione di tutte le specie viventi del fiume.

Per ora l'unica consolazione è che le infiltrazioni di cianuro non possono raggiungere le fonti di cui si servono gli impianti idrici della città e questo grazie a uno

*strato di roccia impermeabile che a trecento metri nel
sottosuolo funge da isolamento naturale. Per rassicura-
re la popolazione questa mattina il sindaco Károly
Virág è entrato in molte case del centro e si è fatto offrire un bicchiere d'acqua di rubinetto.*

Béla Sárkány, Szeged, Bbc World.

21

Stasera Agota è al settimo cielo perché ho sgridato László. Non si è trattato neanche di una vera sgridata: gli ho solo detto di lasciarla in pace. In realtà dovrebbe essere lei a lasciare in pace lui, visto che continua a urlargli di tenersi lontano dal gruppo anche quando la sua bicicletta è già a distanza di sicurezza e sapendo che delle bevande isotoniche abbiamo bisogno tutti. Ma insomma, l'ho fatta contenta. E poi sono sicuro che, per aiutare le wonderbabies a sopportare il carico psichico della doppia seduta quotidiana, il dottor László abbia ripreso alla grande la somministrazione delle sue magiche anfetamine. Il che almeno in parte giustificava ai suoi occhi la mia intrusione, con quel «Keep off» finale, come se Agota fosse un prato.

Siamo sul letto. Abbiamo la Tv accesa su Bbc World, senza audio. E lei è proprio contenta. Non è nervosa come le altre. Anche lei ha cominciato a dimagrire. Per un po' l'organismo difende lo status quo e non succede niente, poi lo shock catabolico è cosí forte che gli etti scappano via da soli. Anche lei ha corso per novanta minuti a 13,5 km/h al mattino e per altri trentacinque a 17,5 km/h al pomeriggio, con una tazza di brodo, mezzo etto di alici e due fette biscottate nell'intervallo. Eppure non è nervosa. Fatica a inginocchiarsi, ha i muscoli affamati, legnosi, intossicati dal lattato – la seconda seduta era 5% sopra la soglia – ma il sonno smaltirà tutto e lei si inginocchia tra le mie gambe, riconoscente. Io vedo la sua testa che sale e scende davanti allo schermo della Tv, vedo i suoi capelli ancora bagnati oscurare la faccia di Béla Sárkány e poi oscurare me, oscurare lui e poi oscurare me, finché, proprio quando sto per perdere il contatto con il mondo fisico, Agota improvvisamente si solleva e con un'agilità ancora discreta si siede al posto della bocca e io sento la ruvidezza della prima penetrazione e non posso che stringere occhi, denti, pugni, nella speranza che il paradiso non svanisca cosí in fretta.

– Raccontami di New York, – sono state le prime parole che mi ha detto quando è entrata. Voleva mostrarmi che non era nervosa. Aveva voglia di chiacchierare.

– Be', è un piccolo stato della Federazione americana –. Ero io che non avevo voglia di chiacchierare.

– Stupido, – e mi ha dato un finto pugno sul braccio, – raccontami della maratona, della tua maratona.

– Vuoi dire, della New York City Marathon? Della madre di tutte le maratone? Della mia NYC Marathon?
– C'era il mio fallimento laggiú. Columbus Circus, lo striscione FINISH e il mio fallimento. Non torno mai volentieri da quelle parti, ma Agota desiderava proprio sentirmi parlare. – Sono arrivato dopo John Kosgey, Osoro O 'ndoro, Joseph Chebete, Kip Rutho, Kip Ken Boy. Non ho vinto.

– Questo lo so. Però dietro i keniani c'eri tu –. Agota voleva la favola. Mentre la guardavo, sentivo picchiettare le loro scarpette in avvicinamento, il fiatone di una muta di cani. Mi hanno raggiunto sulla Fifth Avenue. Non erano cani, erano cinque masai con le ali ai piedi. Mi hanno torturato per mezzo miglio, poi mi hanno ucciso.

– Oh, certo, l'uomo bianco. Le foto sui giornali, i riconoscimenti, i superingaggi dei due anni successivi, gli sponsor. Vuoi che parliamo dell'uomo bianco?

– Stupido, raccontami delle tue emozioni. Che c'è di male nei soldi? Hai avuto successo, te li meritavi. Io voglio sapere cos'hai provato.

– Agota, tesoro, per quattro distretti su cinque ho

corso in testa. Staten Island, Brooklyn, Queens, Bronx. Solo io, con le moto, i lampeggianti, la gente che urla, la telecamera, la macchina della giuria, il cronometro gigante davanti al naso. Primo fino a Manhattan, capisci? Mi chiedi cos'ho provato. Diciamo che ho provato un pizzico di invidia per Kosgey. Hanno stimato che il suo allungo fosse sui 2´35″. L'andatura del record mondiale sui cinquemila, capisci? Fatta dopo trentotto chilometri di gara, capisci? Lo so che capisci. Ecco, un pizzico di invidia. E di odio.

– Però sei diventato importante.

– Cazzo, è vero, sto conducendo un master internazionale, – e l'ho tirata a me, strizzandole con forza il culo.

– Stupido! – Ma non riusciva piú a tirarmi pugni da cosí vicino.

– No, dico sul serio. Considerando che non ho vinto nessuna gara di valore, che alle Olimpiadi mi sono ritirato, che il mio risultato di maggior prestigio è un sesto posto, devo ammettere che non avrebbero potuto trattarmi meglio. Pensa che a gente come Emil Zatopek o Abebe Bikila, per premio, li hanno nominati ufficiali dell'esercito. E loro erano pure contenti.

– Chi sono? – Avevo la sua bocca a venti centimetri. Grande, con la pelle nuova nell'angolo dell'herpes.

– Be', guarda, lasciamo perdere. Solo perché sei tu, eh. Considera che hai appena bestemmiato due divinità. Adesso però devi inginocchiarti e farti perdonare.

Cosí abbiamo cominciato ciò che Agota ha appena finito.

Ovviamente il paradiso è svanito da un pezzo, ma lei mi trattiene ancora dentro di sé. È sporta in avanti – le braccia tese, le mani sulle mie spalle, le tette indifferenti alla forza di gravità – e mi guarda con una certa soddisfazione. Le pare di aver fatto un buon lavoro. Io distolgo lo sguardo e fingo di osservare il piercing, un po' perché, quando è cosí vicina, non so mai quale dei due occhi scegliere e un po' perché mi è passata nel cervello a tutta velocità l'immagine di Maura,

chiusa nella sua posizione a uovo, e non voglio che Agota se ne accorga. Lei si guarda il piercing e mi dice:

– Sai, c'è un ritardo.

– Non capisco, scusa.

– Com'è in italiano il mio sangue del mese?

– Il tuo cosa?

– Il mio period, menstruation?

– Ah, le mestruazioni. Hai un ritardo? Be', non c'è
da preoccuparsi, no?

– Infatti non sono preoccupata, – e mi dà un bacio
profondo, violento, adolescente. – Solo che da quando prendo la pillola sono molto regolare. Invece adesso c'è un ritardo di otto giorni. E la prima volta, solo
questo.

22

Asl di Trieste. Consultorio Familiare Pubblico. Ufficio Adozioni. Una scatola.

«Bene, io sono Gianna Vodopivez, ma potete chiamarmi Gianna».

«Lei è la nostra esaminatrice?»

«Uh, che esagerato, Dario. Dario, no? Diciamo che sono quella che stenderà le relazioni».

«E che deciderà l'idoneità».

«Mamma mia, quanta fretta! Si vede che è uno che va di corsa, lei. Comunque è giusto, sí, voi adesso però non vi dovete preoccupare di questo. Lei e Maura, Maura, no?, avete scelto di compiere una grande cosa. Adottare un bambino è come aiutarlo a nascere una seconda volta, dargli una seconda possibilità, ed è nostro compito che si tratti di una buona possibilità. Qui noi cercheremo di capire insieme se la vostra bellissima vocazione può garantire davvero una buona possibilità e non mi pare che ci siano ragioni per dubitarne».

«Speriamo».

«Perché dice speriamo, Maura? Non sia pessimista. Avete intrapreso un viaggio lungo e difficile, dovete pensare positivo. Abbia fiducia in se stessa. Non le piacciono i bambini? Non desidera diventare mamma?»

«Certo che sí, non sarei qui se no».

«Certo, certo, non sarebbe qui. E lei invece è qui. Che cosa desidera di piú dell'essere mamma? Se l'è mai chiesto?»

«Be', avere un figlio».

«No, intendo, la gestazione, la pancia che si gonfia, i calcetti, l'allattamento: non è di questo che sente la mancanza piú di tutto? Ci pensi».

«Ci abbiamo già pensato abbastanza prima di decidere, sa?»

«Lo so, Dario, lo so. Ma adesso pensiamoci insieme, di nuovo. Eh, Maura?»

«Voglio avere un figlio».

«D'accordo. E preferirebbe una femminuccia o un ma schietto?»

«Indifferente. Mi basta un figlio, un bambino che mi chiami mamma».

«D'accordo, d'accordo. Anche per lei è lo stesso, Dario?»

«Sí, certo, io desidero quello che desidera Maura».

«Tu desideri quello che desideri *tu*».

«Sí, volevo dire che desideriamo tutti e due la stessa cosa. Che desidero anch'io un figlio e basta».

«Lei sa, Dario, che suo figlio non le assomiglierà. Lo sa vero?»

«Certo che lo so».

«Suo figlio non sarà sangue del suo sangue».

«Lo so benissimo».

«Potrà essere brutto, anche molto brutto. Cioè, venendo da terre lontane, secondo i nostri canoni di bellezza potrà non essere considerato un bel bambino, oltre al fatto che al 95 per cento avrà un diverso colore della pelle».

«Be', non pensavamo di portarlo a concorsi canini».

«Dario!»

«No Maura, non si preoccupi, lo lasci parlare, qui dobbiamo esprimerci tutti liberamente, dobbiamo prendere coscienza della faccenda. Lo so che avete meditato a lungo sulla vostra scelta prima di cominciare. Ma è necessario che ripensiamo insieme le condizioni, le motivazioni, gli ostacoli».

«Insomma, che ci mettiamo alla prova».

«No Dario, non direi. Piuttosto che chiariamo nelle vostre menti e nei vostri cuori ciò che vi aspetta. Vedete, i genitori adottivi, soprattutto quelli molto giovani come voi, proprio per la loro forte determinazione rischiano di sottovalutare alcune difficoltà che piú tardi possono risultare fatali. I bambini adottati sono cresciuti in situazioni asilari e anaffettive come quelle degli orfanotrofi, sono bambini feriti, feriti dentro, e non è sempre facile una loro integrazione. Vengono strappati dall'istituto che è l'unico mondo che conoscono e arrivano in un posto ignoto, abitato da gente ignota, che parla una lingua ignota. È un secondo trauma. Poi il vostro affetto aggiusterà tutto, ne sono certa, ma dovete considerare che voi all'inizio sarete il secondo trauma».

«Sí, l'abbiamo considerato».

«Bene Maura, perché il bambino crescendo avrà difficoltà di apprendimento, se va bene sarà solo dislessico, e potrebbe essere anche molto violento».

«Molto violento?»

«Sí Maura, molto violento, questo sempre nell'ipotesi che sia sano. Possiamo solo immaginare cos'ha vissuto prima di arrivare da noi. L'ultima coppia che ho seguito ci ha messo sei mesi per convincere un piccolo brasiliano di tre anni che la notte poteva dormire. Appena veniva buio si armava di coltello, non c'era verso di nasconderglieli, avevano provato anche nello sciacquone del water, e difendeva il frigorifero fino al risveglio dei genitori. Alla fine ci sono riusciti: questa è casa tua, qui il cibo nessuno te lo ruba. Ma sei mesi sono lunghi, potrebbero far crollare chiunque».

«Scusi, ma non dovevamo pensare positivo?»

«Ma questo, Dario, è pensare positivo. Perché voi il bambino lo volete a qualsiasi costo, no?»

«Sí...»

«Cosa guardi me? Sí, certo, lo vogliamo a qualsiasi costo».

«Bene Maura, sapete già come lo chiamerete?»

«Lo chiameremo col nome che gli avranno dato. Oppure, non so, dipende, se sarà piccolo potrà abituarsi anche a uno scelto da noi».

«E lei, Dario, cosa dice?»

«Dico trabocchetti, ancora trabocchetti. Tra poco ci chiederà se ci piacciono i cuccioli, se abbiamo avuto animaletti quand'eravamo bambini».

«Dario!»

«No Maura, va bene. Forse ha ragione suo marito, forse è colpa mia. Magari col tempo, Dario, riuscirò a convincerla che sto dalla parte vostra. Eh?»

«Magari».

«È che è molto emozionato».

«Lascia dire a me se sono molto emozionato».

«Vuoi rovinare tutto? Perché se è questo che vuoi ci stai riuscendo benissimo».

«No, ti chiedo solo di lasciar dire a me se sono molto emozionato».

«Va bene, va bene, calma ragazzi. Maura, nessuno sta rovinando niente, tranquilla. Mi dica piuttosto, che tipo di vita conducete? Cioè, intendo: vi piace uscire, preferite le pantofole, avete amici».

«Siamo stati molto in giro. Ogni anno mesi e mesi via di casa, tutti e due. Adesso sentiamo il bisogno di fermarci. Io ho ottenuto il posto a scuola e anche Dario ha smesso l'attività agonistica. Ufficialmente è ancora un atleta professionista, ma sta per diventare consulente tecnico della Federazione. Quindi basta ritiri, basta viaggi. Ci piacerebbe essere una famiglia, farne una, e senza un figlio è impossibile, secondo me. Secondo noi».

«Sí, secondo noi».

«Insomma, vi state costruendo una tana, volete dare un posto al vostro amore e abitarlo, stare cucci al suo interno. È cosí? Bene, bene. E gli amici, Maura, ne avete? Perché non bisogna chiudersi troppo, eh. Di amici, ne avete?»

«Be', abbiamo appena cominciato a vivere qui in modo stabile. Sa, dobbiamo ancora ambientarci. Ci sono i miei genitori. I suoi purtroppo sono morti. Ecco, ci sono i miei. Si sono trasferiti anche loro da Bolzano, proprio per darci una mano, in futuro».

«Intanto i nonni, poi gli amici verranno, bene, bene».

«No, aspetti, Maura non intendeva dire questo. Noi di amici ne abbiamo».

«Sí, è vero, ne abbiamo. E tutta gente in gamba. Alberto, per esempio, è un uomo fantastico, sempre pronto ad aiutarci, e ha già fatto moltissimo per noi. Pensi che ci ha ospitati per quasi un anno. Ecco, lui è un vero tesoro».

«Senta qua, Dario! Fossi in lei sarei gelosa! Hu hu hu. Scherzo, naturalmente. E questo Alberto ha figli? È un vostro vicino? È uno che, per dire, potrebbe tenervi il piccolo se voi una sera volete andare al cinema?»

«Be', non proprio».

23

Un pesce. Dopo quasi un mese di permanenza sul collo del contorsionista, ieri ho incontrato un pesce.

Ho approfittato dell'isolamento domenicale per preparare il percorso del Fartlek. Le sue variazioni di ritmo non si accordano bene con la piatta uniformità dell'argine, meno che meno con la pista, dove le ragazze a suon di girare rischiano di sentirsi dei criceti. Non volevo sprecare una delle rare occasioni in cui un allenamento può risultare piacevole, o addirittura divertente. In fondo le wonderbabies hanno diciott'anni. Dovevo trovare le salite per i minuti di Veloce, magari un sentiero stretto, un paio di salti, e poi i tratti in piano per i minuti di Medio. Cosí ho lavorato nel boschetto in riva al Tibisco, mi sono avvicinato al fiume. Erano le dieci del mattino e il fiato faceva la nuvoletta. Da qualche giorno la temperatura è cambiata. Non la siccità. Sulla palta biscottata dei sentieri principali erano scolpite le tracce delle ruspe e dei trattori. Sembravano altorilievi in creta, avevano un bel modo di croccare sotto le scarpe. Correvo in scioltezza, senza cardiofrequenzimetro, segnando con la bomboletta gialla di László gli alberi, le biforcazioni. Sono contento che le ragazze si siano rimesse. Poco a poco il dimagrimento rallenterà e smetteranno di angosciarsi. Anche le emorroidi di Magdolna sono rientrate. Sabato l'ho vista sfilare per tutta la Kárász Utca con le mani sempre lontane dal taglio del culo. Confrontavo le wonderbabies, le passavo in rassegna una a una, facevo

qualsiasi cosa pur di non pensare ad Agota, la mia Agota, scesa a 47,8 kg, assuefatta alle maltodestrine Gensan, stravaccata sul divano di casa con i R.E.M. in cuffia e il cellulare sulla pancia, assediata da una preoccupazione assurda, intenta a comporre Sms sempre piú
lunghi, sempre piú irrispondibili. 21.42: AMORE MIO,
ANCHE OGGI NIENTE. Perché non l'avevo tranquillizzata subito? Cosa stavo aspettando? Sono sterile, Agota. Il mio sperma è arido come la palta di questi sentieri. I miei spermatozoi non possono fecondare niente, avrebbero bisogno loro di essere fecondati. In un
paio di battute l'avrei rassicurata. E invece.

A ridosso dell'acqua stranamente la puzza non au-
mentava. L'unico problema era che si vedeva il fiume,
ma veniva abbastanza istintivo non guardare. Per il resto, il sottobosco sembrava disegnato apposta per il
Fartlek: aveva ripidi improvvisi, rami non troppo bassi, un terreno compatto, con pochi rovi e poche radici. Di un normale sottobosco mancavano solo i rumori. Anche i corvi erano spariti ieri mattina. Nessun verso, nessun fruscio, nessuna variazione nell'aria. Non
fosse stato per l'odore, avrei creduto di correre in un
simulatore digitale. Il mio respiro e i miei appoggi erano tutto il suono che quel posto sapeva produrre.

Quando trovavo una buona salita per il Veloce, tornavo indietro e la ripercorrevo al ritmo giusto. Percepivo il cambiamento di spinta e di angolazione del piede nell'impatto col suolo, l'elastica accelerazione del
miocardio, l'impennata del consumo di ossigeno, la
combustione dell'Atp nelle microcaldaie dei mitocondri, la ritirata del sangue dalle mani, dalle orecchie, dal
naso e dalle altre periferie inutili, le chilocalorie in-
cendiate nei quadricipiti e subito abbandonate a terra,
la piacevole sensazione di una mente che funziona senza bisogno di ragionare. 11.20: CHE SARÀ DI NOI DO-
PO? Cercavo di ascoltare solo il mio corpo, ma quel poco di ossigeno che arrivava ancora al cervello era piú
che sufficiente per mostrarmi la foto di Fiona in piedi
nel lettino bianco dell'Holy Cross, che mi fissa come

si può fissare una pietra. Batti le palpebre, piccola, te lo chiede papà. Che sarà di noi dopo? La foto ovviamente non era sospesa su un fondo neutro. Il cervello ha avuto cura di sistemarla nelle mani di Maura, come se la guardassi stando alle sue spalle, abbracciandola. Vedevo la foto e avevo quasi metà faccia coperta dai capelli rossi di mia moglie. Maura intenta a grondare affetto sulla bambina, sul nostro futuro, e io appoggiato alla sua schiena. Per un attimo ho avuto la netta sensazione che il cranio mi stesse scricchiolando, l'attimo dopo uno spasmo al colon mi ha costretto a camminare per una ventina di metri. 13.45: VORREI STARE CON TE PER SEMPRE. Le endorfine non sono mai abbastanza anestetiche rispetto a ciò che sa produrre il cervello. Adesso c'era uno che assomigliava in tutto a me stesso che passeggiava sul lungomare di Barcola tenendo per mano Agota. C'era la mano soda di Agota nella mia, le sue unghie blu sulla mia pelle da vecchio. Quella città era proprio Trieste e ho dovuto fermarmi di nuovo per colpa del colon. Maura non mi concederebbe mai il divorzio. Sette parole. E solo all'idea di aver pensato, di aver concepito in una frase di sette parole, una frase chiara e distinta, la cosa piú inconcepibile che potessi pensare, ho dovuto deglutire con forza per respingere i conati. Dovrei restarmene io in Ungheria, a fare il mago straniero della nazionale, a godermi la Felicità Pura, a strizzarla, schizzarla, baciarla nel mio vendéglakás. Oppure Maura dovrebbe morire. Quattro parole, un'altra frase chiara e distinta. Adesso c'era anche Maura che passeggiava a Barcola, ma nella direzione opposta alla nostra. Veniva avanti da sola, con quella sua prodigiosa potenza nei polpacci. Gli uomini, sulle panchine, sul molo, al chiosco delle bibite, restavano sedotti dall'energia che sprigionava passando, ma lei non rispondeva agli sguardi, veniva dritta verso di me. Perché non muori, Maura? Ti vorrei bene per sempre se tu morissi. Ma questa volta, anche fermandomi, anche deglutendo con forza, non sono riuscito a bloccare un rigurgito abbondante di colazione.

Ero in fondo ad un avvallamento piuttosto profondo, piegato con le mani sulle ginocchia e il sangue che mi pareva dovesse esplodermi dagli occhi. In quel punto il terreno poteva essere anche sotto il livello del fiume. C'era del fango, qualche pozzanghera. Si trattava di una depressione non proprio silenziosa come il resto del bosco, ma di ciò mi sono accorto solo dopo aver smesso di vomitare. Non c'è niente nell'universo che non si faccia umiliare dal piacere, neanche i corpi celesti: contemplavo la lunga bava arancione che mi era rimasta attaccata alla bocca con l'interminabile su e giú di un bungee jumping e intanto ripensavo alla lettera di Alberto. L'umiliazione delle stelle. Non che la teoria mi consolasse granché, stavo semplicemente aspettando che la bava precipitasse senza doverla toccare con le mani. Ma è stata quell'attesa a permettermi di sentire una specie di brontolio, come di un magma in ebollizione, o comunque di un liquido molto denso e molto agitato. Il rumore non proveniva dal fiume, bensí da una pozza di melma a pochi passi dalla riva, difesa da un lieve rialzo del terreno. Dentro, pesci di sessanta settanta centimetri o forse piú si dibattevano come tanti tronconi di uno stesso serpente, pezzi di un corpo gigantesco a suo modo ancora vivo. Mentre misuravo con lo sguardo la distanza tra la pozza e la riva, ho notato che sul rialzo che le separava – non ancora in cima, ma neanche cosí in basso da dover rinunciare – c'era uno di quei grossi pesci che saltava nella polvere con le sue labbra oscene. Aveva perso l'assetto perpendicolare con cui gli altri probabilmente erano riusciti a strisciare fino alla meta, e adesso era disteso sul lato destro. A ogni salto ricadeva di piatto sulla palta con lo stesso botto sordo di una racchetta da tennis. Mi sono avvicinato fin quasi a poterlo toccare. Aveva la branchia sinistra che sanguinava. Il sangue si raggrumava insieme alla polvere: tutte le volte che il pesce saltava ne usciva un poco e subito si accumulava ai bordi della branchia. Ormai era completamente sporco, tranne una parte della guancia e dell'occhio. Cosa

vedeva quell'occhio? I rami degli alberi, forse un po'
di cielo, e me. Il pesce mi guardava impassibile. Non
c'era niente di strano nella sua pupilla. Il bianco e il nero brillavano come al solito, come se fossero sott'acqua, in un fiume limpido, attaccati sulla testa di un animale che non sta soffocando. In un punto della gelatina alcuni granelli di polvere e un piccolissimo
bastoncino ne avevano intaccato la trasparenza, ma
l'occhio restava aperto, com'era sempre stato, né sba-
lordito né sofferente né terrorizzato, semplicemente
aperto. Un'apertura che non faceva passare niente: forse era questo che mi teneva incollato alla sua pupilla.
C'era un tale concentrato di dolore lí dentro, e un tale accanimento, eppure da quell'apertura non veniva
fuori che la luce riflessa della gelatina. Mi pareva impossibile resistere un secondo di piú al suo sguardo e
invece un altro secondo finiva e io ero ancora lí a osservare gli sforzi inutili del pesce. Non capivo che cosa stessi aspettando per fuggire. Finché, proprio quando ero convinto di essere riuscito a girare i piedi verso
casa, ho sentito che le mie braccia lo stavano afferran-
do. Avevo nel naso l'odore di mandorle bruciate, sul
petto un blocco di carne di almeno venti chili che lottava furibondo, in faccia ancora la sua faccia muta. Av-
vertivo con precisione la secchezza delle squame, e dentro, la violenza compressa della disperazione. E adesso dove lo buttavo? Nel cianuro? Nella pozza? Non
saprei dire perché ho urlato. So solo che mi sono messo a urlare col pesce in braccio, guardando a destra e a
sinistra, senza essere capace di decidere. E stato a quel
punto che un guizzo piú forte me lo ha quasi strappato dalle mani e allora io ho lanciato, capendo all'istante, mentre ancora ruzzolava verso la melma, che non
lo stavo salvando.

24

– Hello.

– …

– Hello, who's speaking?

– Alberto? Sei tu?

– Sí, chi parla?

– Sono Maura, ciao.

– Ah, ciao.

– Mi dispiace per l'altra volta, Alberto. Non volevo mettere giú. È che ho i nervi a pezzi, te l'ho detto.

– Ma sí, infatti, capisco, non ti preoccupare.

– No, mi dispiace. Sei stato carino a telefonare, avrei dovuto telefonarti io, con tutto quello che hai fatto per noi. Guarda, mi sento cosí cretina.

– Non sei cretina. Sei molto intelligente invece.

– Uh sí, molto intelligente. No, è che era quasi mezzanotte quando hai chiamato, mi sono un po' spaventata. E poi, sí insomma…

– Hai cominciato tu. Quando hai detto che mi hai in mente proprio come ti ho in mente io…

– …

– Non me lo dovevi dire.

– …

– Sai, ieri ho fatto un pezzo del Bay Skyline Trail. Hai presente quello che abbraccia tutta la baia restando sempre in cresta?

– Sí, ho presente.

– Qualche volta ci sei venuta anche tu lassú, quando non correvamo.

– Sí, ti ho detto, ce l'ho presente.

– Be', su in cima, proprio sopra il Golf Club hanno fatto una specie di terrazzamento con sei sette cerchi concentrici di grosse pietre, immagino per i barbecue. O forse è un'installazione di land art. Comunque è bellissimo. Ho pensato che anche a te piacerebbe molto.

– Ne sono sicura.

– …

– …

– Perché mi hai chiamato?

– Be', non lo so neanch'io, volevo dirti che mi dispiace…

– Sei in pigiama?

– No, sono vestita. Tra un'ora devo essere a scuola.

– E hai deciso di chiamarmi.

– Già, mi sono svegliata con quella di farlo prima di uscire.

– E cosa ti sei messa? Per uscire, intendo.

– Una felpa e un paio di Levis. Perché?

– Lasciati guardare. Non è tardi oggi, no?

– No, non è tardi.

– Bene. Una felpa… rossa.

– Nera.

– Nera, okay. E i Levis? I Levis come sono? Nuovi, vecchi…

– Un po' consumati.

– Lo sapevo. Sulle cosce e sotto le tasche di dietro, no? Consumati per strauso, vero? Consumati dal tuo corpo. Non li hai comprati cosí.

– No, li ho da un sacco di anni. Li ho portati anche lí a Berkeley. Li avrai visti senz'altro. Sono decisamente… vissuti.

– Vissuti, perfetto. E belli attillati, vero?

– Sí, abbastanza attillati.

– Ti stanno a meraviglia, complimenti.

– Be', grazie. Sai, non capita spesso che di questi tempi…

– …

– Sí, voglio dire, sei carino ecco…

– Adesso sii carina anche tu…

– …

– Li apriresti per me?

– Oh no. Alberto. Di nuovo…

– Maura…

– …

– Aprili.

– …

– Aprili.

– …

– Li hai aperti?

– …

– No, non mi rispondere, non occorre. Sento che li hai aperti. Brava. Adesso pensa al lavello, l'acqua che scorre, le fragole, il coltello. Non c'è nessuno con noi. Pensa alle mie dita.

– Alberto…

– Mettimi lí…

– …

– Toccati, ti stai toccando?

– …

– Brava. Puoi non dire niente se vuoi. Fammi solo sentire quello che ti stai facendo.

– …

– Brava…

– …

– Brava…?

– E tu?

– Io…?

– Sí… tu… Cosa ti stai facendo…?

25.

Un cane, anche un grosso cane cattivo, non attacca un homo erectus che corre. Purché l'homo erectus non si fermi. Questo i maratoneti lo sanno. Ne hanno consumati di chilometri sul bordo strada: sono passati davanti a un sacco di cancelli dimenticati aperti, a un sacco di scritte Proprietà Privata, a un sacco di reti troppo basse. Le mie wonderbabies invece non lo sapevano. La pista è un laboratorio dove i cani non entrano. L'unico pericolo del mezzofondista è diventare un criceto. Nessuna di loro aveva mai subito una simile aggressione.

– Io amo i cani, – mi ha detto Agota ricominciando a piangere, non appena abbiamo potuto stare soli. – Ma quello lo ucciderei con le mie mani. Se tu avessi una pistola tornerei adesso da lui e lo ucciderei. Hai una pistola?

Assaggiare la saliva acida di Agota mentre piange è un premio che ho vinto chissà come – l'ho rubato? l'ho meritato? – ma che nessuno riuscirà a portarmi via. Vivo costantemente nella sensazione di dovermi difendere da una forza oscura, pronta a castigarmi, a distruggermi. Controllo in tutte le direzioni per anticiparla. Ogni tanto mi sorprendo a pensare che quella forza sono io. Il cane era grosso e cattivo, ma non ci avrebbe fatto niente se avessimo continuato a correre. Gliel'ho spiegato di nuovo. Agota era morbida oggi, arrendevole. Voleva che la coccolassi anche quando la penetravo, voleva una cosa dolce con le carezze sulla faccia e i bacini, per scacciare e un po' celebrare l'incontro col cane.

Eravamo sull'argine che porta a sud, verso il sole e la Voivodina. Non avevamo bisogno di un percorso misurato. Stamattina ci toccavano 90 minuti a un potenziale Ritmo Gara di 3´45˝, che per me significa 130 battiti spaccati al minuto: insomma era sufficiente il mio cardiofrequenzimetro e avremmo chiuso in tabella anche la nona settimana, con gli ultimi 24 chilometri in uno scenario diverso dal solito. Io ci ero già stato due domeniche prima, ma non mi ero spinto fino all'ovile. E al cane.

Da quella parte il bosco smette subito e il fiume *giace* piú vicino all'argine. È una presenza a cui ci si abitua presto. Il fatto di averlo dentro il campo visivo permette di tenerlo lí ai bordi, senza mai guardarlo sul serio, concedendosi magari qualche distrazione con la fabbrica di salami, il condominio bolscevico, le roulotte dei rom, e le altre animazioni suburbane distribuite lungo il suo corso quasi fossero allestite apposta per intrattenere una squadra di maratoneti in allenamento. Finché anche la quinta umana scompare, da un incrocio all'altro, e la pianura torna a curvare all'orizzonte senza che un solo ostacolo interrompa la sua linea. Otto minuti e mezzo dopo quel punto, un pastore maremmano leggermente meno grosso della pecora piú grande ci stava aspettando con la testa incassata nelle spalle. Nessuno si è accorto dell'ovile, neanche Mónika che guidava il gruppo. Giusto l'attimo per capire che quelle macchie biancastre non erano massi, e il cane era lí davanti a noi. Ringhiava, sputava, gonfiava il petto, infuriato dal fatto che non ci eravamo accorti di lui in tempo per ritirarci. Ormai abbaiare non aveva piú senso. Era troppo tardi per gli avvertimenti di rito. Evidentemente lui si era distratto proprio come noi e adesso tutto si complicava. Anche questo doveva farlo infuriare. Solo che noi non eravamo il nemico lupo, non eravamo la nemica faina: noi eravamo otto ominidi alti uno e ottanta che procedevano con un sacco di ru-

mori e versacci a un'andatura abbastanza poderosa da
promettere un brutto guaio a chi intendesse mettercisi in mezzo e abbastanza veloce da convincere anche il
guardiano piú rompicazzi che la nostra invasione sarebbe durata pochissimo, troppo poco per doversi sbat-
tere. Gliel'ho rispiegato, ad Agota:

– Tu ti credi piccola ma in realtà sei un animale piuttosto grande.

L'accarezzavo sulle lacrime, gliele stendevo sulle
guance fino alle orecchie. Mi sforzavo di non cedere
all'immagine evocata dalle mie stesse parole, di non
possedere con la giusta foga l'animale piuttosto grande a me sottomesso.

Nella memoria genetica del pastore maremmano di
sicuro non c'era traccia di prede bipedi, erette. C'erano caprioli, cervi, forse anche alci, ma non i nostri an-
tenati. Magari poteva contare sulla sua esperienza sog-
gettiva di guardiano, magari aveva già spaventato qualcuno e lo aveva anche morso. Quanto spesso però gli
era capitato di affrontare un branco di maratoneti? Ovviamente la prima volta non ragioni mai cosí e di certo non era questa la domanda a cui l'istinto delle ragazze stava rispondendo. Mónika si è bloccata di
schianto e noi le siamo finiti sopra. – Mónika, go
ahead, go ahead, – le ho detto. Ero rimasto incastrato
nella mischia e ho speso troppo tempo per raggiunger-
la, lí davanti. Ormai eravamo fermi: la nostra unica ar-
ma, la corsa, l'avevamo consegnata alla paura. Otto
ominidi cazzuti trasformati con un solo gesto in sette
allieve e un allenatore disarmati dal terrore. Il cane stava elaborando i dati: la novità assoluta che eravamo
stati lo avrebbe dissuaso dallo scontro, la cosa ridicola
che eravamo diventati invece stava chiaramente titil-
lando la sua aggressività. Aveva la coda sparata verso
il cielo, il labbro superiore arricciato su tutta la canna
del naso, i denti gialli e qualcosa di necessario, di ineludibile negli occhi. Forse non proprio ineludibile, forse si poteva ancora tentare una ritirata lenta senza vol-
targli le spalle, alzando la voce, ritornando una massa

compatta piena di rumori. Ma Imréné, Dora e Mihály-ne avevano già iniziato a piagnucolare, Katalin emet-teva stupidi urletti e tutti ci stavamo sgranando nel modo peggiore giú per la discesa dell'argine. Sarebbe finita davvero male. Probabilmente il cane avrebbe scelto me: ero il piú vicino, quello che indietreggiava piú piano e che piú a lungo lo aveva fronteggiato. Mi pareva già di sentire il polpaccio che si lacerava insieme ai fuseaux. Le scariche di adrenalina sotto le unghie e alle radici dei capelli mi stavano preparando al dolore. Tutto era pronto. Chissà come starei adesso se non ci fosse stato László.

Già, László. Lui, sulla scena, è arrivato con un lieve, provvidenziale ritardo. Il maremmano aveva già deciso di ammazzare qualcuno e László stava girando la bicicletta a una ventina di metri da noi con un dietro-front troppo cigolante, troppo affannoso. E soprattutto senza scendere dalla sella. Come il piú maldestro degli dei ex machina, László ha risvegliato il ricordo di un quadrupede nel cervellino filogenetico di quello stronzo di cane e ci ha salvati. Un portaacque obeso in bicicletta ha una stazione orizzontale, parallela al suolo, è una sagoma nota per chi non è da sempre un guardiano. Come rinunciare alla comodità di un assalto sicuro? Anche quando è caduto, László assomigliava in tutto a una cerva. Il cane lo ha addentato alla coscia e lo ha tirato a terra con estrema facilità. Le urla di aiuto non facevano che aumentarne l'eccitazione. Cercava l'inguine, le parti molli, poi, trovando László chiuso a riccio, si è buttato sul braccio e ha cominciato a strattonare a colpi secchi, a destra e a sinistra, come se fosse realmente intenzionato a staccarlo e a portarselo a casa. Le ragazze erano risalite da sotto l'argine e adesso urlavano e piangevano tutte insieme. Anch'io urlavo. E László piú di tutti, in un modo meno nervoso però, meno indignato, con i gemiti di un soccombente già per metà ingoiato dalla morte. L'unico a non urlare era il maremmano che, impegnato a scardinare la spalla, gorgogliava nel sangue. Non sapevo che fare. Mi avvicinavo un passo alla volta, ma non avevo ancora deciso niente. Urlavo e basta. Non ho mai incontrato tanti animali sbagliati tutti insieme in un posto cosí privo di animali: era un pensiero inutile ma il solo che fossi in grado di produrre. Per il resto, urlavo, e guadagnavo mezzi metri senza un piano, senza un perché. Quello stronzo non era un pesce, poteva mordere anche me, farmi le stesse cose che faceva a László, staccare anche il mio, di braccio. Eppure adesso si era messa anche Agota a spingermi. La sua voce ha bucato di colpo gli urli ungheresi con picchi altissimi. Parevano dei polpastrelli puntati sulla mia schiena: «Mandalo viaaa! Mandalo viaaa!» E come lo mandavo via? Agota sono sterile, non ti devi preoccupare: un altro pensiero inutile. Perché non sono ancora riuscito a dirglielo? Possibile? Neanche oggi, che ha preso tanta paura e voleva solo essere coccolata? Su da brava, smettila di piangere, Agota, mi stai inzuppando il cuscino. Sto per dirti una cosa che ti porterà via tutta questa tristezza. E invece no, silenzio. Perché non l'ho fatto? E perché adesso mi lasciavo spingere incontro al gorgoglio del maremmano cosí, a mani nude? «Mandalo viaaa!» Una possibilità era sferrargli un calcio in pancia. Un'altra era aggirarlo, montargli a cavallo e afferrarlo per la collottola. Sono belle le teorie: io e Agota ne abbiamo trovate di ottime e in abbondanza, distesi sul letto. Solo che li sull'argine, le urla di László, le bollicine di sangue nella bocca del cane, gli acuti della mia piccola, non mi permettevano di escogitare granché. Soprattutto gli acuti di Agota: a ripensarci, mi ha colpito molto che fosse lei la piú premurosa nei confronti di László. Di solito litigano in continuazione. «Mandalo viaaa!» Il cane mi dava le spalle, ma io ho temuto che la sua reazione sarebbe stata peggiore se lo avessi sorpreso alla vigliacca. Allora ho fatto il giro largo intorno ai due corpi e senza avere in mente ancora nessuna mossa precisa ho sollevato la bicicletta. Tirandola in piedi ho sentito la piacevole robustezza dei tubi nelle mani e ho deciso all'istante che avrei potuto scagliarla sulla schiena dello stronzo. È stato a quel punto che il cane è tornato un cane: proprio mentre portavo la bicicletta su a braccia tese per prendere lo slancio, lui si è spaventato. Deve aver visto la sagoma di un essere nuovo, di un bestione gigantesco con due ruote al posto della testa, e si è spaventato. Pazzesco. Stentavamo a credere che un gesto cosí semplice fosse capace di fargli abbandonare la presa, eppure stava succedendo sotto i nostri occhi. Il cane si stava già allontanando e per di piú senza il braccio di László. Se ne è andato, è tornato alle sue pecore, sicuro, deciso, come se la cosa non lo avesse mai interessato. La cosa tremava ancora chiusa a riccio. Aveva la tuta Adidas lacerata in tre quattro punti e una poltiglia brunastra sul braccio. Lo abbiamo aiutato ad alzarsi, mentre Dora – io lo avevo chiesto ad Agota ma lei ha preferito stare vicina a László – ha inforcato la bicicletta e ha raggiunto la prima casa per chiamare un'ambulanza. Per una decina di giorni dovremo fare a meno del nostro portaacque. Gli hanno salvato il bicipite, lo hanno ricucito, lo hanno riempito di antirabbica e antitetanica, sempre sotto lo sguardo materno di Agota. Ho provato anche a dirglielo, quando ci siamo rifugiati nel mio vendéglakás:

– Sai, sono contento che tu sia stata cosí buona con László oggi. Sembra che siate diventati amici –. Però ho desistito subito. Negli occhi troppo distanti di Agota è da un bel po' che la preoccupazione ha stabilizzato la tristezza al punto da renderla invalicabile. Lei non ne parla piú – la parola mestruazioni è scomparsa dai nostri discorsi – ma la preoccupazione è lí, sia che guardi l'occhio destro sia che guardi l'occhio sinistro. È venuta in soccorso alla tristezza, come se questa non fosse già abbastanza solida. Cosí ho virato in un'altra direzione:

– Lo sai che in California mi è capitato un sacco di volte di essere rincorso da cani? A Berkeley girano liberi, senza guinzaglio, ma non sono randagi. Sono tutti di razza, ovviamente. Ben nutriti e di grossa taglia.

Ti vengono vicino, corrono accanto a te per un po' e
poi se ne tornano nei loro giardini. Neppure si sogna-
no di aggredirti. A Berkeley anche i cani sono non violenti –. Per un attimo nel cervello mi è sfrecciato Alberto, chino come san Francesco in una radura del Tilden, che accarezza una specie di cane cavallo. Agota
stava sorridendo, finalmente:

– Che bella la California. Mi ci porterai un giorno?

26.

Béla Sárkány si trova dentro un nugolo di uccelli, praticamente immerso fino alla cintola nei loro svolazzamenti. Al suo fianco tre ragazzi in tuta Adidas e stivali di gomma lanciano in aria cose, credo pezzi di pane, che gli uccelli afferrano al volo. Per far sentire la propria voce in quello stridio assordante anche il bravo Sárkány è costretto a gridare.

Oggi siamo poco discosti dal fiume, in una delle depressioni paludose che qua e là ne affiancano il corso! Questi giovani amici sono alle prese con il disperato tentativo di modificare le abitudini dei loro amati gabbiani fluviali! Moltissimi di questi uccelli, insieme ai cormorani e alle maestose aquile retiche, sono morti nutrendosi dei pesci appestati del fiume! Allontanarli da quelle rive maledette è il solo modo per salvarli! Attirarli lontano dal loro naturale ambiente di caccia è paradossalmente l'unica azione che si possa compiere in difesa della loro sopravvivenza! Per farlo è necessario rendere allettanti queste paludi! Magari, perché no, con dei bocconi di mollica, farina e aringa in scatola! Ecco dunque la missione dei nostri giovani amici! Come vedete per il momento i gabbiani hanno abboccato! Ma verranno ancora qui a cercare cibo tra i canneti quando questi ragazzi smetteranno di aiutarli?! Saranno in grado di procurarselo da soli in un habitat a loro poco familiare oppure torneranno a tuffarsi nel veleno del Tibisco?! Sono domande per cui purtroppo abbiamo già una risposta e che ci fanno ritenere questo, appunto, un tentativo disperato! Basta riavvicinarsi all'argine per incontrare cormorani che barcollano nella melma o sulla pancia martoriata di un pesce gatto! Gli uccelli non sanno resistere a una cosí diabolica abbondanza di cibo!

Le uniche ad aver scampato la tragedia sono le cicogne! Le signore del Tibisco! Sí, le cicogne sono in salvo! In Africa! A svernare! Almeno con loro l'istinto naturale è stato benigno! Chissà che fiume troveranno al ritorno! Noi saremo qui ad aspettarle!

Béla Sárkány, Szeged, Bbc World.

27

Sapeva di trovarci in pista. Ogni settimana sceglia-
mo un giorno diverso per le Ripetute sui mille, eppure
Zoltan Csányi sapeva che oggi ci avrebbe trovati al Kollégiuma Atlétika. Chissà chi gli ha detto che cambiando la nostra tabella all'ultimo momento noi saremmo
venuti a lavorare qui, questa mattina. Già, chissà chi...
László è seduto sulla scaletta della giuria con il cronometro in mano: nella sinistra, perché il braccio destro
non lo può ancora muovere. Osserva i passaggi delle
ragazze come se tutta la sua attenzione fosse per loro
e non per ciò che ci stiamo dicendo io e la spia Csányi.
Tiene la testa nascosta nel piumino fino alle orecchie.
Ingobbito cosí su quel trespolo sembra un'installazione d'arte, un monumento allo zelo e alla discrezione.
Ovviamente il piumino, la tuta, nonché il berretto di
lana Adidas di László sono nuovi fiammanti.
    – Come mai non corri, Dario?
    – Farò il Corto Veloce di questo pomeriggio. A me
basta e avanza un allenamento al giorno. Sono vecchio
ormai.
    – Ah, vecchio! No, no, vecchio non è, – forse stava
per dire qualcos'altro ma si ferma perché stanno passando le ragazze. Si accontenta di lasciar galleggiare
l'allusione a mezz'aria finché il rumore del gruppo non
cessa. Agota è davanti, gli zigomi rosso Ferrari, un
moccolo sulla guancia. È il suo turno, tocca a lei condurre questa frazione. Indossano tutte e sette le Mizuno Phantom. Sul tartan indurito dal gelo l'effetto è

quello di una grandinata improvvisa e brevissima. Il tempo di passaggio è perfetto, quasi un secondo sotto. Alcuni fiati – credo quelli di Dora e Imréné – fischiano un poco. A simili temperature una lieve crisi d'asma può capitare. E comunque si tratta della settima ripetuta a 3´25´´: anche le altre wonderbabies sono parecchio in affanno. Per chi ha provato questa cosa è difficile non smettere di parlare quando questa cosa moltiplicata per sette gli arriva davanti in prima corsia, si mangia tutto l'ossigeno che c'è negli ultimi venti metri di rettilineo e poi va via di nuovo, sulla curva, come se fosse possibile continuare cosí ancora per un'infinità di minuti senza morire. Non è rispetto, è stupore. Rinnovato a ogni giro di pista, anche dopo migliaia di allenamenti. Sicché, mentre László grida le sue proiezioni alle ragazze già lontane, io e Csányi prolunghiamo il silenzio di qualche istante.

– Come mai non siete su Tibisco? – Come mai? Come mai? E tu, Csányi, come mai sei qui? Su, Csányi, non fare il disco rotto. Che sai tutto.

– Un paio di sedute di anaerobico alla settimana dobbiamo metterle sempre, anche se fa cosí freddo. Quindi sfrutto le ore centrali della giornata.

– Ma poi non è troppo vicino allenamento di pomeriggio?

– Abbiamo un pranzo ipoglicidico. Lo digeriscono in fretta.

– Ancora dimagrire?

– Ancora un po', sí.

– Io vedo già scheletri che corrono –. Adesso sarebbe il momento giusto per rompergli il culo. Le avete riempite di estrogeni, ingozzate di steroidi anabolizzanti, anfetamine. Anni e anni di siringate, di terapie per vitelli, di ormone Gh. E tu, vecchio spacciatore bastardo, vedi scheletri che corrono? Queste sono le mie teppiste, le mie scippatrici. Ancora un paio di chili e diventeranno splendide biciclette. Ma invece di rompergli il culo, dico:

– La loro alimentazione è equilibrata. Assumono

aminoacidi, maltodestrine, carnitina nelle giuste dosi.
So quello che faccio.

– Ah, non dubito, non dubito, Dario.

– Solo il freddo ci complica un po' la vita –. Dovevano esserci forti precipitazioni e non è caduta una sola goccia d'acqua. Per un mese intero le piogge previste sono scrosciate altrove. La terra dell'argine è una ragnatela di spaccature. Il fiume si è abbassato ancora, lasciando che il cianuro riposi nelle acque ferme del suo letto e sobbollisca quasi, in una specie di naturale distillazione. Adesso è arrivato anche il freddo. Tornerà la bassa pressione, ci sarà di nuovo caldo, il pianeta si scioglierà in un bagno di sudore, annunciano rovesci tropicali sulla Puszta. Guardo il cielo, talmente saturo di colore, talmente pulito da sembrare di cartone, poi l'erba, la brina, sotto il sole di mezzogiorno. Mi pare di avere già tutto dentro gli occhi, anche l'oggetto piú lontano, i ritti del salto in alto, il materasso giallo, laggiú, sulla curva opposta alla nostra, tutto reificato direttamente sulla retina. L'aria è cosí trasparente. Non c'è distanza tra me e le cose. Prevedono acquazzoni. Il termometro del custode segna due gradi sotto zero. Penso alla straordinaria creatività della meteorologia. Ma danno mai un'occhiata fuori dalla finestra i meteorologi?

– Meglio freddo che caldo con neve, péro. Cosí non si scivola –. Già, cosí non si scivola, cosí il cervello ruba sangue alle gambe per concentrarlo nel torace, cosí il lattato aumenta inutilmente del 20%, cosí tutto il lavoro metabolico sulla termoregolazione va a puttane, cosí non si scivola, cosí si fa peggio che scivolare.

Le ragazze chiudono la settima ripetuta, si sgranano subito dopo il traguardo e cominciano al piccolo trotto un quattrocento di recupero. Agota si allarga per sistemarsi in coda: stavolta starà al traino. Mihályne si aggiusta lo spago dei fuseaux. Mónika tira su fino al mento la cerniera del giubbetto in Thermodry wear®. Durante l'operazione urta con il gomito Magdolna, ma non si scusa, né Magdolna chiede conto. Ognuna è

chiusa nel proprio training autogeno, corse sette su dodici, già piú della metà, ancora cinque ed è finita, cinque non sono niente, l'ottava è la piú facile, anche la
nona è la piú facile, anche la decima è la piú facile, la
successiva è sempre la piú facile, scusarsi è fatica sprecata, chiedere conto è fatica sprecata, l'ottavo chilometro è quella montagna che aspetta lí alla fine del giro, devo proprio scalarla, non c'è un cazzo da fare, tra
due minuti si riparte, tra un minuto e mezzo, tra quaranta secondi... cosa vuoi che sia una montagna.

Tornano sul nostro rettilineo. László segnala il count
down.

– Come vanno? Buono?

– Sí, vanno bene –. Meno tre, meno due, meno uno,
partite. Adesso è Imréné a tirare. Guarda l'orologio per
calibrare l'andatura sui primi cento metri. Le altre cercano di stare sottovento e farsi pilotare alla fine di questi due giri e mezzo senza dover pensare al cronometro. Il trenino è un aiuto psicologico, ma un aiuto psicologico all'ottava frazione non è piú solo psicologico,
e comunque Agota chiude la fila con la faccia ben piú
rilassata di prima.

– Bánóczki è migliore, sí? – Bánóczki? E chi è
Bánóczki? Mi rendo conto che non riconosco i cogno-
mi delle ragazze, almeno non al volo. Ripasso i nomi
completi esattamente come sono scritti sulle tabelle:
Kovács Katalin, Vizikozmú Dora, Kiss Mihályne... sto
perdendo troppo tempo, mi secca che pensi che io stia
esitando, so benissimo chi è la migliore... Tóthné Mónika, Kiskocsma Magdolna...

– Dario, non essere diplomatico. Bánóczki è migliore, sí? – ... Seregélyes Imréné, Bánóczki Agota. Eccola, la Bánóczki! Sei tu, Agota. Amore mio, mio piccolo tesoro, sono sterile, sai? Corri amore, il sangue verrà,
non ti devi preoccupare.

– No, non sono d'accordo –. La trappola che ha costruito Csányi è troppo grande perché io non la veda.
Mi ricordo la nostra conversazione del primo giorno,
in macchina. – Carlo mi ha raccomandato di tenerti

d'occhio, che non fai solo defaticamento con nostre bambine, hu hu hu –. Non mi incastri, Csányi. Agota è la Felicità Pura, la Felicità Pura venuta a rovinarmi l'esistenza, ma non è la migliore. – La Bánóczki è molto dotata, senza dubbio, però resta Mónika la piú forte. Sí, la Tóthné insomma. Ha ancora ampi margini di miglioramento, si è abituata subito ai grandi chilometraggi e mantiene comunque una notevole velocità di punta. A lei le Ripetute brevi non posso mai fargliele tirare perché ci sballa tutti i passaggi. Ecco, deve solo imparare a dosarsi. E magari togliersi un po' di quegli elastici dai capelli. Ma è la migliore.

– Ah, elastici, hu hu hu. Elastici è libertà, Dario.

– Certo, certo. Per me se li può anche tenere –. Ho spesso la tentazione di guardare se sugli elastici arancioni di Mónika c'è il marchietto Adidas. Libertà, dice Csányi. Intanto anche l'ottavo chilometro a 3´25″ ha compiuto la sua strage di enzimi mitocondriali. Le ragazze smettono di spingere un paio di metri prima del traguardo e László le sgrida. Per un attimo alcune – non Agota – escono dalla cabina della loro concentrazione e cercano il mio sguardo. È una sensazione bellissima.

– Well done, well done. It's almost over, come on – rispondo io, ai loro occhi svuotati dallo sforzo.

Anche Csányi dice qualcosa alle ragazze. A loro non è certo sfuggita la presenza del commissario federale. Non scherziamo, si tratta del loro futuro in persona: l'hanno notato dal primo minuto. Ma solo adesso, che lui ha rivolto loro la parola, lo salutano con un impercettibile aúgh della mano. Le wonderbabies, che classe.

– Dario, io devo andare, – mi dice Csányi. – Ah, che stupido. Dimenticavo la cosa importante perché sono venuto qui –. È venuto a marcare il territorio, come avrebbe fatto Carlo al suo posto, ecco perché è venuto qui. I capi sono tutti uguali, mi sembra evidente. Ovviamente dico soltanto:

– Sí? Dica.

– Tu sei mio ospite per ultimo dicembre trentuno.

– Be', la ringrazio molto, ma io quella settimana la passo a casa. Sa, a Trieste c'è mia moglie –. Vedo Maura e i suoi genitori che mi aspettano in una stanza piena di giocattoli. Ci sono foto nuove di Fiona alle pareti. Anche da cosí lontano intuisco che Maura è chiusa nella sua posizione a uovo ma non è morta. Parte la nona ripetuta.

– No, tu non puoi rifiutare, non puoi farmi questo. Tua moglie verrà con te. Sarò onorato di conoscerla. Faremo una grande festa a Budapest. Ci saranno molti italiani importanti, forse anche ambasciatore –. Budapest è una città di un solo abitante. Giovane, di sesso femminile, con gli occhi troppo neri e troppo distanti. Da un canto, so che a Maura farebbe bene uscire dalla posizione a uovo, anche solo per un piccolo viaggio. Dal canto opposto, so che a Budapest non c'è spazio per un altro abitante. Senza contare che la popolazione di quella città viene in camera mia ogni sera e mi appartiene totalmente.

– Lei è molto gentile. Dovrò parlare con mia moglie.

– Tua moglie merita una bella festa magyarul. È rimasta sola molto tempo. Adesso tu devi farti perdonare, non pensi questo? – Negli occhi della spia Csányi scintilla una perfetta comprensione del mio dilemma. – E poi cosí sarai sempre vicino alla tua amata Hungaria, hu hu hu.

Il gruppo transita di nuovo con la sua grandinata di Phantom e i respiri asmatici. Si sentono ancora piú forti di prima le vibrazioni da ancia dei bronchi congelati. I creativi della meteorologia prevedono pioggia. Adesso si è aggiunto un terzo fischio. È il fiato di Agota.

– Ci conto, eh Dario. Raccomando.

Mentre László mi passa il cronometro e si avvia con Csányi verso la Mercedes, realizzo che portare Maura a Budapest sarebbe la cosa piú sbagliata che potrei fare. L'errore mi appare con la stessa nettezza con cui vedo il materasso del salto in alto, dall'altra parte dello stadio. Gli angoli, i profili, le cuciture rinforzate, il trenino delle ragazze che gli sfila dietro con la Felicità Pura in terza posizione – bruciati altri quaranta secondi, macinati altri duecento metri – tutto nitido come i cristalli liquidi che si rincorrono nella mia mano. Dev'essere quest'aria. Ogni dettaglio ha una cosí alta definizione che mi si accappona la pelle. È come se fosse nato nel mio occhio. È come se il materasso fosse dentro di me. È come se l'errore l'avessi già commesso.

28.

Asl di Trieste. Consultorio Familiare Pubblico. Ufficio Adozioni. Una scatola.

«Bene ragazzi, siete tornati nella tana dell'orchessa. È cosí che la pensava la volta scorsa, no Dario?»

«Lei non è l'orchessa, lei è Gianna Vodopivez, la nostra esaminatrice».

«Si ricorda anche il mio nome, fantastico! Mi sa che oggi andremo d'accordo. E lei, Maura, la vedo in splendida forma. Dov'è che avete preso tutto quel sole?»

«Be' lui veramente, perché io, guardi qua, tranne il naso resto sempre come un lenzuolo. Siamo andati in costiera, sia sabato che domenica. Appena possiamo corriamo al mare».

«Avete una barca?»

«No, quale barca? Noi siamo terrestri, poveri terrestri che amano il mare».

«Poveri, Maura?»

«Be', poveri no. Non possediamo una barca, ma non ci va male».

«Ah questo lo vedo, avete un'aria invidiabile voi sportivi. Anche lei, Maura, è una sportiva, no?»

«Lo sono stata. Adesso lo sport lo insegno, ma non troppo tempo fa, nelle mie stagioni piú buone, ho fatto dodici gare di Coppa del Mondo. Discesa libera».

«Discesa libera! Quando la danno in Tv non me la perdo mai. Magari qualche volta avrò visto pure lei».

«Non credo, io scendevo con pettorali sempre piuttosto alti. Ma era ancora piú difficile. I muri restavano gli stessi delle prime. E cosí il ghiaccio. E cosí i 120 all'ora. Solo che quando toccava a me la pista era diventata tutta una buca, sembrava una trincea bombardata».

«Madonna santa, 120 all'ora. E non aveva paura?»

«Sí, ma avevo piú voglia di... diciamo di affermarmi».

«Cioè di vincere?»

«Be', non cosí, subito. Affermarmi all'inizio poteva anche solo significare mettere il naso nel secondo gruppo di merito. Cominciare a contare. Scendere prima che la pista si trasformi in trincea. Farmi vedere. Dalle compagne. Dalle avversarie. Dagli sponsor. Anche da lei».

«Da me?»

«Sí, insomma, dalla gente a casa, prima che chiudessero il collegamento. Volevo affermarmi e mi buttavo».

«Che coraggio».

«Be', anche fortuna. Sono ancora tutta intera».

«E adesso vuole affrontare quest'altra sfida».

«Per carità, di quale sfida sta parlando? Mia moglie vuole semplicemente adottare un bambino».

«Dario, non cominciare, lascia parlare Gianna».

«No, aspetta. Mia moglie non intende ingaggiare nessuna sfida, vuole solo diventare mamma, come tutte le mamme che la circondano. Perché dobbiamo sorbirci questi discorsi sulle sfide?»

«Vuoi rovinare tutto, è questo che vuoi?»

«No, lo sai che non è vero. Voglio un figlio, come lo vuoi tu. E vorrei che la signora ci credesse, visto che siamo venuti noi da lei e non lei da noi, e che lo facesse senza annunciarci nuove sfide. Mi scusi sa, ma cos'è che dovremmo sfidare adesso?»

«Be' Dario, ce lo siamo detti l'altra volta, anche qui avremo piste piene di buche. Lei preferisce pensare che la mia sia solo retorica, non vuole accettare che la scelta che avete compiuto vi metterà alla prova, anche se lo sta già facendo. L'avversità peggiore sul vostro cammino non sarò io, gliel'assicuro. L'impossibilità di avere un figlio naturale è stato senz'altro un brutto colpo. E poi l'odissea burocratica dalla quale non siete ancora usciti. E poi me. Ma devono ancora arrivare l'assegnazione, l'incontro, le notti davanti al frigorifero, ricordate il bambino brasiliano?, insomma le infinite prove d'amore a cui sarete sottoposti da un piccolo orfano ferito e diffidente. Come la chiama questa?»

«…»

«Maura mi ha parlato di affermazione. Lei, Dario, non crede che voi due avrete modo di affermarvi come genitori? Considera questa forse una scelta di ripiego, una svolta serena del campione sul viale del tramonto? Non crede anche lei come Maura che, per farcela, anche qui dovrà mettercela tutta? Come la chiama questa?»

«Va bene. Sfida. Sfida va bene».

A prima vista, il volto scavato di Agota può farla sembrare denutrita, ma, come ho detto a Csányi, non è così. Le ragazze si stanno semplicemente asciugando. Non serve soltanto alla maratona. A osservarlo bene, è un chiaro processo di armonizzazione con il corpo su cui stiamo correndo: non puoi calpestare con i tuoi cinquanta chili un pianeta cosí secco e smagrito. Se vuoi diventare maratoneta devi accordare il tuo fisico alla superficie che ti sorregge, altrimenti la sfondi. Agota è messa perpendicolare a me, il gomito appoggiato sulla mia coscia, distesa come su un'ottomana. Formiamo una T di ossa e fibre muscolari. Guardo la testa del femore di Agota mentre lei mi soffia la Felicità Pura nel cazzo, contemplo la fossa tra il suo pube e la cresta iliaca e vedo la stessa siccità della Puszta. Mi pare proprio di percepire la grammatica che accomuna gli spigoli e le asperità di Agota con quelli del contorsionista raggomitolato nel cubo di plexiglas. Agota non capisce che questo suo abbruttimento la sta facendo diventare veramente bella. Si mette davanti allo specchio dell'armadio e mi dice: «Guarda come mi hai ridotta». Ogni volta io riprovo a spiegarglielo, ma lei mi interrompe «Okay, okay, fai di me quello che vuoi» e torna a buttarsi sul letto come la bambina che è. Come possa saper fare queste magie con la lingua una bambina, resta per me un mistero. Né riesco ad abituarmi all'idea che il movimento delfinato del suo bacino sia una dote naturale, ma eccola qua, sopra di me – le sue mani sulle mie ginocchia, le mie mani sui suoi glutei di isoprene, il suo bacino che nuota nella piscina delle mie endorfine –, eccola qua, una diciottenne senza porte seriali dietro l'orecchio, eppure preparata sulle tecniche del sesso come il miglior software per androidi che io possa immaginare. Ma ormai non c'è piú tempo per immaginare, non c'è piú tempo per ragionare, devo accettare di essere capitato di nuovo in paradiso e cercare solo di restarci il piú possibile senza troppe domande. Sento gli igen di Agota. Lievi, ultrasonici. Igen, igen. Che vergogna questo lamento roco, al confronto. Penso ai suoi occhi rovesciati, lí, davanti alle mie ginocchia. Ha macchie rosse sul collo e sulla schiena, i capelli piú corti incollati alla nuca dal sudore. Strizzo la gomma dura del suo culo fino a che le nocche non mi diventano bianche. Sentirà dolore, Agota? Sentirà piacere?

Quando il vendéglakás ha riassunto forme e spazi tridimensionali, mi accorgo che Agota riposa sulla mia spalla. È un angelo di quarantasette chili, ancora bollente e umido. Non sta dormendo. Ha gli occhi aperti sul mio mento, immobili come quelli di Fiona nel suo lettino bianco. Pensa.

– Smettila di pensarci –. Non le dico: sono sterile, sta' tranquilla.

– Non ci riesco, ho la testa sempre lí.

– E allora parliamone, non puoi tenerti tutto dentro, sfogati. Guarda che muso che hai. «To hear you speak of it | I'd have done anything», ti ricordi *Why not smile*? – Sono io che dovrei parlarne, e invece mi ritrovo inginocchiato sul letto a cantarle i suoi amati R.E.M. Mentre canto, un miscroscopico angolo del cervello mi dice che ho trentasei anni.

> The concrete broke your fall
> to hear you speak of it
> I'd have done anything
> I would do anything
> I feel like a cartoon brick wall
> to hear you speak of it
> you've been so sad
> it makes me worry

why not smile?
You've been sad for a while
why not smile?

Magicamente Agota sorride. È solo un momento, e
io mi tuffo a raccogliere il sorriso con un bacio. La sua
bocca è molto grande, ma non abbastanza per nascondermici tutto, come vorrei.

– La mestruazione non viene piú.

– Non dire cosí. È solo che hai preso troppe porcherie troppo a lungo. Probabilmente la pillola è stata
la ciliegina sulla torta e adesso avrai gli ormoni un po'
incasinati. Prima o poi si sistemeranno da soli, vedrai,
– non corri nessun rischio di maternità, perché non
glielo dici?

– Sí, però, se non si sistemassero, tu che cosa fare-
sti? – Davvero una bella domanda. La testa di Agota
è di nuovo sulla mia spalla. I suoi occhi cercano i miei,
inutilmente. Fiona, riapparsa in aria come in un fu-
metto, ci osserva. Non ha ancora sbattuto le palpebre.

– Si sistemeranno.

– Tu quando finirà il master non vorrai piú vedermi.

– Ma cosa dici?

– Cosa farai dopo il master? Non ci vedremo piú?

Se la bocca di Agota fosse solo un poco piú grande,
io potrei nascondermici dentro e lei smetterebbe di far
domande. La Felicità Pura.

– Io voglio venire con te in Italia. Voglio restare per
sempre con te. Voglio invecchiare con te. Vivere eternamente al tuo fianco.

– Eternamente?

– Sí, eternamente. Perché, tu non credi all'eternità?

– Be', io credo che tutte le cose vive cominciano e
finiscono, da sempre, cioè l'hanno sempre fatto e con-
tinueranno a farlo, ecco, diciamo che credo all'eternità
di questo processo. Quindi se anche noi siamo cose vive… secondo te noi siamo cose vive?

– Sí.

– Be', allora credo che anche noi finiremo.

30

Da: alberto.lentini@uclink4.berkeley.edu
Data: lunedí, 18 dicembre, 23:36
A: dario.rensich@katamail.com
Oggetto: il generale sherman

vedi dario, quando anassimandro dice che tutte le
cose vengono alla luce dall'apeiron e poi
all'apeiron ritornano, lui in realtà non ha visto il
generale sherman. il generale sherman nel VI secolo
a. C. aveva già molte centinaia d'anni, ma è
sempre stato un tipo piuttosto radicato alla propria
terra e anassimandro non poteva certo navigare
fino in california. tu però non puoi essertelo
dimenticato il nostro generale. sequoia park ti
aveva molto colpito, ricordi? sono passati cinque
anni dai nostri allenamenti nella giant forest e nel
frattempo ognuna di quelle piante ha continuato a
crescere. sherman ha 84 metri di altezza, 32 di
circonferenza. è spuntato sul congress trail piú di
tremila anni fa ed è indubbiamente l'essere
vivente piú longevo che abbiamo sotto gli occhi,
ma forse qualcosa di piú. non c'è niente infatti, in
quella sequoia, che possa assicurarci che finirà.
niente addirittura che ci assicuri che smetterà di
crescere. quindi non sarei cosí certo che la tua
teoria sulla terminazione necessaria di tutto ciò
che vive sia corretta. forse la tua amichetta (la tua

amica, d'accordo) vede piú lontano di te e
anassimandro.
alberto

ps. oggi fartlek da sunset lane a inspiration point e
ritorno.

31

Mi sto strappando da Agota a una velocità di crociera di 690 km/h. Volo Lufthansa. Il programma prevede sei giorni a Trieste, acquisto regali con Maura, pranzo di Natale a casa dei suoi. Poi commetterò ciò che in codice identifico come l'Errore Csányi, andrò con mia moglie a Budapest per il veglione di Capodanno. Ad Agota non ho detto nulla. L'idea di farle una sorpresa e l'idea di tentare un'astinenza totale a fini disintossicanti si combattono a pugnalate il mio cervello. In attesa che una ammazzi l'altra, ieri sera l'ho salutata con un «ci sentiamo» per il quale non smetterò mai di vergognarmi.

Abbiamo concluso il nostro ultimo allenamento – venticinque chilometri a Ritmo Gara – proprio mentre la notte cominciava a mescolarsi al giorno, in quella manciata di minuti in cui, nonostante gli ultimi bagliori del sole già tramontato non riescano piú a nascondere la luna e le prime stelle, le luci dei lampioni sembrano ancora premature. Una volta era un passaggio che mi piaceva e basta. Ieri ho dovuto avvantaggiarmi in testa al gruppo perché non si vedesse che stavo piangendo. Szeged era tutta farcita di luminarie natalizie. Il campanile del Dóm, le arcate del Belvárosi Híd, gli alti caseggiati di Újszeged dentro cui il nostro argine ci stava portando. Per nove giorni abbandoneremo questa costola, pensavo. Per nove giorni abbandoneremo questa gente triste che vuol festeggiare a tutti i costi e accende un sacco di lampadine, anche se cammina per

strada ancora con la mascherina. Per nove giorni il Tibisco si prosciugherà senza di noi, i pesci sbatteranno
sulla palta, s'impaneranno nella polvere, sprizzeranno
cianuro dalle branchie, tutto senza di me. Pensavo e
piangevo.

A cena ho fatto servire ben 250 grammi di roast-beef
all'inglese, cavolfiore bollito e, in via del tutto straordinaria, pentendomi all'istante per l'incoraggiamento
agli eccessi che quel gesto avrebbe potuto provocare,
una fettina di panettone e un calice di spumante. Le
wonderbabies hanno mangiato senza toccare i cellulari. Un pasto intero senza Sms. Si guardavano sciocca-
te, sfigurate dal piacere. Viva Motta! Viva Gancia! Viva Italia! What a party! Egészségedre! Si erano anche
vestite per l'occasione. Agota indossava lo stesso tailleur rosso del giorno della presentazione. Il nero dei
suoi capelli sembrava ancora piú blu. Le altre ci consi-
deravano con una tale quantità di non detti nello sguardo da rendere superflua qualsiasi domanda sul fatto che
sapessero o no, eppure nemmeno ieri sera, in un clima
cosí disteso, quasi ai limiti dell'euforia, ho sorpreso
qualcuna scambiarsi un segnale, accennare una smorfia, anche semplicemente alzare un sopracciglio. Solo
László era sopra le righe, solo lui brindava con la bottiglia di birra, solo lui pretendeva di giocare ai mimi,
solo lui era rimasto in tuta. Ma il futuro di László, giovane allenatore obeso con l'hobby della meteorologia,
è nella palestra di una scuola media.

Dopo il brindisi ho impartito i compiti per casa.

– Ognuno di questi pacchi contiene le razioni gior-
naliere di maltodestrine, aminoacidi a catena ramificata, carnitina, glucogenetico e bustine ipotoniche. Sono personalizzati, quindi fate attenzione ai nomi scritti sopra. Per te, Dora, che sei un po' giú di quadricipiti,
ho messo anche della creatina. Per te, Magdolna, ho
messo una confezione di tintura, cosí forse ti decide-
rai a dare una svolta definitiva alle tue mèche –. Agota traduceva e le ragazze, oh sí, incredibile, le ragazze
ridevano. – A te, Mónika, invece ho aggiunto un ri-

cambio di elastici arancioni perché mi sa che il tuo segreto è tutto nella pettinatura, – altra risata generale, esclusa Mónika ovviamente. – Insomma, ognuna troverà quello che fa per lei. Imréné ha il suo bravo antidiarroico, Mihályne il suo bravo antivomito eccetera. Tu, Katalin, hai un buono per un bigmenu quotidiano al McDonald's di Kárász Utca. Se non ti ricordi la strada, puoi chiedere a László di accompagnarti, vero László?, – sarà stato lo spumante, fatto sta che le ragazze si sbellicavano dalle risate. László mi guardava da una chiara citazione di Gambadilegno. Dovevo nominare anche Agota: – E poi c'è la nostra interprete –. Agota ha tradotto. Gli occhi delle ragazze ci hanno collegati con un reticolo impressionante di aspettative. Tu, Agota, nel tuo bel pacco, troverai me. Questo avrei voluto dirle. Invece ho detto: – Per te mi sono procurato un manuale sulla storia e le origini dei sindacati, cosí durante le vacanze te ne starai a casa a studiare e magari ne scriverai uno tu sui diritti dei top-runner –. Agota ha tradotto sorridendo, le ragazze hanno risposto al sorriso per solidarietà ma erano decisamente deluse. – Sentite, nove giorni sono lunghi, non smettete mai di allenarvi. Massimo due riposi, vi consiglio di piazzarli uno domani e uno a metà vacanza. Per il resto, alternate un giorno di Medio e un giorno di Lento, mai meno di venti chilometri. Pesatevi ogni mattina, a digiuno. E soprattutto, non abbuffatevi.

Non mi devo preoccupare per la condizione delle ragazze. Il Natale farà la sua selezione. Quelle che vogliono spuntarla davvero non prenderanno un grammo e torneranno come nuove. Quasi tutte affrontano la corsa come i negri del Bronx affrontano il pugilato. Non si tratta certo di una vocazione. Sono disposte a soffrire perché il mondo le scopra e le risarcisca. Superingaggi e supertournée, questo desiderano le mie wonderbabies. E per questo, se serve, corrono venti chilometri di Medio anche a Natale. Da sole. A diciott'anni. Ma non è amore per la maratona. È bisogno di diventare rock-star. Qualcuna smetterà di sognare,

tornerà al Kollégiuma piú grassa e piú adulta. Alla ripresa non terrà il ritmo delle altre, si lascerà staccare,
rinuncerà. Di fatto le vacanze sono un ottimo test.

Anche per me.

Le ragazze si stavano risistemando ai tavoli. Agota
è rimasta un po' indietro per salutarmi. Sapeva che dovevo prendere il treno per Budapest di lí a un'ora e che
sarei partito per Trieste con il primo volo di oggi. Nessuno dei due aveva la forza di trascinare l'altro fuori
dalla mensa. Semiseduto sullo schienale di una sedia,
László fingeva di bere da una bottiglia di birra vuota –
era la seconda o la terza, László? – per sorvegliarci non
troppo sfacciatamente. Ti farò una sorpresa, Agota, vedrai. Ti chiamerò dalla tua città e ti dirò: eccomi qui,
buon anno amore. No invece, non ti farò nessuna sorpresa. Tornerò il 2 gennaio perfettamente disintossi-
cato. E anche tu lo sarai. Io ti parlerò della mia famiglia, di Maura, di Fiona, del mio futuro a Trieste. Tu
diventerai la Felicità Pura di un altro e vincerai un sacco di maratone di prima fascia. Le due idee continuavano a contendersi il cervello a colpi di pugnale. A tratti avanzava una, a tratti l'altra. Si stavano massacran-
do davanti agli occhi troppo distanti di Agota senza
che nessuna delle due si decidesse a morire.

– Allora, vai? – mi ha chiesto lei. E c'era tutto quel
nero da guardare. E poi quale occhio? Il destro o il sinistro? E c'era quel rumore infernale di lame e fen-
denti nella mia testa. Cosí ho risposto:

– Sí. Ci sentiamo.

Il profumo del caffè prova a tirarmi fuori dal letto. Maura sta preparando la colazione. Ha già messo a tostare le fette di pane. Le tiene a brunire anche dopo il campanello. Prima di chiamarmi aspetta che tutto sia pronto. Nel quadrato della finestra vedo una lamina uniforme di cielo coperto e un pezzo di imposta – per non farmi prendere freddo Maura non l'ha agganciata bene. Nessuna traccia del mare, da cosí disteso. Ma laggiú il mare c'è, se siamo a Trieste e questa è casa mia. È Natale, sono le dieci del mattino e ho la seconda crisi di astinenza. Non mi ci vorrebbe niente a prendere il cellulare dalla mensola e digitare un MI MANCHI, AMORE. Maura non se ne accorgerebbe. Mi alzo, cerco a tastoni sulla mensola tenendo d'occhio la porta, sento il secondo campanello delle fette tostate e torno svelto sotto le coperte. Il disprezzo per questo tentativo, adesso che è fallito, mi afferra alla gola e devo sedermi per non soffocare. Ieri era andato tutto bene: gli acquisti al Giulia, il Corto Lento a Basovizza, la passeggiata a Barcola, la cena al Faro.

Anche prima è andato tutto bene. Abbastanza bene. Ciò che mi disturba è la bellezza di mia moglie e mi fa male esserne disturbato. Avere le sue tette sulla faccia, il suo pelo rosso sopra il mio, scorgere da sotto la linea perfetta del mento e degli incisivi. Ho dovuto girarla prima che incrociassimo lo sguardo. E a quel punto ho sbattuto, per concludere in fretta come il lavoratore sciatto che non sono mai e atterrare sulle sue scapole maestose. Maura non ha detto una parola della mia semierezione. Mi ha accarezzato la gamba e si è alzata a preparare la colazione. I regali sono ammonticchiati sulla cassapanca, alcuni ancora senza carta. I suoi genitori ci aspettano a pranzo con una risposta uguale e contraria. Anche i loro, come i nostri, saranno in prevalenza giocattoli. Forse, se mi distraggo con i pacchetti, svento la terza crisi.

Il bruco coi rumori, per esempio.

Ieri nel playground coperto del centro commerciale Giulia c'erano anche negretti. Due proprio neri e uno marroncino. Nuotavano nella vasca delle palline insieme agli altri bambini ignorandosi accuratamente. I loro padri adottivi, al di là della rete, avevano già creato un contatto – erano padri in prevalenza, quelli attorno al playground – ma i negretti cercavano ognuno un bambino bianco o, meglio ancora, un gruppo di bianchi con cui nuotare e tra di loro si tenevano alla larga. Mi venivano in mente tutte le stronzate sull'indiscriminata fraternità dei bambini. Stavo mettendo mia figlia nella vasca delle palline e immaginavo come se la sarebbe cavata. Il debole non cerca la simpatia dei deboli. Anche Fiona avrebbe evitato quei negretti, anche lei si sarebbe ingraziata la comunità dei forti. Si sarebbe fatta scavalcare sulla scaletta dello scivolo, avrebbe mollato per prima la presa sull'unico fungo a dondolo, avrebbe accettato di non entrare nella tenda degli indiani e qualsiasi altra cosa, pur di essere accreditata da quei due biondini e di non essere scambiata per negra. Poi ho realizzato che anche Maura doveva essere alle prese con i medesimi esperimenti mentali e allora l'ho tirata via da lí. In realtà era lei a sapere dove andare. Cosí siamo saliti direttamente al sesto piano, dove c'è il piú grande negozio di giocattoli della città. Sulle scale mobili Maura era davvero regale. Gli uomini che scendevano, anche loro con le mogli davanti, la vedevano avanzare piantata sul suo scalino come la spada nella roccia, un concentrato di solidità e vigore che guardava un po' a destra e un po' a sinistra le vetrine, via via che si dissolvevano in basso. Quando le scale si incrociavano qualcuno tentava anche di rubarle un mezzo sguardo, dibattendosi nel cono della propria inesistenza. Io so ciò che vede Maura: il suo campo ottico contiene solo me. Il resto sono coni d'ombra. Coni d'ombra ad alto rischio di lite coniugale.

Non finivamo piú tutti quei piani e quegli ammezzati, affacciati sull'immenso atrio delle scale con la loro miriade di festoni e babbi natali, occupati in ogni vano umanamente accessibile da una Mitteleuropa piuttosto determinata a rinnovarsi a colpi di Visa e Master Card. Erano sloveni, croati, boemi. Nel silo dei parcheggi avevo notato anche molte Mercedes dei fratelli ungheresi. Non ci si accorgeva subito che fossero stranieri. Avevano la stessa padronanza del posto, la stessa dimestichezza della nostra gente. Buttavano i bambini nel playground oppure li lasciavano guidare i passeggini vuoti o spaccare le piante finte e visionavano con metodo tutte le vetrine, esattamente come i triestini. Li guardavo chiamarsi da un negozio all'altro, presidiare i camerini di prova, mettersi pazienti in coda ai registratori di cassa. Giovani famiglie mitteleuropee, di cui tra poco farò parte. Di fatto ero già in mezzo a loro, mi stavo già allenando. Ti disintossicherai, Agota uscirà da te com'è entrata, sarà uno scherzo, sulle prime ti sembrerà di non avere piú niente dentro, di essere uno strato sottile di carne attorno al vuoto, ma poi vedrai che Maura e Fiona lí dentro, in quel vuoto, verranno ad abitarci. Mi parlavo con la voce di Gianna, avevo bisogno della sua voce per non sentire la mia che mi ordinava a chiare lettere di entrare nella toilette in fondo al corridoio e digitare un bellissimo Sms.

Il tappeto di gommapiuma con le lettere che si staccano, la tastiera con i versi degli animali, la bambola gigante di pezza, gli animali della fattoria, la casa con i bottoni dei colori, un Dumbo di peluche: Maura era piombata in quella che nel vocabolario di Gianna si chiama spirale compensativa. Non è colpa nostra se

Fiona è finita in un orfanotrofio. Sí, invece. I giocattoli crescevano sul ripiano accanto alla cassa prendendo la forma piramidale dell'affetto di Maura. La seguivo tra gli scaffali, mi incuneavo dietro di lei in mezzo a una quantità di adulti collaudatori, uomini e donne anche piú vecchi di me che provavano robot, scoperchiavano ruspe, contavano i pezzi di Lego. Annuivo alle sue scelte e la riaccompagnavo al nostro monte di giocattoli. Anch'io avevo bisogno di cose, di oggetti di plastica ben squadrati a cui reggermi prima che i pensieri mi risucchiassero via. Capivo quelle persone afferrate ai loro collaudi. Capivo Maura. Ma non sapevo fare altro che assecondarla. Cristo, quei regali erano tutti ugualmente fantastici, tutti ugualmente uguali. E io avevo un tale bisogno di messaggiare il mio amore ad Agota che insomma la bambola gigante, gli animali della fattoria, il Dumbo e tutte le altre meraviglie che Maura stava ammucchiando mi andavano benissimo. Lei però non voleva un marito automatico, ne voleva uno critico, costruttivo, e non smetteva di consultarmi. Era giusto. Al playground sarebbe servito un papà in grado di stabilire contatti con altri papà, sarebbe servito un papà in grado di aiutare Fiona a farsi anche degli amichetti negri come lei. Non potevo guardare Maura mentre precipitava nella sua spirale compensativa e dire soltanto si, bello. Cosí, quando avevamo già pagato e stavamo riscendendo entrambi con due sacchetti per mano e Maura ha iniziato ad accusarmi di non aver pensato a mia figlia, di non aver dedicato neanche un istante alla nostra piccola per stabilire quali giocattoli l'avrebbero resa davvero felice, io non ho trovato proprio niente che le desse torto. Maura era precipitata, aveva terminato la spirale a velocità altissima, eppure non si era schiantata. Era ancora viva. Aveva ragione.

– Hai ragione, – le ho detto, e ho ripreso di corsa la scala mobile in salita. La frequenza cardiaca mi si è impennata ai livelli di una ripetuta breve. Maura mi seguiva con lo sguardo dritta in mezzo all'atrio del quarto piano, le mancavano solo gli sci appoggiati alla spalla. Lei era scesa, adesso toccava a me. Non avevo mai gareggiato con mia moglie. Era questo che mi chiedeva? Al quinto piano due piccoli mitteleuropei avevano quasi finito di spaccare un ficus finto. Le loro testoline svanivano ai miei piedi, ed eccomi già tornato al sesto. Dovevo scegliere un giocattolo. Dovevo smettere di pensare al telefono e capire quale sarebbe stato il mio regalo preferito per Fiona. Mi pareva che tutta quella gente, non solo lí ma anche ai piani inferiori, e tutti i festoni e tutti i babbi natali aspettassero insieme a Maura un segnale che confermasse la mia idoneità di padre. Il negozio continuava a straripare. Mi sono immerso di nuovo tra le meraviglie e i loro collaudatori senza sapere ancora che cosa avrei dovuto preferire. Un gioco istruttivo? Uno magico? Uno contundente? Uno amorevole? Sicché, aggirandomi tra gli scaffali come fossi affetto da una grave labirintite, ho calpestato una cosa morbida con dentro una trombetta. Era un bruco verde lungo una trentina di centimetri caduto dalla cesta dei peluche. Il suono non era proprio quello di una trombetta. Emetteva dei versi privi di note piú vicini ad esclamazioni di sbigottimento. Gulp, quack, oink, ogni volta un rumore diverso a seconda di dove lo strizzavi. Insomma, il bruco coi rumori.

– Non te lo sei fatto neanche incartare, – mi ha detto Maura, appena sono ridisceso a fondovalle. Stava combattendo con l'emozione di vedermi di nuovo collegato, attivo, di avermi ritrovato con tutta la mia responsabilità di padre concentrata in quel rotolo di stoffa verde già chiaramente bisognoso delle tenerezze di Fiona.

– Non volevo che aspettassi a lungo. Tieni, ti presento il bruco coi rumori.

– Ti piace sul serio? – Ha appoggiato i sacchetti e lo ha osservato con cura. Testa, corpo, coda. Se si scollavano gli occhi. Il bruco, sotto i palpeggiamenti di Maura, continuava a sbigottirsi in mille modi diversi. Secondo me, anche la gente che ci passava accanto capiva che quella donna stava camuffando la propria con-

tentezza. Le donne tendono a spaventarsi quando sono contente e Maura, lí in mezzo all'atrio del quarto
piano, preferiva controllarsi.

– Se mi piace sul serio? Che domande sono. L'avevo notato già prima. È morbido e fa un sacco di rumori,
senti che roba. È il mio preferito.

Maura mi ha sorriso e lo ha infilato nel sacchetto meno colmo. Ha raggiunto la scala mobile con una tale
spinta nei polpacci da far pensare che il pavimento fosse imbottito di molle. Io, dopo essermi sistemato sullo
scalino dietro il suo e averle preso la mano, con l'altra
ho digitato un complicatissimo SZERETLEK fermandomi solo l'istante prima di premere l'invio.

33

– Sí, pronto.

– Sono io, puoi parlare?

– Alberto, non voglio che ci sentiamo quando c'è lui.

– Ma puoi parlare adesso?

– Sí.

– Dov'è? È uscito?

– Sí, è a Basovizza. Erano due giorni che non correva. E stamattina gli ho pure inflitto il Giulia.

– Cos'è il Giulia?

– Un centro commerciale.

– Ah, capisco. E come l'hai trovato?

– Affollato, come al solito.

– No, dicevo Dario, come hai trovato Dario.

– Bene. Un po' stanco forse. Perché, come lo dovevo trovare?

– Che ne so, l'hai trovato un po' strano?

– No, perché?

– Che ne so, te lo chiedo, cosí.

– Ti ha scritto qualcosa?

– Ma no, ci scriviamo le solite boiate. Lo chiedevo a te, come donna. È tutto normale? L'avete fatto?

– Alberto, non voglio che ci sentiamo in questi giorni, te l'ho detto.

– L'avete fatto, sí o no?

– …

– Allora?

– Sí, l'abbiamo fatto, sí.

– Quando?

– Anche prima che uscisse.

– Ah, capisco.

– ...

– E devo immaginare che tu non abbia voglia di rifarlo con me... adesso.

– ...

– È cosí?

– Alberto, ti chiamo io.

– D'accordo, okay, va bene.

– Buon Natale.

– A chi hai pensato? Eh? A chi hai pensato prima?

– ...

– Hai pensato a me?

– ...

– L'hai fatto con me? Dimmelo.

– Buon Natale, Alberto.

34

I genitori di Maura vivono a Trieste la loro seconda
giovinezza. Conoscono a memoria i versi di tutte le tar-
ghe di Saba. Sanno dove mangiavano Svevo e Joyce. È
da due anni che fanno i turisti stanziali. Hanno voluto
un appartamento in via Battisti perché è vicino al Caffè
San Marco, il che rende la vita impossibile a chi intende andare a trovarli. Abbiamo impiegato tre quarti
d'ora a cercare parcheggio e Maura dice che siamo stati fortunati. Cominciamo a camminare. Abbiamo parecchi isolati da percorrere. La nuova Passat sta-
tionwagon che Maura ha acquistato per la famiglia che
saremo ha mezzo muso fuori dalla curva e due ruote sul
marciapiedi di via Colonia. A dieci metri di distanza
mia moglie si gira indietro e chiude la macchina con il
telecomando. I lampeggianti si accendono per un secondo e l'antifurto fa uno dei versi del bruco. Uouc! È
una magia a cui Maura non si è ancora abituata. Mi sorprendo a guardarla come dovrei. Tutto lascia pensare
che sto guardando la donna che amo. I miei occhi, la
mia bocca, il modo in cui mi sono girato a osservare il
suo braccio teso col telecomando. E lei mi dà un piccolo spintone che nel nostro linguaggio vale piú di cento
buffetti e io mi devo chinare ad allacciare una scarpa
perché il fraintendimento mi sta distruggendo la faccia.

Attraversiamo il Giardino Pubblico, ci fermiamo un
attimo davanti al playground dove giocherà nostra figlia. I nonni porteranno qui Fiona, la spingeranno su
questa altalena. A parte le terrazze di guano sulle sta-

tue e gli stronzetti di gatto nella vasca dello scivolo, è proprio un bel parco giochi. Non troppo spaziale ma nemmeno troppo fatiscente. Potrebbe anche essere domani, è ciò che stiamo pensando entrambi, ne sono certo, davanti ai dondoli deserti. Ogni giorno potrebbe essere il giorno di Fiona, quello in cui la bambina si scolla dal suo lettino bianco come una specie di Roger Rabbit, abbandona la fotografia e prende consistenza tridimensionale tra le braccia della mamma. L'Istituto ha tutti i nostri numeri. Siamo rintracciabili sempre e ovunque. Questa è anche la ragione per cui, quando il suo cellulare trilla, come adesso, Maura ha il lieve colpo di tosse di un battito extrasistolico. Ovviamente neanche l'Holy Cross chiama a Natale. Sono i suoi, chiedono a che punto siamo. Per il risotto.

Fuori dal Giardino Pubblico pare che abbiano appena concluso degli esperimenti con bombe all'idrogeno. I semafori di via Battisti scattano in successione automatica – verde, arancione, rosso, di nuovo verde –, ma le corsie restano vuote, le loro linee si congiungono nel punto di fuga di via Carducci senza una sola interruzione. Da un portone esce un tizio trafelato che ci scansa per un pelo e monta sull'unica macchina in seconda fila. Immagino tutto il mondo seduto a pranzo in questo stesso momento. Lo so che ci sono i fusi eccetera, ma io lo immagino tutto sparpagliato nelle case di Trieste, come agli infiniti tavoli di un banchetto davvero imponente, tutto intento a gustare il risotto della mamma di Maura. A noi due e a quel tizio non ci hanno aspettato perché il riso stava diventando troppo lungo. È una fortuna. A un tavolo neanche molto appartato della mia stupida immagine c'è Agota che mangia controvoglia. Non sapendo, mi aveva tenuto un posto.

– Ciao. Credevamo non arrivaste piú, – dice mio suocero, quando siamo ancora sull'ultima rampa di scale. La punta di rimprovero si scioglie all'istante nella sua voce calda di sempre. Dà un bacio alla figlia. Hanno la stessa altezza, la stessa spinta verso il cielo, lo stesso identico colore di capelli. Se voglio sapere come sarà

Maura fra trent'anni, guardo suo padre e gli aggiungo le tette. È un certificato di garanzia estetica che un tempo apprezzavo molto. Peter mi sta abbracciando.

– Allora, come stai? Non male, mi pare.

– No, grazie Peter, sto bene infatti.

Mi prende i sacchetti dalle mani e mi fa strada in cucina, dove Olga è già pronta con la pentola del risotto appoggiata sul tavolo.

– Ciao, – dice Maura, baciando sua madre.

– Ciao Olga, – dico io, cercando la guancia di Olga mentre distribuisce il riso nei piatti.

– Ciao Dario. Sedetevi subito. Di primo abbiamo colla ai frutti di mare, – dice lei, piú per giustificarsi, credo. Comunque lascio a Maura il compito delle scuse. E poi, cazzo, mica è colpa nostra se hanno deciso di abitare vicino al Caffè San Marco.

Ci sediamo. Peter apre una bottiglia di Sauvignon. Brindiamo. Nessuno dice auguri. I genitori di Maura sono atei, apparecchiano in cucina, non sopportano il tacchino. Pur essendo un'esperta delle ricette tipiche altoatesine, in onore di Trieste Olga si è specializzata nei menu di pesce. Su di lei le tette non basterebbero: dovrei eseguire molte modifiche – raddrizzarla, allungarla, operarla a lungo alla faccia – per riconoscere qualcosa di Maura. Mi sono chiesto spesso come abbia potuto, uno come Peter, mettersi con Olga. Eppure è chiaramente lui il piú innamorato. Entrambi sono coscienti di tutta la soggezione che il loro modello può incutere a una coppia meno vecchia o meno stabile e quindi lo incarnano con discrezione. Ciò non toglie che io ora desidererei che piangessero la loro figlia accanto a me, davanti a una bella bara di frassino. La perdita di una figlia risalterebbe al massimo la loro perfezione. Accetterebbero anche che mi rifacessi una vita, forse chiederebbero di conoscere Agota. E tutti insieme vorremmo bene per sempre a Maura. L'idea di pensare a mia moglie ancora in questo modo, dopo quasi quattro giorni di astinenza, mi getta in un tale sconforto che ingoio la mia porzione di riso come il reagente di una radiografia.

– Era proprio colla, eh? – mi chiede Olga.

– Era buonissimo invece, – rispondo io. E magari è pure vero. A giudicare da Maura, che non fa complimenti, sembrerebbe di sí.

Intanto Peter si è già alzato a raccogliere i piatti. La conversazione si è spostata sul nostro veglione a Budapest e io sto ingoiando Sauvignon come prima ingoiavo riso. Adesso toccherebbe a me dare qualche dettaglio sul viaggio e poi passare a un breve resoconto del mio soggiorno a Szeged. Dovrei dire qualcosa del mio lavoro. Cristo, sono stato via due mesi e mezzo, era il mio primo stage. Almeno un paio di battute le devo trovare. Ma ecco che Olga mi salva:

– Allora, laggiú tutto bene, no?

– Benissimo. Mi viziano come un principe.

– Sí, lo sappiamo, Maura ci ha raccontato tutto –. Sí, Maura vi ha raccontato tutto, devo bere acqua, questo è il terzo bicchiere di vino. – E tu, di qua, non sai niente?

– Be', so che vi siete iscritti all'Università della Terza Età. Complimenti.

– Figurati, quello è solo per le gite. Finché arriva la piccola, s'intende. Ma Maura non ti ha detto della nostra ultima figuraccia? – Entrambi guardano la figlia con gratitudine. Non li ha presi in giro e non ha bruciato l'aneddoto di Natale. Olga è una di quelle persone che ritengono sia piú importante informare chi è stato lontano riguardo alle cose accadute durante la sua assenza, piuttosto che farsi dire da lui ciò che ha visto e vissuto dov'era. Non so chi ringraziare per una simile fortuna.

– No, quale figuraccia?

– È successo un paio di settimane fa. Con la prima botta di freddo, – il racconto di Olga comincia mentre Peter è alle prese con il secondo. Dal forno escono alitate di pesce. – Stavamo andando a fare la spesa al mercato coperto. Anche se abbiamo il Despar qui dietro l'angolo, preferiamo scarpinare fino in largo Barriera. Dio, è cosí bello quel mercato, sembra di essere a Salonicco, a Istanbul. Ogni volta è una festa dei sensi. No?

– Mamma, vai avanti.

– Va bene, va bene. Insomma, davanti all'entrata, completamente ignorato dalla gente, c'era un ragazzo che chiedeva l'elemosina, in maglietta!, a tre sotto zero! Avrà avuto trent'anni. Era tutto blu, tremava fortissimo. Io guardo Peter e non ho bisogno di dirgli niente.

– Veramente io credevo che mi portassi a cambiare in tagli piú piccoli, – dice Peter, in piedi dietro di noi, con i guantoni da forno.

– Non è vero, tu sapevi che ti portavo su. Be', comunque saliamo al secondo piano, dove ci sono le bancarelle con i vestiti e cerchiamo un giubbotto pesante per il ragazzo. Solo che non è facile. Alcuni sono troppo chiassosi, sembrano fatti apposta per umiliarlo. Altri sono troppo costosi, goretex, cose del genere.

– Di' che in realtà stavi cercando qualcosa che fosse abbastanza alla moda, – dice Peter, ridendo nel forno. È una risata che chiede rinforzi. Io e Maura ci uniamo.

– Non è vero, stupido. È solo che mi piace fare le cose per bene. Non si poteva prendere la prima porcheria. E neanche regalargli cinquecento euro di giubbotto. Insomma, finalmente troviamo un bel giubbotto di jeans foderato in agnello. Caldo anche solo a provarlo sulla faccia. Sai, non hanno solo porcherie in quelle bancarelle.

– Ah no? – risponde puntuale Maura, al posto mio.

– No no. Nient'affatto. E comunque compriamo il giubbotto foderato in agnello e torniamo giú dal ragazzo. Appena siamo fuori, io mi butto su di lui e comincio a vestirlo. Senza dirgli una parola. Non so cosa mi abbia preso. È stato un impulso.

– È stato l'imbarazzo, – dice Peter, da dietro.

– Parla per te. Lui dice l'imbarazzo perché stava lí impalato a guardarmi e si vergognava della gente. Ma io ero tutta presa dal vestirlo. Quel ragazzo stava morendo di freddo. Non credo fossi imbarazzata. Gli mettevo un braccio nella manica, poi l'altro. Zitta. E an-

che lui non diceva niente. Mi guardava con una tale incredulità. Si lasciava fare.

– Anche perché probabilmente non aveva la forza di
reagire, – aggiunge Peter.

– Sí, probabilmente. E mi guardava sconcertato.
Con una vena di fastidio, anche.

– Poi abbiamo capito che il suo era chiaramente un
numero e che noi glielo stavamo rovinando. Lui aveva
bisogno di tremare e di essere nudo se voleva racimo-
lare un po' piú di elemosina, – dice Peter, sfornando
un enorme branzino sotto sale.

– Be', allora racconta tu.

– No, no, per carità, vai avanti.

– Sí, mamma, vai avanti.

– Va bene. Allora, l'abbiamo vestito e contempliamo fieri la nostra opera. La gente continua a passargli
davanti come se non esistesse. Ogni tanto qualcuno gli
butta una moneta nel bicchiere. Lui resta inginocchia-
to, ma per quello non possiamo fare niente. Però a me
viene in mente che gli potremmo prendere anche un
bel latte caldo.

– Io le ho detto dagli i soldi. Che se lo vada a prendere da solo il latte caldo, – dice Peter, mentre lavora
sulla crosta di sale. Mi sforzo di non pensare al pesce
che sbatte sulla palta, all'occhio che mi fissa con un le-
gnetto nella gelatina, alla branchia insanguinata. Era almeno il doppio di quello che Peter sta pulendo, ma, insomma, è lo stesso pesce, è il pesce che non ho salvato.

– È vero, lui mi ha detto cosí, ma io, non so perché,
non ragionavo in quel momento, volevo completare
l'opera.

– Quindi mi prende per un braccio e mi trascina di
nuovo dentro. Al bar interno.

– Esatto. E quando torniamo fuori con il nostro bravo bicchiere di latte caldo…

– E abbiamo anche litigato con il tizio del bar che
non voleva darcelo di vetro…

– Esatto. Il ragazzo non c'è piú, – Olga e Peter ridono. E noi dietro.

– Puf, sparito, – Peter fa puf con le mani. I miei suoceri ci chiedono di ridere di loro. Noi ridiamo. Tutta questa autoironia mi ha fatto venire una tale voglia di telefonare. Sento che mi sto di nuovo sfigurando. Per rimediare ingoio un altro bicchiere di Sauvignon. Maura mi guarda preoccupata. Voglio riaccendere il telefono. Forse Agota mi ha chiamato. Magari mi ha lasciato un messaggio. Solo Maura ha diritto di tenere acceso il cellulare a pranzo. Fiona può scollarsi dalla fotografia anche oggi, potremmo partire per Haiti anche oggi. Peter mi porge il piatto con il pesce che non ho salvato.

– Ovvio che è sparito, – dice Maura, al posto mio.
– E quanto avete speso?

Olga indugia sulla prima forchettata di branzino. Cos'era meglio: il cianuro o la melma? Devo telefonare. Peter anticipa mia suocera:

– Be', quanto basta per le dosi di tutta la settimana, credo –. E mentre tutti ci sbaccaniamo per la battuta conclusiva dell'aneddoto di Natale e i genitori di Maura gongolano nella loro autoironia, io, senza smettere di ridere, chiedo scusa, mi alzo per andare in bagno e, con i battiti che rullano nelle orecchie la massima frequenza cardiaca, mi avvento sull'appendiabiti, prendo dalla mia tasca l'oggetto piú prezioso di cui sia in possesso, mi chiudo in bagno e lo accendo.

Il tempo di cercare la rete e il cellulare mi segnala un Sms.

Bibep! Bibep! Due nitidi, ultrasonici bibep, come gli igen di Agota.

Da: + 36309101865.

Non sto nella pelle. L'astinenza è insopportabile anche per lei! Vedi quanto ti ama! E sto chiaramente ballando nel bagno dei miei suoceri. La Felicità Pura! La Felicità Pura! Diciamo Yes alla Felicità Pura! Premo Yes con tre battiti per secondo nelle orecchie e lascio entrare di nuovo Agota. Leggo. Forse ho bevuto troppo.

Il testo dice: SONO INCINTA.

35

La dolcezza di Maura è una medicina che non riesco a mandar giú. Budapest le piace moltissimo. Ieri ha voluto addirittura venire a vedere il mio allenamento su quella che anche i budapestini chiamano Margit Island. L'avevo spaventata con la questione della lingua, invece ho scoperto che in questa città nessuno usa piú l'ungherese. Non so cosa faccia la gente a casa, in strada però parlano tutti come in un aeroporto. Mancherà forse il tocco esotico, ma per Maura non è un problema, anzi.

Agota mi aveva già detto che avrei trovato la neve. o meglio, mi ha detto che era nevicato, visto che alla fine ho deciso di nasconderle che sarei venuto. L'ho chiamata il 26. Ho resistito quasi venti ore senza rispondere al suo messaggio. Poi, a Basovizza, ho ceduto.

«Ho fatto gli esami. Sono incinta».

«Come puoi essere incinta se prendi la pillola?» Com'è possibile se io sono sterile? Questo non gliel'ho detto.

«Non lo so. So che aspetto un figlio da te».

Ieri Maura mi ha chiesto a bruciapelo come mai il 26 mi sono portato dietro il cellulare a Basovizza. Ci stavamo scaldando con un'ottima cioccolata in un locale vicino all'Erzsébet Bridge. Io ho risposto che d'ora in poi lo terrò sempre con me, anche correndo, perché voglio sapere subito quando l'Holy Cross chiamerà.

«Non puoi aspettare un figlio da me». Mentre glielo dicevo, un angolo microscopico del mio cervello soppesava la possibilità, il miracolo di uno spermatozoo con la coda. Cristo, su quel vetrino c'era il mio orgoglio.

«Sí invece, ho fatto gli esami».

«No, non è possibile».

«Sei uno stronzo» Agota piangeva. Io avevo il sudore che mi bruciava gli occhi, ma non piangevo. Tutto il boschetto, ogni Pino, ogni pietra di Basovizza mi
stava ascoltando.

«Va bene, non piangere. D'accordo, aspetti un figlio da me». Quell'angolo del mio cervello non era piú
microscopico. Assurdamente, davvero assurdamente,
si stava gonfiando a dismisura. Non capivo perché il
cranio non si fosse ancora spaccato. «Aspetti un figlio
da me, cioè... diciamo che hai un embrione».

«Cos'è un embrione?»

Ieri Maura mi ha creduto. Ha staccato le mani dalla tazza di cioccolata e le ha messe sulle mie, giuran-
domi che saprò di Fiona l'istante dopo che l'avrà saputo lei, ovunque mi troverò. Il locale era pieno di bastoncini di incenso. Dalle casse ai quattro angoli
uscivano a volume minimo, quasi strisciando, cover di
Sting, U2, Dire Straits, eseguite a mo' di coro gregoriano. Davanti ai finestroni sfilavano cordate di turisti abbruttiti dal gelo, leggermente piegati per affrontare il vento del ponte, diretti, crollasse il mondo,
all'impervia rocca di Buda.

«L'embrione è una cellula un po' piú complicata delle altre, – ho preso un breve respiro, – andremo a ri-
muoverla insieme».

«Cosa?»

«Sistemeremo tutto in mezza giornata, vedrai. Non
è doloroso». Stavo già pulendo il vetrino, non c'era piú
traccia del mio orgoglio. «Ci andremo insieme».

«Cosa?»

«Agota, non piangere».

«Sei uno stronzo! Un maiale!»

«Ma tu cosa vuoi fare?» Il fruscio della chiamata internazionale era assordante rispetto al silenzio del boschetto. Cercavo di togliermi il sudore dagli occhi. E
di pensare.

«Io...»

Siamo stati un'ora buona in quel locale, mano nella mano.

Stavamo per uscire. Avevo già chiesto il conto e stavo aiutando Maura a indossare il cappotto, quando il coro gregoriano si è messo a cantare *Losing my religion*. I R.E.M. di Agota! Snervati, disossati, rifatti nella versione piú comatosa che si potesse inventare, e nondimeno ancora R.E.M. I R.E.M. di Agota! Sono scoppiato a piangere cosí violentemente da far girare tutto il locale. Il cameriere voleva che mi sedessi di nuovo, chissà attraverso quale ragionamento mi stava restituendo la mancia. Maura mi toccava, mi guardava. Era scioccata.

«Io... sei uno stronzo».

«Agota, smettila di piangere». Anch'io avrei dovuto piangere il 26 invece di farlo ieri, sarebbe stato tutto piú facile. «Tu devi correre. Hai talento. Non vorrai mica metterti a far figli?» Era impossibile che quello fosse mio figlio, quasi impossibile, eppure non ero completamente sicuro di volerla convincere. «E questo che vuoi? Vuoi un bambino?»

«Io... questo bambino...»

«Smettila di piangere. Agota, ascoltami. Il futuro ti sorride. Se lavori sodo ce la farai. Non ti interessa piú il ranking mondiale? Non ti interessa piú la maratona?»

«Non so... non so piú niente...» Neanch'io sapevo piú niente. Gli occhi mi bruciavano. Per un attimo ho giocato con l'idea di rimettermi a correre nel bosco, attraversare la frontiera slovena restando sempre protetto dai miei pini e continuare e continuare, in Austria, in Germania, fino a che le cartilagini rotulee si consumano, le ginocchia si bloccano, e il mio corpo si accascia su una morbida sella di muschio per decomporsi serenamente.

«Dobbiamo ragionare, Agota. Lo dico per te».

«Vaffanculo!»

Gli spazzini ammucchiavano neve sporca sotto le panchine di Ferenciek Tere. Io avrei preso un taxi o la

metro o il tram o qualunque altra cosa fosse stata in
grado di portarmi rapidamente in albergo, ma Maura
riteneva che dovessi fare due passi per calmarmi. L'aria
fredda mi avrebbe giovato. E cosí siamo tornati verso
il nostro lussuosissimo Béke Radisson a piedi. Lei insisteva per tenermi un braccio dietro la schiena, anche
se era faticoso camminare appaiati in mezzo a tutte
quelle bancarelle sbocciate sull'Andrássy Utca nel giro
di un paio d'ore per vendere trombe, maschere, petardi, stelle filanti per la festa di stasera. Mi anticipava
tra la gente e mi riportava sotto, con il braccio, non appena un varco lo permetteva. Era convinta che fossi
stremato per l'attesa di nostra figlia. Si trattava di
stress, ovviamente. Non dovevo preoccuparmene. Mi
incoraggiava. Lei a me.

Per fortuna c'erano le vetrine, le facce, le cose di Budapest che rubavano un po' dei suoi sguardi. E io, pur
di non alimentare il fraintendimento, pur di non farmi
umiliare da una fiducia cosí mal riposta, le indicavo un
sacco di cazzate senza senso, che lei comunque guardava e fingeva di ammirare per compiacermi. Allora il
Sushi Bar, già affollato alle quattro del pomeriggio, era
un mio alleato. Come le vetrate viola del Tai Restaurant, la lingua meticcia di Internet Pöintz, l'Erotic
Show, il Peep Show, il Dark-art Tattoos e ogni altra
insegna di questo koruth con i palazzi di Trieste, i marciapiedi di Parigi e le scritte di Amsterdam. Era la città
di Agota e nonostante tutto stava chiaramente dalla
mia parte.

Nella mezz'ora in cui Maura si è fatta vibromassag-
giare dalla Jacuzzi – con l'intento, credo, di perdere conoscenza – io sono rimasto alla finestra a cercare nel cielo itterico del crepuscolo la rotta delle cicogne. Secondo
Béla Sárkány torneranno dall'Africa non prima di marzo, ma io mi sono sforzato di vederle già per strada, in
fondo alla traiettoria del mio sguardo: uno stormo schie-
rato nella solita punta di freccia, ognuna con un fagotto
nel becco. Le ultime due venivano dritte da me. Dovevo anticiparle. Abbatterne una. Cosí ho pensato.

36

Non sarei dovuto uscire dall'albergo. Non sarei dovuto venire a Budapest. Non avrei dovuto portarci mia moglie. Lo sapevo, era l'errore piú grosso che potessi commettere e sono stato punito. E sí che fino a mezzanotte era andato tutto liscio.

Come promesso, Csányi ha regalato a Maura la sontuosa festa magyarul che meritava – ballerini di ciarda, violini zigani, fois gras in piatti zsolnay, ammiratori con stivali da cavallerizzi – e Maura è guarita. Già, Maura è guarita. Ormai ha abbandonato la posizione a uovo anche per guardare la foto di Fiona. Ieri ha indossato l'abito lungo, una specie di guanto nero da killer, e ha rovinato le ultime ore dell'anno a non meno di una dozzina di signore.

– Dario, adesso capisco. Tu volevi tenere nascosto quello tesoro, – mi ha detto Csányi con il suo savoir-faire da spia internazionale, quando gliel'ho presentata. E poi ha cominciato subito a giustificarsi per l'impegno dell'ultimo momento dell'ambasciatore e per l'assenza di questo e di quello. Per rimediare ci ha fatto conoscere tre imprenditori veneti, «quelli principi della scarpa italiana che danno lavoro a molti giovani in Hungaria», al che mi è stato definitivamente chiaro che Csányi non si occupa solo di atletica. Ovviamente, alla prima occasione, ci siamo sottratti all'industria calzaturiera e alle manze ingioiellate che l'accompagnavano, per sederci nella zona della tavolata a piú fitta concentrazione ungherese. Csányi ci ha rag-

giunti alla fine del drink d'incontro, quando tutti ormai prendevano posto per la cena. I suoi ospiti, come
li chiamava lui, erano a occhio una sessantina. Cosa faceva quest'uomo quando non veniva a controllarmi in
pista? Era difficile non pensarci.

– Ho capito, voi preferite essere come i piccioni tê-
te-à-tête. Va bene, restate pure qui, sarete in ottima
compagnia. Quelli qui sono il signore e la signora Virágbolt, Tibor e Szilvia –. Dirimpetto a noi, i coniugi
Virágbolt prima hanno fatto aúgh, poi si sono pentiti
e ci hanno stretto la mano. – Tibor è il piú massimo costruttore di Budapest. Ecco, e qui avete quello principe della maratona, Dario Rensich –. Principi della scarpa, principi della maratona, mi figuravo Csányi intento a sfogliare rotocalchi sulle famiglie reali. Il suo
mondo preferito, come per tutti i mafiosi, è l'operet-
ta. – E la sua splendida signora, – Maura ha detto Maura, e il costruttore, con il suo sguardo, ha messo il primo mattoncino per l'incazzatura della moglie. – Io devo tornare da miei amici veneti. Dovrò resistere a
cenare lontano da voi, ma dopo mezzanotte io mi pre-
noto, Maura, per primo ballo della serata, sí?

Le tette di Maura strizzate in quel guanto da killer
erano semplicemente magnetiche: un ballo con Csányi
era il minimo che potesse scontare. Intanto, mentre i
camerieri ci portavano crostini e fois gras, i ballerini di
ciarda si erano già sistemati su quello che, piuttosto che
un palco, sarebbe potuto essere un ottimo campo di
squash, e saltavano, cantavano, si battevano le cosce,
facevano schioccare le fruste. La sala del ristorante
sembrava avere la cubatura dell'intero Béke Radisson.
Quasi non si vedeva il soffitto. Immaginavo il rumore
dei lampadari, lo schianto, l'ecatombe, se le fruste fossero riuscite a staccarli da lassú. Non potevo neanche
lontanamente intuire ciò che mi sarebbe successo dopo mezzanotte. Rispetto alla vastità di quei trenta secondi, l'interminabile cena che li ha preceduti mi si
comprime in un niente di schegge e dettagli, frammenti
minimi, insignificanti.

Ricordo le manze dei veneti ridere a crepapelle, dall'altra parte della tavolata, perché una di loro ha messo in bocca la noce di grasso d'oca servita apposta per i crostini, credendo che si trattasse di uno gnocco di patate. Ricordo il mutismo della signora Szilvia mentre osserva i tentativi del marito costruttore, le declamazioni dantesche di Tibor, il suo dialogo suicida con le tette di Maura. Ricordo il menu scritto in tutte le lingue, pezzi come «lombata di cervo in pistacchio tostato con salsa acerba di ribes e bignè ripieno di castagne» oppure «petto di fagiano con pera secca e salsa di cotogno su un lettino di granturco grigliato» tradotti senza una svista, scanditi con la precisione ortografica di Agota. Ricordo il count down – tíz, kilenc, nyolc, hét, hat... – con la magnum di Moët & Chandon già scoppiata e le flûte già colme e già servite. Ricordo il cantante che grida Happy New Year e l'orchestra che attacca con l'inno nazionale. Ricordo gli ungheresi immobili con la mano sul petto, mentre noi stranieri ci scambiamo baci e strette di mano. Ricordo gli ungheresi che si scambiano baci e strette di mano, quando noi stranieri siamo già passati al trenino, tutti dietro alle manze dei veneti, e l'orchestra, perfettamente in tabella, viaggia ormai da cinque minuti nel ciclo continuo di «a e i o u ipsilon», «eee, e l'amico Charlie, eee, e l'amico Charlie, Charlie Brown», «a e i o u ipsilon» eccetera eccetera.

Ho esaurito i miei obblighi – un trenino con il cappello da mago, un giro di lambada di Maura e Csányi, due giri extra ma doverosi, sempre di lambada, sempre di Maura, praticamente con due fantini – prima che la festa cominciasse davvero. Non c'era ragione per restare ancora, Maura era d'accordo. Potevamo salire in camera e guardare dalla nostra finestra meravigliosamente sgombra di case i fuochi d'artificio di Buda. Potevamo provare a farli noi, i fuochi d'artificio. Quanti avrebbero voluto appoggiare quella donna sul davanzale della mia camera e mettercisi dietro, al posto mio? Entrambi abbiamo preferito la strada, di nuovo

le facce della gente, giovani senza soldi o bestie insof-
ferenti come noi, a cui regalare tutta la nostra attenzione. Dopo il mio accesso di pianto per i R.E.M., anche Maura ha paura a stare da sola con me. Ieri pomeriggio ha preteso che l'accompagnassi all'aeroporto con
un'ora di anticipo. Nonostante il traffico fantasma, da
Capodanno. Nonostante l'orgasmo hollywoodiano del
mattino.

Eccoci in strada, dunque, mano nella mano, lei con
il vestito di seta che le esce dal cappotto, io con il giubbotto sullo smoking preso a noleggio. I marciapiedi di
Andrássy Utca erano già screziati da numerose spruzzate di vomito, alcune addirittura asciutte. I pochi non
ancora scomparsi nelle case seguivano la nostra stessa
direzione, sperando che almeno laggiú, dalle parti di
Vörösmarty Tér la cagnara non fosse conclusa. Erano
in prevalenza ragazzi, ognuno con la propria bottiglia
di spumante e la solita espressione da Pierrot non proprio del tutto rassegnato. Anche il loro modo di lan-
ciare petardi sembrava gentile, discreto. Magari qualcuno conosceva Agota. Magari se l'era pure fatta. Era
su ragazzi cosí che Agota aveva imparato a nuotare a
delfino? Potevano aver contribuito, quei Pierrot, alla
sua perizia da androide?

Maura si era posta un obiettivo: vedere il Danubio.
Poi, via via che scendevamo e il freddo ci pareva piú
indulgente, gli obiettivi sono diventati due: vedere il
Danubio e curiosare lungo l'argine, tra le puttanelle di
Belgrád Rakpart. Perché no? Che male c'è a farsi stuz-
zicare dai traffici altrui? Anche Gianna l'avrebbe ap-
provato a Capodanno. Che male c'è a buttare un occhio sugli uomini in fregola per la prima scopata dell'anno? Che male c'è a guardare come contratta questo
tedesco con la biondina in stivali? E il suo amico? Che
male c'è a passargli accanto e sentire le sue parole, le
sue esatte parole – «aber ohne Kondom» –, mentre la
ragazza fa sí con la testa? E che male c'è ad avvicinarsi a quei quattro davanti alla Citibank? A questi quattro. Due italiani, il portavoce con il riporto e il Bar-

bour, disinvolto, niente dei tedeschi cinquanta metri
piú su, e due ragazze, vestite da brave signorine, cappotto grigio, borsetta, una biondiccia, silenziosa, l'altra, la portavoce, con i capelli corti, gli zigomi rosso
Ferrari, gli occhi distanti tre dita.

Prendo un grosso respiro. Riconsidero meglio.

Capelli sfumati sulla nuca, zigomi rosso Ferrari, occhi distanti tre dita.

Qualcuno ha versato napalm in ogni cellula del mio
corpo. Forse sono stato io. Bastava restare in albergo,
no? Da fuori, Maura non si è accorta di niente. Riconsidero ancora.

Capelli neri, zigomi sporgenti, occhi distanti tre dita.

Che male c'è a osservarla nel riflesso della vetrata
mentre dice qualcosa che ancora non riesco a sentire
ma che ha inconfondibili picchi ultrasonici? Il tizio con
il riporto le risponde guardando l'amico: – Ah sí eh, fai
le maratone. Senti questa, fa le maratone, ha detto che
non può bere, hu hu hu. Be', anch'io, sai, me la cavo
con la resistenza. Niente drink, okay. Resistenza, capire? – Che male c'è a porsi dei piccoli obiettivi durante la passeggiata? Che male c'è a darsi fuoco su Belgrád Rakpart? Agota è di schiena e Maura la sfiora. Il
braccio a cui è aggrappata mia moglie, come il resto del
mio corpo, appare illeso. Dentro di me ci sono solo villaggi in fiamme, dappertutto, nel colon, nello stomaco, nel midollo spinale, ogni cellula un villaggio raso al
suolo, eppure non c'è traccia di napalm, là fuori. Cosí
Maura può guardarmi con complicità, appena li abbiamo passati. È questo il solletico che cercava. Agota è a
cinque metri da noi, con un'amica, due clienti e un
bambino in pancia. Sta elaborando una replica per il tizio. Forse sta pensando che l'offerta è buona e che può
accettare la provocazione. Comunque ormai siamo
troppo avanti per sentire. Lei non si è neppure accorta di noi. Siamo solo due curiosi, uno sfondo a cui
dev'essere abituata.

– Hai sentito? Parlavano di maratona, – mi dice
Maura, con gli occhi e tutta la faccia pieni di promesse.

– Sí, ho sentito.

– Magari li conoscevi, – mi guarda proprio come ci guardavamo una volta. Non vede il napalm, i villaggi bruciati, non vede niente.

– No, non credo.

– Era carina lei, no? – Era carina lei, no? Il classico gioco, cibo per la mente, stuzzichini. Maura inizia i preliminari già a Belgrád Rakpart. Servendosi della puttana che amo.

Siamo tornati in albergo quasi correndo. Erano anni che non lo facevamo cosí. Non mi ha neanche chiesto di essere qualcuno. Godeva come se sapesse di essere, lei, un'altra, come se vedesse su di sé i fianchi stretti, le braccia secche, le tettine che io in effetti vedevo, come se avvertisse che la cattiveria che ci mettevo per spaccarla, per sfondarla con lo stivale che sognavo di avere al posto del cazzo, non era per lei. Maura ha cominciato a gemere forte, sempre piú forte, venendo in quel modo netto che solo le attrici sul set sanno ottenere – un'ultima serie di urli brevi e poi lo sfinimento improvviso, il crollo di tensione – le attrici e mia moglie, in certe rarissime occasioni, ma sinceramente, dice lei.

Neanche Csányi, spiandoci dal buco della serratura, avrebbe potuto capire che io stavo eseguendo un raschiamento alla peggiore delle sue atlete.

Maura mi ha pulito dolcemente con l'angolo del lenzuolo e io ho chiuso gli occhi prima di vedere la sua piccola bocca non adolescente avvicinarsi alla mia. Di nuovo.

37

Asl di Trieste. Consultorio Familiare Pubblico. Ufficio Adozioni. Una scatola.

«Dov'è che abitate? Sarà bene me lo ricordiate perché una delle prossime volte verrò a trovarvi io».

«È scritto in almeno venti punti della nostra pratica».

«Sempre la solita luna, eh Dario?»

«Via Biasoletto 26».

«Grazie Maura. Via Biasoletto... è a San Luigi se non sbaglio. Ah, magnifico rione».

«Sí, c'è molto verde. Il boschetto, qualche casa con l'orto. Non sembra neanche di stare in città. E poi è a uno sputo dal circuito di Basovizza. Sa, per gli allenamenti di Dario. E pensare che lui non voleva neanche fare il mutuo».

«Ah no? E perché no, Dario?»

«Senta Gianna, posso sapere cosa c'entra la casa con mio figlio? Vuole chiedermi del mio frigorifero, dei coltelli? Sento che sta per parlarmi del brasiliano».

«No, Dario. Niente brasiliano, promesso. Se non mi vuole rispondere, pazienza. Sentirla pronunciare il mio nome è già una delizia per me. Mi accontento».

«È fissato con l'affitto, ecco perché. Dipendesse da lui affitterebbe ogni cosa. I vestiti, la macchina, figurarsi la casa. Fargliela comprare è stata un'impresa».

«Oh, bella questa. E come mai, Dario? Pagare l'affitto significa spendere un sacco di soldi senza che ti resti niente, alla fine».

«Ti resta l'uso che hai fatto di quella cosa, la vita che hai vissuto con, su o dentro la cosa per la quale hai pagato».

«Sí, d'accordo, Dario. Ma con la stessa fatica lei poi alla fine del mutuo avrà un bene suo, un bene immobile di sua proprietà».

«E che mi cambia? Tra me senza un bene immobile e me con un bene immobile non riesco a vedere sostanziali differenze».

«Be', non avrà buttato via il suo denaro. L'avrà investito per il futuro. Quel bene resterà suo. Suo figlio lo riconoscerà come una cosa che gli è rimasta del padre anche quando apparterrà a lui».

«È proprio questo il punto. Mio marito non sopporta l'idea che di lui resti qualcosa».

«Maura, non mi pare il caso…»

«No Dario, la lasci parlare, continui Maura».

«Sí, è cosí. Lui vorrebbe poter sparire completamente. Intendo, dopo la morte. Non lasciare nessuna traccia di sé. Anche la questione della discendenza, ad esempio».

«Maura, dacci un taglio».

«No Dario, perché? È interessante».

«Sí, anche la questione della discendenza. I suoi sono morti, non ha fratelli, insomma ho sentito un sacco di uomini preoccuparsi, cose tipo, ah, la mia stirpe. Chi porterà avanti il mio nome? È sempre stato un cruccio di mio padre, tanto per dire. Be', problema risolto. Dario vuole che il cognome del bambino sia il mio».

«Molto nobile da parte sua, Dario».

«Nobile? No, la nobiltà non c'entra. Semplicemente non mi va che qualcosa di me, anche solo il mio nome o una stupida casa, mi resti alle spalle. Mi piace pensare che la terra sopra di me si richiuderà perfettamente. La sogno liscia proprio com'era prima che spuntasse la mia cocuzza».

«Lei mi sta dicendo che desidera un figlio non perché non può averne, che lo desidera non perché non ha nessuno a cui passare il testimone. È cosí? Mi sta dicendo questo?»

«...»

«Sí, Gianna, le sta dicendo questo. Vero che le stai dicendo questo?»

«...»

«Ma allora, Dario, perché desidera un figlio?»

«Che c'entra, scusi».

«Per i bambini negli orfanotrofi? Per sua moglie? Guardi che l'umanitarismo e l'amore per Maura non basteranno».

«Ma che vuole?»

«Non si arrabbi, Dario. Siamo qui per razionalizzare la vostra scelta».

«Dario, di' qualcosa, di' a Gianna che non lo fai solo per me. Lo fai solo per me?»

«No che non lo faccio solo per te. Sto cambiando, Cristo. Sto cambiando. Mi sono pure comprato la casa».

38.

Anche a Szeged è nevicato. Giusto un poco, per complicarci la vita. Ora il sole troneggia di nuovo sulla città. Le fasce giallastre sugli argini non sono diminuite. Il fiume non ha aumentato la portata e ormai è solo un grosso segmento di fogna che spinge i suoi liquami, ancora ingombri di corpi solidi, in passerella sotto le tribune di pietra. Niente grandi precipitazioni, niente alluvioni lavatutto, appena dieci centimetri di neve, diventati subito ghiaccio – e fango nelle ore piú calde del giorno. La pista è praticabile solo in prima corsia, se può dirsi praticabile una poltiglia di tartan e acqua sporca. Le wonderbabies hanno dovuto indossare un loro paio di Adidas chiodate, perché la Mizuno non ci ha fornito nessuna scarpa adatta a queste condizioni. Cominciamo malissimo.

Siamo al terzo quattrocento dei venti previsti per la seduta mattutina di Interval-Training Friburghese. László è andato a controllare in che stato è il percorso sull'argine, per il pomeriggio. Sono solo con le ragazze. Io, le ragazze e il cronometro. Devono chiudere ogni ripetuta in 1´17˝, massimo 1´18˝. Poi hanno settanta secondi di recupero, nel quale – eccezione che acuisce lo shock dell'allenamento nuovo – possono camminare. Essendoci uno strato compatto di neve sulle altre corsie, le ragazze restano in fila anche durante il recupero. Ancora piú strano è quando fanno dietrofront per tornare alla linea di partenza e si scontrano, si ammassano, sprecano millilitri di ossigeno per gridarsi di girare. Da un canto sono contente di rispolverare la loro vecchia andatura da mezzofondiste, dall'altro non riescono a capacitarsi di una seduta cosí veloce. Ogni volta che si riportano allo start, mi guardano con la faccia indecisa tra la contentezza e l'inquietudine. Evviva, di nuovo ginocchia alte, di nuovo ampie falcate. Già, ma va' tu a sapere cosa gira nella mente di quel pazzo. Metà e metà. Magdolna, che durante le vacanze si è decisa per una tintura da evidenziatore verde, ha gli occhi che ridono e la bocca piegata in giú, pronta al peggio. Imréné e Dora invece spandono gioia insieme al fiatone, si scambiano battute piene di acuti, ma gli occhi perlustrano i miei in cerca di brutte sorprese. Anche le altre hanno tutte metà faccia contenta e metà inquieta. Ho imparato a conoscere le maschere africane delle mie wonderbabies. L'unica uniformemente orientata sull'inquietudine è quella di Agota. Scendo dal trespolo della giuria e mi costringo a una spiegazione:

– Allora, venite qua. Lo so che vi sembra tutto molto strano. Ve l'ho già detto prima, siamo entrati nella seconda fase della preparazione. Ora, accanto al solito lavoro dei Lunghi, ne inizieremo uno sulle componenti aerobiche centrali. L'andatura di oggi è da 3´15˝ al chilometro, siete sopra la soglia anaerobica di circa il 10%. Questi settanta secondi di recupero, ne mancano ancora venti, preparatevi, sono la parte piú allenante della seduta. Camminando obbligate il cuore a scendere a 120, 110 battiti e poi a riprendere di colpo la massima frequenza, i 180, i 200. È un passaggio violento che migliora la gettata cardiaca, nonché il massimo consumo di ossigeno. Mihályne allacciati la scarpa, tocca a te stare davanti. E ricordate: ginocchia basse, appoggi leggeri, niente balzi, siamo maratoneti! Mancano dieci secondi, preparatevi. Questa è la quinta. Dopodiché un quarto del lavoro è già fatto.

Alla fine dell'ottava, mentre le altre camminano in fila indiana, Agota resta sotto il mio trespolo. Dopo qualche secondo in cui la ignoro totalmente, mi dice:

– Devo fermarmi, non mi sento bene.

– Non dire cazzate, stai benissimo.

– Ho le vertigini.

– Non hai le vertigini, risparmia il fiato. Goditi in silenzio questi settanta secondi, tra due frazioni tocca a te tirare.

– Sto male, ho la nausea.

– Non hai un cazzo, smettila. Recupera e sta' zitta. Siamo quasi a metà, su, forza.

Ho il sole dalla mia. Agota è accecata. Resiste per un po' con la mano sulla fronte anche se abbiamo finito di parlare, poi rinuncia e abbassa la testa. Le altre la riprendono sulla linea di partenza. Adesso sono quasi tutte ferme con le mani sui fianchi, i pollici davanti, a pinzare la carne tra l'anca e la costola. Mihályne si aggiusta la manica della dry fit. Katalin accentua le ultime espirazioni, si sgonfia teatralmente per autoconvincersi di essere vuota e quindi pronta a riempirsi ancora: una curva, un rettilineo, una curva, un rettilineo, a 18,5 km/h, e sarò già qui di nuovo a riposare. Ha grinta, Katalin, ma non sarà lei a spuntarla. Concluso lo stage se ne tornerà a Szeged-Kiskundorozsma con la sua coda di cavallo. Farà la shampista, imbucherà volantini, non correrà maratone. Do i cinque secondi. Le ragazze si allineano in corda. Percepisco perfettamente l'alto voltaggio dell'adrenalina, l'accelerazione – «Go!» – tutti i millilitri di acido lattico accumulati nei glutei, quasi potessi contarli. Sotto i fuseaux Adidas, Mónika è l'unica a usare il perizoma. Che cosa si è messa in testa? Oltre ai suoi soliti elastici arancione. Cosa mi stai dicendo senza le tue belle mutandine, Mónika?

Agota tira la sua frazione in 1´20″, ben due secondi sopra il limite. Sto per darle una strigliata. Lei si inginocchia e vomita un po' di succhi gastrici nella canaletta di scolo a bordo pista. Le altre si allontanano camminando, imprigionate nel proprio training autogeno. Le passo una bottiglia di Adhoc Gensan.

– Tieni, bevi un po'.

– Non voglio bere. Ho la nausea, non vedi?

– No, non vedo. Vedo solo un piccolo rigurgito.

Questa volta il sole non mi aiuta abbastanza. Agota si fa scudo con la mia ombra e mi fulmina. Ha scelto di incenerire il mio occhio destro e non distoglie lo sguardo finché Dora, tornando, non le dà una pacchetta sul culo. Quando una sta male, le altre diventano subito premurose e solidali. Danno pacchette di incoraggiamento non appena si accorgono che nella scalata al ranking mondiale potrebbe esserci una concorrente in meno. Forse è proprio la pacchetta di Dora che rimette in fila Agota. Mancano dieci secondi, giusto il tempo per togliersi alcuni groppetti di colazione dalla dry fit con un asciugamano. Tocca a Mónika tirare. È davvero l'unica in perizoma e lancia occhiate tutte nuove verso il mio trespolo. Spero di sbagliarmi. – Get you ready ? Go!

Mónika esagera come al solito. Conclude in scioltezza in 1´15″, dando piú di venti metri ad Agota, la quale, con la stessa spinta inerziale della ripetuta, prende la via dello spogliatoio. Dovrei chiamarla indietro, urlarle di tornare al suo posto. Non si interrompe mai una seduta di Ripetute una volta superata la metà. La parte allenante verrebbe solo ora e tutta la fatica già fatta la si butta nel cesso. Spesso letteralmente. Dovrei sgridare Mónika perché non serve a nulla esagerare, o meglio serve solo a far saltare i nervi alle compagne, che infatti sono uscite dal training autogeno e si stanno giocando secondi preziosi di recupero per insultare la prima della classe. Dovrei intervenire in un modo o nell'altro, con l'una o con l'altra, invece me ne sto muto quassú, mentre vedo László arrivare sulla sua city-bike tappezzata di adesivi Adidas e incrociare Agota proprio nell'ultimo punto visibile prima delle siepi dello spogliatoio. Lo vedo rallentare, scendere, allungare una mano sulla spalla di lei, parlarle. Non so cosa dica lei, ma so che li vedo scomparire insieme dietro la siepe.

– Io smetto. Vado a casa –. Sono passate tre ore dalle Ripetute. Agota non è scesa a pranzo e adesso è sul-

la soglia del mio vendéglakás mentre le altre escono dalla mensa e salgono verso il riposino pomeridiano.

– Vieni dentro, – le ordino. Le ragazze le passano alle spalle, una a una, senza darci nemmeno un'occhiata. Dio, siamo una cosa talmente nota.

– No, vado a casa –. Ha ancora i capelli bagnati dalla doccia e indossa il tailleur rosso con i bottoni dorati, da occasione ufficiale. La prendo per il braccio. Lei
si divincola. La tiro dentro, mentre Mónika affretta il
passo e si fa cadere dalle mani il barattolo di aminoacidi con cui giocherellava.

– Spiegami cos'hai in quella cazzo di testa? – le gri-
do, dopo essermi seduto sull'angolo del letto per non
cedere a tentazioni di cui potrei pentirmi.

– Cos'ho io? Cos'hai tu! Sei uno stronzo, vuoi ammazzare il mio bambino. Io ti amo, ho un bambino tuo
in pancia e tu vuoi ammazzarlo –. Ovviamente Agota
sceglie di piangere. Basterebbe che ci riuscissi anch'io
e saremmo pari. Penso ai R.E.M., ai pesci che sbattono
sulla palta, ma niente, non ho il suo tempismo. Penso
a mia moglie. Miss Bánóczki non sa ancora che ho una
moglie. Mentre cerco di mettere in ordine una risposta, mi sfreccia nella testa la concatenazione Maura-
Fiona-cicogne-puttanelle di Belgrád Rakpart e riesco a
dire soltanto:

– Quello che tu chiami bambino è un embrione. E
non è mio.

– Sí che è tuo! Perché mi fai questo? – Perché mi
fai questo? Una domanda che agglutina tutti i miei ar-
gomenti in un unico groppo colloso. Perché ti faccio
questo? Perché sei una puttana. Perché volevi incastrarmi, volevi ficcarmi in braccio un piccolo bastardo
e farti mettere su un aereo col muso verso Eldorado.
Ecco perché. Per questo e per molto altro appiccicato
in un modo cosí confuso – scorgo la pillola, un bellissimo spermatozoo con la coda, la bocca grande della
Felicità Pura, tutti ingroppati insieme – che mi esce un
inutile:

– Tu non mi ami.

– Sí che ti amo. Voglio stare con te per sempre. Sono pronta a rinunciare a tutto pur di stare con te e crescere nostro figlio –. Anche seduto sul letto, non è facile restare calmo. C'è un miraggio che si fa largo a gomitate in un angolo sperduto del mio cervello: noi due, io vecchissimo, lei ancora stupenda, che ci baciamo. So perfettamente cosa si prova ad assaggiare la saliva acida di Agota quando piange.

– Agota, ti ho vista.

– In che senso? – si appoggia con la mano sulla poltrona per nascondere un piccolo cedimento delle ginocchia.

– Siediti. Proprio in quel senso. Ti ho vista. L'altroieri. Su Belgrád Rakpart. Come se l'è cavata il tizio col riporto?

– Neeem! Mieeert?! – Agota si butta ginocchioni sulle mie cosce.

– Tirati su. E siediti.

– No! Io non ho fatto niente! Non è successo niente! Non è come pensi tu!

– Siediti –. Provo a smuoverla, ma Agota resta aggrappata alle mie cosce.

– No! Io non faccio niente!

– Tu vai sulla passeggiata delle puttane, te ne stai lí e non fai niente. Poi te ne torni a casa e sei incinta. E ovviamente sono stato io.

– Neeem! Io non sono una puttana! Non vanno solo puttane su Rakpart!

– Ah no? – Ah no, non è ciò che dovrei dire, ma Agota mi guarda da sotto in su e ha tutto un pasticcio di lacrime e bava sulla faccia.

– Nooo! Si va per guadagnare qualche soldo, sí, ma puoi anche non fare niente.

– Cioè, il tizio con il riporto ti ha dato soldi, cosí, per simpatia? Mollami le gambe e siediti, cazzo!

– No! Tu puoi portare qualcuno in un locale e farlo bere. Gli fai compagnia e il locale ti paga il 20% di quello che lui beve.

– Cosí il tizio con il riporto ti offriva denaro per andare a bere e tu non ci hai scopato e sai fare tutte quelle cose con i fianchi e con la lingua solo per magia e io sono il responsabile dell'embrione che hai in pancia.

– Síí͠í.

– Smettila, cazzo!

– No che non la smetto! Se tu mi seguivi vedevi che io ho portato il tizio al jazz Garden. Mi hai seguito? – No, io quella sera ero impegnato a spegnere incendi, non ti ho seguita. Ho una moglie, sai? Lei non si è accorta di niente. Né del napalm, né dei villaggi bruciati, né di aver goduto al posto tuo. Guardo Agota come se tutto questo lo avessi detto veramente.

– Ecco, se tu mi seguivi. Quello è il mio locale. Cioè, non mio, dove mi danno la percentuale. Jazz Garden. Io l'ho fatto solo bere. Io non faccio altro. Io ti amo, capisci?

– No, tu non mi ami –. Tu non mi ami, che razza di frase è? Sto parlando come un minorato. Incredibile, non ho alcuna difficoltà a bermi tutte le balle che mi sta raccontando. Le mie obiezioni sono prive di spinta. Dovrebbero avere i polpacci di Maura. Maura, perché non mi aiuti?

– Sei uno stronzo. Tu non vuoi questo bambino, ecco la verità. Io ho tuo figlio dentro qui e tu non vuoi questo, ecco la verità. Io voglio stare con te per sempre, venire ovunque mi porterai, con nostro figlio, ma tu vuoi ammazzarlo e liberarti di me, ecco la verità, – cerco di non sentire il profumo del suo doposhampo, – la verità è che sei uno stronzo.

– Agota, non sono io il padre –. Dovrei dire: non posso essere io il padre. Eppure c'è nel miraggio di prima, in quell'angolo sperduto del mio cervello, la possibilità statistica di uno spermatozoo fertile. È una possibilità puramente statistica, mi ripeto in continuazione. Però mi manca la forza di negarla.

– Sí invece. Io faccio l'amore solo con te. Devi credermi! Credimi, ti supplico!

– Okay, pulisciti il naso. Immaginiamo per un attimo che sia mio –. Nessuno dispone della certezza matematica che io sia sterile, il che imposta le mie parole e i miei ragionamenti su una traiettoria sbagliata, quella di uno stupido sogno.

– È tuo!

– Okay, è mio. Lasciamolo perdere per un attimo. Calmati adesso. Sentiamo, cosa vorresti fare del tuo talento? Hai diciott'anni. Vali già un 33′ sui diecimila. In primavera ti faccio correre una maratona sotto le 2 ore e 40′. C'è solo Mónika davanti a te. Ma di poco. Fra due mesi potrebbe essere tua. E poi, non è detto che non crolli, – dico queste cose senza nessuna convinzione. Il settore del mio cervello che crede ad Agota ha ormai la maggioranza assoluta. Sto credendo a una puttana, pazzesco.

– Non mi interessa.

– Come sarebbe a dire non ti interessa? Per cosa hai perso cinque chili?

– Ne ho già ripresi tre.

– Ah sí? Complimenti. Quindi hai seguito la dieta e hai corso per tre mesi una media di venticinque chilometri al giorno solo per piacere, solo per puro piacere? Non per diventare top-runner, non per entrare nel ranking mondiale, non per andartene da qui?

– No, l'ho fatto solo per te. Ma adesso aspetto un figlio tuo, non mi interessa piú niente della maratona. Voglio smettere.

– Preferisci rimorchiare tizi col riporto a Belgrád Rakpart?

– Stronzo! Io non sono una puttana! – Agota ricomincia a piangere e mi picchia le cosce. Quasi tutti i suoi finti pugni si spengono sui miei avambracci. Ogni volta che mi colpisce con il destro la tettina destra mi sfrega le ginocchia. Lo stesso con il sinistro.

– Va bene, non lo sei! Datti una calmata! Non sei una puttana, non sei una maratoneta, cosa sei?

– Sono la tua donna, la madre di tuo figlio. E tu vuoi ammazzarlo.

– Non è cosí, – cioè sí, cioè non lo so piú.

– Sí, tu vuoi liberarti di me.

– Non è cosí –. Sento le tettine di Agota sulle cosce. E tutto caldo là sotto, zuppo di lacrime.

– Non vuoi liberarti di me?

– No –. Mi concentro sull'occhio destro. Non li avevo mai visti da tanto in alto. Sono ancora piú malinconici cosí. Poi noto, al margine del campo ottico, non abbastanza sfocate da passare inosservate, le mani senza segni, senza vene, le unghie corte, lo smalto blu. Lo smalto blu, penso.

– Oh, che bello! – urla lei e mi abbraccia stretto alla vita. – Io voglio restare per sempre con te. Correrò anche le maratone se tu vorrai. Riprenderò, te lo prometto. Ma adesso avremo un figlio. Dimmi che lo vuoi.

E qualcuno che ha la mia stessa voce dice:

– Sí, lo voglio.

– Oh, che bello! Saremo una famiglia! – mi abbraccia di nuovo alla vita. – Pensa che bello! – e mi guarda da là sotto con tutta la felicità che le esplode negli occhi.

– Sí, – sento che dice la mia voce.

– E poi ci sposeremo! – esclama lei, un attimo prima che le sue unghie blu mi slaccino i pantaloni della tuta Mizuno e mi facciano finire tutto nella sua grande bocca di adolescente,

– Sí, Agota, ci sposeremo.

39

Sullo sfondo di Sárkány ci sono ancora le sei navi draga moribondi. Devono avere una chiglia piatta dato che non sembrano in secca, nonostante il livello del fiume.

Lui, sempre mascherina abbassata da chirurgo in corsia, sta mostrando una teca con dentro una farfalla gialla spillata.

Immaginate questa...

Primo piano della farfalla.

... sulla superficie di questo.

La telecamera stacca sul ragú di bestie inesauste che ribolle contro il fianco a monte delle navi.

Il suo nome è Palingenia longicauda ma a Szeged tutti la chiamano il fiore del Tibisco. In primavera questa meravigliosa farfalla vola a un metro dalla superficie del fiume e lo fa per soli quattro giorni. Milioni di petali gialli vibrano sull'acqua coprendola di un unico vivacissimo manto. Per la città è un momento di grande euforia. La gente usa dire che il fiume è fiorito. Ebbene, secondo gli esperti – oggi abbiamo parlato con il professor Sándor Azsálos, zoologo dell'Università di Szeged – le probabilità di rivedere questo straordinario fenomeno della natura sono davvero scarse. Le uova della palingenia sono state senz'altro contaminate dal cianuro, il che comporta la quasi certa estinzione di que-

sta creatura. Vista la caratteristica endemica della specie, potrebbe trattarsi infatti di una cancellazione totale, l'ennesima, dalla faccia della Terra. Piccole forme di vita scompaiono per sempre, il nostro pianeta si impoverisce ancora e i nostri occhi con lui. Una farfalla sembra niente rispetto alle dimensioni del disastro che ha colpito l'Ungheria in questi mesi, ma noi sappiamo che non è cosí.

D'ora in poi, salvo una miracolosa rigenerazione – palingenia significa nata di nuovo – il fiore del Tibisco potremo ammirarlo solo cosí...

Primo piano sulla teca.

... al museo.
Béla Sárkány, Szeged, Bbc World.

40.

Sono trascorse due settimane da quando Agota si è trasferita nel mio vendéglakás. Secondo me la pancia le si è già gonfiata un poco, ma lei dice di no, che non è possibile, anche se da un giorno all'altro si è tolta il piercing dall'ombelico e adesso quella specie di morsetto naviga senza pace sulla specchiera, tra i pettini e le pillole di magnesio.

Ci imbarazzano ancora molto le puzze diverse che lasciamo in bagno. Agota spalanca la finestra, spruzza il deodorante per le ascelle, esce a testa bassa, come se cagare fosse una colpa, o come se la nostra colpa fosse quella. Io faccio finta di niente, so che ci abitueremo presto. È incredibile come, anche nutrendosi degli stessi cibi, i corpi emanino ognuno il proprio caratteristico tanfo. Con Maura è uguale: mangiamo la stessa carne, beviamo lo stesso vino, eppure le nostre puzze sono impronte digitali, radiografie dentali, codici a barre. Solo che non ci vergogniamo piú. Lei entra a cercare il rossetto mentre io sono lí che spingo. Il mio corpo è un pezzo del suo, dislocato a distanza variabile – in bagno, a letto, a Basovizza, a Szeged – ma sempre e comunque suo. Non ho bisogno di chiederglielo: è evidente che Maura la pensa cosí. Ovviamente Agota si è accorta di lei. Forse avrebbe anche continuato a non chiedere, ma sono stato io, dopo la seconda telefonata, a spiegarle che sí, in effetti a Trieste ho una fidanzata malata di nervi, al cui distacco devo operare con estrema delicatezza per non provocare altri danni devastanti, oltre a quelli che abbiamo già provocato alla nazionale ungherese, al ranking mondiale, al futuro della maratona femminile e alla famiglia Bánóczki. Agota mi ha interrotto subito, manco il nome ha voluto sapere. Non riesco ancora a capire se si tratta di discrezione o di presunzione. Quando trilla il mio cellulare, lo ignora come se non prendesse neppure in considerazione l'ipotesi di una rivale. Appena rispondo, si allontana. Lei ha scovato il mio unico spermatozoo non storpio e adesso lo sta crescendo nel suo utero a cinque stelle: non ha bisogno di ascoltare le mie telefonate. Ma forse è solo discrezione. Sicché ho rinunciato a riversarle addosso le infinite scatole di Fiona, il mio incombente viaggio ad Haiti, l'esistenza di una moglie che non è malata di nervi e che non si suiciderà mai e gli altri punti fermi della vita dalla quale Agota mi sta espiantando.

A proposito della famiglia Bánóczki, appena sono stati informati della gravidanza pa' e ma' le hanno intimato di non mettere piú piede a Budapest, seguendo direi un protocollo internazionale. Niente Budapest, e quindi niente Belgrád Rakpart. Adesso Agota è davvero tutta per me. Anche i weekend, quando le altre se ne vanno a casa e il Kollégiuma diventa il solito set di *Shining*, noi li passiamo insieme. Facciamo colazione a letto, appoggiamo il vassoio sulla sua pancia, sul suo pigiamino con gli elefanti caldo di sonno, e io preparo le fette biscottate per entrambi. Da quando ha smesso di correre, Agota chiede un filo di burro sotto il miele e io, pur figurandomi l'immenso lavoro sugli adipociti che dovrà compiere alla ripresa, non so negarglielo. Insomma, sta aspettando un bambino! Mio! D'accordo, non c'è nessuna ragione perché io creda alle magiche balle di Agota piuttosto che ai vetrini dell'andrologo, ma io le spalmo lo stesso tutto il burro che vuole. La domenica chiamiamo un taxi e giriamo un po' per i dintorni di Szeged. Királyhegyes, Hódmezóvásárhely, piccoli paesi dall'aria friulana con nomi che non stanno neanche nei cartelli. Agota ha notato che mi diverto ad avvistare da lontano le auto vecchie, allora mi dice: «Wartburg», «Trabant», «ecco una Zastava», «un'altra Lada» e va avanti a elencare tutte quelle che incrociamo, ma molto prima che il puntino colorato comparso sul parabrezza diventi una carrozzeria. È un saggio che mi offre cosí, per gentilezza, benché si veda che non gradisce la mia indifferenza per i macchinoni. Il solito pauperista ricco che viene qui a snobbare le nostre Bmw scintillanti, pare che pensi.

– E tu cos'hai? – mi ha domandato ieri.

– Una Passat station-wagon, – le ho risposto io, attribuendomi il nuovo acquisto di Maura e accettando di essere attraversato dall'immagine di mia moglie con il braccio puntato verso la macchina in attesa che i lampeggianti si accendano e l'antifurto faccia uno dei versi del bruco. Uouc!

– Ah, una Passat, – ha detto lei, un po' rassicurata e un po' per dire «te pareva«, «tipico» o qualcosa del genere.

Quando l'instancabile sole di questo inverno si è abbassato al punto da rendere il gioco delle marche un'impresa anche per Agota, ci siamo fatti portare all'Internet Pöintz di Híd Utca per controllare la posta e poi da lí abbiamo camminato fino al multisala Plaza, dove danno sempre almeno un paio di film in edizione originale e dove, pur stando perfettamente mimetizzati in coda alla cassa, siamo stati pizzicati dal terzetto di Szeged.

In realtà, non fosse stato per László, le ragazze avrebbero tirato dritto. Erano usciti da *Matrix* che, guarda caso, era anche il nostro film. Katalin e Magdolna rifacevano la scena di quello che spara e di quell'altro che è cosí veloce da schivare i proiettili semplicemente spostando un'orecchia o una spalla o un altro pezzo di corpo, senza muoversi davvero. Insomma duellavano con in mezzo László, piú che altro per tormentare lui, e intanto si avvicinavano ignare. Poi László ci ha visti, ci ha indicati e a quel punto anche le ragazze sono state costrette a venire verso di noi.

– *Matrix* good, – mi ha detto lui con la bocca trascinata a forza nel suo sorriso sghembo. Poi si è messo a
parlare fitto con Agota. Non mi piaceva l'idea che vedessimo lo stesso film, non sopportavo che László pen-
sasse che noi e loro, e soprattutto io e lui, avessimo gli
stessi gusti. No, caro László, come vedi, io non vengo
al cinema in tuta e non giro con quelle due lí. Io sto con
Agota. Spiacente László, non abbiamo gli stessi gusti.

Mentre Agota ricambiava altrettanto fittamente le parole del nostro portaacque, ma con un che di contraf-
fatto, quasi sintetico nella voce, io, Katalin e Magdolna
aspettavamo che finissero standocene impalati con le mani in tasca. Le ragazze non potevano certo lamentarsi
dell'incontro: stavolta non le avevo sorprese a strafogarsi
di bigmac. Magdolna anzi, a parte gli occhi fuori servizio per troppa efedrina, è tornata dalle vacanze abbastanza in ordine, emorroidi comprese. Non credo volesse proprio evitarmi – una non si tinge i capelli da evidenziatore verde perché spera di passare inosservata – e
comunque per un attimo mi ha pure guardato. Katalin
invece non ha mai distolto l'attenzione dal dialogo tra il
suo amico e la sua peggior nemica.

– Tu dimmi se con nove sale proprio da questa dovevano uscire. Ma che, ci sono i sottotitoli ? – ho detto io, appena si sono allontanati.

– Potevi chiederlo a loro. Perché ti secca che ci vedano insieme ? – C'era ancora quella specie di contraf-
fazione nella voce di Agota. In italiano sembrava proprio un sintetizzatore digitale. L'incandescenza degli
zigomi però era già fuori controllo.

– Non mi secca affatto. Siamo una coppia. È ufficiale, no ? Diciamo semiufficiale, okay ?

– Diciamo quello che vuoi.

– Non fare cosí. È solo che almeno di domenica desidererei non vedere le loro facce, ecco, solo questo.

Ma Agota ha continuato a fissare la nuca del tizio
davanti. Tranne la scritta NO WAR scolpita in bassori-
lievo nella rasatura, non c'era niente da guardare sulla
nuca del ragazzo. E comunque Agota avrebbe fissato

anche una superficie di formica al posto di quella nuca, pur di non girarsi verso di me.

– Cosa vi siete detti tu e Sancho Panza?

– Lui che il film è bello e io che lo sapevo già.

– Tutto qui? In dieci minuti di sparatoria? Non sembrava parlaste del film.

– E invece sí, – lo sguardo puntato sulla nuca, messo a fuoco senza senso sulla W di WAR, credo. Mi aspettavo che da un momento all'altro il tizio si voltasse. Ehi, ma chi cazzo si diverte a bruciarmi i capelli?

– E invece sí?

– E invece sí.

– Be', per essere la mia interprete stai facendo davvero un ottimo lavoro. Apprezzo molto il tuo impegno –. E finalmente Agota ha sottratto il tizio davanti da un pericolo di incendio e si è girata a sorridermi.

L'interpretariato è la scusa con cui sono riuscito a ottenere che Agota rimanesse al Kollégiuma anche dopo il suo ritiro dal master. Ovviamente Csányi le ha bloccato subito l'assegno, sequestrato l'equipaggiamento della nazionale e fatto sigillare la stanza. Però devo ammettere che è riuscito a mantenere la sua impassibilità di spia. «Mi pare che tu, Dario, non hai bisogno di interprete, tu capisci anche troppo bene la lingua di mie bambine. Fai questo che vuoi di tua vita, ma ricorda contratto di lavoro, ricorda che primavera è vicina, e anche test». Insomma, solo per non complicare gli accordi bilaterali ha accettato che Agota si trasferisse da me, come mia ospite personale, con la debole giustificazione dell'interpretariato. Debole, non perché io abbia appreso l'ungherese o le ragazze l'italiano, né perché, come insinua Csányi, la comprensione tra me e loro passi attraverso altre forme di comunicazione, bensí perché Agota mi accompagna agli allenamenti sempre piú di rado, preferendo la Tv satellitare e il finestrone panoramico sulla morte del fiume, piuttosto che l'isolamento vero dell'ex atleta in bicicletta. La ripresa postpartum è un'illusione solo mia.

41

– Hello?

– Alberto, ciao, sono io.

– Ehi, ciao. Chi l'avrebbe detto. Pensavo fossi morta.

– No, non sono morta.

– Sí, insomma, che ti fossi scordata di questo povero lussurioso chiuso nelle galere di Berkeley. Sei sicura che sei tu?

– Sí, sono io.

– Non ti credo.

– Smettila. Mi sei mancato, sai? Ho provato anche
a tele… no, non è vero, non ho provato. Ho provato
a…

– A lasciarmi marcire nelle galere di Berkeley.

– Be'… sí, è cosí. Come stai?

– Come sto?

– Sí, come stai? Cos'hai fatto durante…

– Cos'ho fatto durante. Vediamo… ho comprato da
Andronico's baccalà mantecato a dieci dollari all'on-
cia, ho bevuto mokappuccini alla vaniglia da Brewed
Awakening, hai in mente There is no life before coffee? Ecco, ho cancellato coffee da tutti i copribicchieri che avevo sottomano e ci ho messo il tuo nome. Poi
cosa… vediamo, ho litigato con i due messicani che ge-
stiscono quel posto di merda perché volevano che gli
pagassi i copribicchieri. Mi sono fatto ridere dietro da
tutti quei ragazzini che vengono lí a scrivere sui por-
tatili. Fino a qualche tempo fa credevo fosse il mio posto preferito, cazzo. E poi cosa? Ah sí, mi sono butta-

to con una pietra al collo nel lago Anza, ma un mio studente era lí ad abbronzarsi e mi ha salvato.

– Alberto, mi dispiace.

– Ah, figurati.

– Dai, non fare cosí. È una situazione difficile. Diciamo pure impossibile. Dario ha i nervi a pezzi, per il master, sai, e io gli sono stata vicina. È cosí fragile in questo periodo.

– Fragile? A me non sembra.

– Perché, cosa ti scrive?

– Ma niente, le solite cose. Però mi dà l'impressione di essere piuttosto in forma.

– Be', in forma sí, è in forma. Ma è stressato in modo orrendo. Piange, ride, canta. E poi…

– E poi?

– E poi lo fa con una tale violenza.

– Ah sí eh? Ti ha scopata di brutto.

– Non parlare cosí.

– Okay, scusa, ti ha posseduta con passione.

– Che bastardo che sei. È mio marito, Cristo!

– …

– Comunque sí, ci mette una passione che non aveva da tempo.

– Mi hai telefonato per dirmi questo? Non posso crederci. Tu non sei tu.

– Sí invece. L'abbiamo fatto la notte dell'ultimo, a Budapest, ed è stato bellissimo.

– Tu non sei Maura.

– Aspetta. L'abbiamo fatto… io e te. Io ho pensato a te, alla tua voce, alle cose che… cosí, al telefono, ed è stato bellissimo. Mi sentivo Patty Pravo in quella canzone, hai in mente?

– Patty Pravo è completamente senza tette. Non sei tu.

– Sí invece.

– No, tu hai due grosse tette. Ce le hai le tette?

– Sí…

– …

– …

– Tirale fuori…

– Alberto…

– Tirale fuori… scoprile…

– …

– Le hai scoperte?

– …

– Le hai scoperte?

– Aspetta, mi sto togliendo la maglia…

– Brava…

– E il reggiseno…

– Brava…

– …

– Fatti guardare…

– …

– Belle… grosse… Tu non sei Patty Pravo.

– No, va bene…

– Tu non sei piatta, guarda che roba… poi non sei neanche bionda, no?

– No…

– Tu sei rossa. Sei la piú bella rossa del mondo…

– Che bello sentirtelo dire…

– Ah sí eh, ti piace? Però forse non sei rossa…

– Sí che lo sono.

– Voglio dire… magari non sei una rossa autentica…

– Sí invece…

– E no, me lo devi dimostrare…

– Be', guarda i miei capelli…

– Non basta, lo sai anche tu che non basta…

– Be', le lentiggini… ho la schiena piena di lentiggini, non vedi?

– Certo che vedo, ma non basta…

– …

– C'è solo un posto, solo un marchio di fabbrica…

– …

– Giusto?

– …

– Uhm… è la cerniera dei jeans quella che ho sentito?

– Sí…

– Hai messo la cornetta lí perché sentissi?

– Sí...

– Brava...

– ...

– Adesso tira giú le mutandine...

– Ecco...

– Ecco, fantastico... un... un cespuglietto di som-
macco a fine ottobre...

– Che carino che sei... Alberto...

– Metti le mie dita in mezzo alle foglioline...

– Sí...

– Dio, quanto sei rossa... lí...

– Sí...

– ... Continua a raccontarmi come l'abbiamo fatto.

42.

Si sente che manca Agota negli allenamenti. Prima mi costringevo a lunghe delucidazioni sul lavoro del giorno, adesso comprimo tutto ciò che dovrei dire in un titolo – questa mattina: «Fifty minutes of Fast» – e le ragazze si alzano dal tavolo della colazione ancora con l'ultima sorsata di maltodestrine Gensan in bocca e tornano in camera a mettersi le Mizuno Wave Rider, i fuseaux al ginocchio, la maglia in Tactel® e il resto dell'equipaggiamento per un impegno molto intenso e mai abbastanza breve. L'assenza di Agota ha tolto parole al gruppo ma non ne ha peggiorato la comunicazione interna, anzi. Io e le wonderbabies ci ascoltiamo di piú, facciamo maggiore attenzione ai segnali reciproci da quando la nostra interprete resta nel vendéglakás a guardare Mtv.

Magdolna mi aggancia in testa, mette il fischio corto del suo affanno nel mio respiro piú ampio. È come se chiedesse ospitalità nella mia corsa per riposarsi un po'. I miei 3´30″ non sono i suoi 3´30″. Il suo Veloce è ancora, tutto sommato, un mio Medio. Entrare nel mio passo e nel mio fiato è quasi un piccolo ristoro. Intanto l'argine ripristina l'asfalto sulla traccia binaria dello sterrato e noi con una specie di riflesso collettivo ci allarghiamo a ventaglio.

Mónika risale da sinistra con la sua inconfondibile scioltezza. Mi affianca – è l'unica a potersi permettere la mia falcata senza che risulti forzata –, mi supera lentissimamente – anche oggi è l'unica a indossare il perizoma sotto i fuseaux –, controlla con la coda dell'occhio se me ne sono accorto. Chissà quanto spende ogni week-end per sistemarsi le treccine con tutti quegli elastici arancioni. Vedo già il suo futuro dorato con le case della cosmesi sportiva. Ogni grammo del suo essere grida che è destinata a sfondare.

Agota mi ha riferito che sul sito del Comune di Debrecen Mónika compare in ben tre link. Entrambe fanno di tutto per negare che si odiano. Che bisogno c'è di odiarsi? Dividiamoci il bottino: tu la carriera, io lui. Da quando Agota vive con me ho smesso di pensarla una cosa mia. Adesso, al contrario, penso di essere io una cosa sua. La Felicità Pura è entrata in zoccoli per un principio di piede d'atleta, ha messo le sue pillole di magnesio accanto alle mie, si è accovacciata sulla poltrona con l'inizio di ciò che saremo innescato tra le anche, e da lí, semplicemente restando a guardare i canali satellitari, mi delizia, crede di deliziarmi, con gli stati di avanzamento del mio spermatozoo non storpio. Il dubbio che quello spermatozoo abbia il mio DNA viene ogni volta dissolto dal movimento della mano di Agota che separa i femori come due bambú e mi mostra la pelle tesa dell'addome. Il gruppo ormai l'ha persa e ciò rende ancora piú squillante la scia arancione di Mónika in corsa verso il trionfo.

Dora chiede da bere a László e io glielo proibisco. Non posso darle nessuna spiegazione. Una lieve crisi sul Veloce non la superi bevendo. Il tuo corpo sta facendo tesoro di questa sofferenza. Stanotte ritoccherà ancora i processi anabolici, lavorerà sulla termoregolazione. Devi imparare a eliminare il calore per convezione, non solo per evaporazione. Se abitui il sangue a salire in superficie l'aria ti raffredderà, suderai meno e non rischierai la disidratazione. Ovviamente non dovrai sottrarne troppo, di sangue, alle gambe, ma il dolore di oggi ti aiuterà a trovare la misura domani. La rabbia di questi venti minuti finali sarà per sempre cibo per la tua indifferenza. Indifferenza, sí. Quando la gara ti verrà a torturare tu saprai ottenere uno stato di perfetta apatia. Se sarai capace di sentire il tuo corpo, di percepirlo e conoscerlo al punto di disincarnarti, il ranking ti accoglierà a braccia aperte, potrai scappare da Pécs, arriverai alla linea di partenza con il pulmino riscaldato dei top-runner, riceverai ingaggi di tutto rispetto, avrai un agente, sarai un maratoneta sponsorizzato, non diventerai famosa fuori dal nostro ambiente ma la tua vita sarà giusta e bella. Ecco, dovrei dirle qualcosa del genere, in inglese, a 17,3 km/h. Quindi mi limito a un onnicomprensivo: «Nem, Dora». E Dora si tiene la sua mostruosa sete, staccandosi dal cestello della citybike senza replicare, mentre László mi mastica in faccia la sua disapprovazione con la solita smorfia da Gambadilegno.

Anche la Puszta ha ancora sete. Una sete d'appestato. La neve si è squagliata. Con quelle due tre gocce di acqua ha unto i campi, ne ha lucidato la pellaccia nera, lasciandoli, dopo circa una settimana, piú arsi di prima. Pare di sentirlo scricchiolare sotto i piedi, il collo teso del contorsionista. Non c'è niente che io possa fare per alleviarne lo sforzo. L'irradiazione solare di questi mesi ha battuto ogni primato e continua a distillare l'overdose di cianuro, vigilandone la percolazione nella carne fibrosa del sottosuolo con turni di dodici ore – le giornate si stanno allungando di nuovo. Il boschetto lungo il fiume ha abbandonato definitivamente qualsiasi sfumatura non marrone, trasformando il nostro percorso di Fartlek in un sentiero interno al cratere di un vulcano. Inutile dilungarsi sul modo in cui il clima sta sbeffeggiando i meteorologi riguardo, per esempio, allo scongelamento delle calotte polari. Basti dire che, fin dove arriva lo sguardo, la pianura pannonica appare smagrita e biscottata esattamente come il fondo su cui picchiettano le nostre dodici scarpette e niente può dissuadermi dalla convinzione che piú in là, nella striscia violacea dove l'argine e la quadratura scozzese dei campi piegano verso l'altra metà del cielo, la sete sia la stessa.

Al ritorno passiamo per i quartieri residenziali dell'ultima periferia, in mezzo ai cancelli a fotocellula e ai videocitofoni dei seghedini che ce l'hanno fatta. La puzza di torba bruciata neutralizza il Tibisco. Nonostante la mattina mite, dai camini escono fumi da altoforno. I villini di Fürj Utca hanno tutti un'aria nuovissima. Anche le rifiniture nei giardini e sui marciapiedi non possono avere piú di un paio d'anni. Noi ovviamente corriamo sulla strada. Una donna col fazzoletto in testa sta firmando una raccomandata al postino direttamente dal finestrino della sua Mercedes. Entrambi si girano al nostro rumore. Come al solito nei rientri è László il battistrada, il che ora lo costringe a rallentare e a lasciarci sfilare per godersi le facce stile Candid Camera della tizia e del postino. Solo che noi non siamo uno scherzo. Quella che vedete, signore e signori, è una parata di stelle vere. Lo so, di primo acchito sembrano delle teppiste, delle scippatrici, ma io vi sto mostrando le mie wonderbabies, le mie wonderbabies ormai in avanzata trasformazione morfologica (non potete immaginare com'erano tre mesi fa), disposte a sorbirsi quindici chilometri cosí, questa mattina – sí, proprio cosí come le vedete adesso, senza mai scendere sotto 17,3 km/h –, piú una bella seduta muscolare al pomeriggio, con un pranzo ipoglicidico nell'intervallo, il tutto per farcela come ce l'avete fatta voi, per abitare in un quartiere simile al vostro, per firmare raccomandate uscendo da un garage come il suo, signora, con una Mercedes come la sua. Ha mai corso una maratona lei? Avverto il suo sguardo che ci accompagna per un buon pezzo di strada. Quando ci raggiunge, non ha il coraggio di superarci e svolta alla prima a sinistra. Intanto siamo noi a superare un tizio in bicicletta con un pastore tedesco. Per un istante il cane, dallo spavento, ritira in bocca i suoi venti centimetri di lingua. Potremmo abitare qui. È meglio che Agota stia lontana da Budapest e io da Trieste. Potremmo costruirci un villino in Fürj Utca, uscire tutti i giorni a spaventare i vicini e i loro cani. Tornerei in Italia solo quando serve. Imparerei l'ungherese insieme a mio figlio. Chi dice che dev'essere per forza un bastardo? A parte il vetrino dell'andrologo, s'intende. Mi assalgono tali vampate di gioia che devo riportarmi davanti per non essere notato. Penso a cosa posso farmi fare da Agota nella pausa pranzo. Una mattinata trascorsa a cazzeggiare davanti alla Tv vale una vasta gamma di ricompense e Agota si dimostra particolarmente servizievole in queste occasioni. Rispondendo al mio brevissimo allungo come se si trattasse di un attacco personale, Mónika riguadagna la testa del gruppo e di sfuggita – sempre meno di sfuggita, a dire il vero – guarda se guardo dove vuole.

43.

Da: alberto.lentini@uclink4.berkeley.edu
Data: sabato, 2 febbraio, 13:57
A: dario.rensich@katamail.com
Oggetto: aumento di peso

dario, il tempo stringe, non è dalla tua parte.
quello che scrivi mi sta confondendo non poco le
idee e mi sa che neanche tu ci capisci granché. ti
servirebbero anse, anfratti, zone morte dove
prendere fiato e pensare, ma qui è tutto teso,
tirato al secondo, e non c'è spazio per niente che
non stia in un diagramma di processo. sapevi che
non esistono piú le scorte di magazzino? ogni
produzione risponde esattamente a una commessa.
botta e risposta. tum tum. occorrono sette
maratonete? si producono sette maratonete. tum
tum. non ci sono resti, punti morti: è tutta roba
che costa. si chiama just in time e tu non ti ci puoi
sottrarre. come nessuno di noi. la consegna è
sempre piú vicina. sette maratonete. le hai
preparate, le hai fatte dimagrire, sono quasi
pronte, no? bene. adesso pensaci: vuoi davvero
che una di loro butti di nuovo su chili e tutto il
resto che mi dici di volere?
sta' a sentire cosa succede con l'aumento di peso
nello just in time. in un allevamento dell'indiana –
la notizia è attaccata in una bacheca dei miei

studenti – hanno dovuto abbattere diecimila polli.
e sai perché? per alleviarne le sofferenze. in quel
posto gli animali sono progettati geneticamente
per essere abbattuti centoventi giorni dopo la
nascita. la durata della loro vita è determinata dal
peso che le zampe sono in grado di reggere. è una
scadenza improrogabile. gli ingegneri sono riusciti
a costruire polli con pochissime cartilagini, con
ossa sottili sottili. praticamente polpa che respira.
beccando mangime ventiquattrore su ventiquattro
i polli ingrassano 10 grammi al giorno e
raggiungono diciamo il punto di frattura di kg 1,2
nel lasso di poche ore tra il centodiciannovesimo e
il centoventesimo giorno di vita. se non vengono
abbattuti just in time, le zampe fanno crack. tutto
è congegnato per funzionare alla perfezione. ogni
giorno tot polli raggiungono la maturazione e
vengono immessi sul mercato. ieri, oggi, domani,
senza mai perdere il ritmo. come un cuore che
batte. tum tum. tum tum. ma ecco che arriva lo
sciopero dei camionisti. tre giorni senza trasporti.
l'allevatore non ha una cella frigorifera cosí grande
da contenere tot polli x 3, quindi rischia, decide di
lasciar vivi gli animali in attesa dello sblocco. ma
gli animali sono polli scientificamente
programmati per mangiare ventiquattrore su
ventiquattro e ingrassare 10 grammi anche nei
giorni di sciopero. se gli togli il mangime muoiono
di fame. se continui a darglielo si spaccano.
diecimila polli crollati sotto il loro stesso peso (un
migliaio i soffocati nella calca, tra i non ancora
maturi). tonnellate di polpa graziata dallo
sparachiodi mentre è ancora intenta a beccare
mangime.
dammi retta, non puoi fermarti adesso. ti hanno
chiesto sette maratonete per la metà di aprile e tu
non puoi dargliene sei piú una ragazza madre.
credimi, non è cosí che funziona.
alberto

ps1. oggi progressione in salita 10' + 10' + 10',
dalla punta estrema di marine a grizzly peak,
ultimi 10 minuti a 160 battiti (85% freq. max.)
ps2. ho provato l'epo.

44.

Davanti alle inferriate liberty dell'ingresso un ragazzo alto suppergiú uno e sessanta, afflitto da un giubbotto XXL in stile rapper, distribuiva buoni sconto per il Pizza Hut del centro. Doveva esserci la partita del Szeged. Il parcheggio era pieno. Dal ponte si vedevano le macchine stipate come le squame di un rettile. I tetti trattenevano la luce pastosa dei riflettori. Piccoli tetti di Trabant, Lada, Wartburg, Skoda, Zastava. Il Ligetfürdő non è un posto per ricchi. Agota non capiva perché mi fossi fermato. Stavamo andando all'Internet Pöintz come ogni domenica. Il fatto che quei tizi in calottina giocassero una partita a cento metri scarsi dal cianuro, il fatto che fossero allo stesso livello del fiume, proprio lí in basso, dove il vapore del Tibisco tendeva a congiungersi con le nuvole sulfuree della piscina e dove insomma era giusto sospettare che i fumi non fossero solo termali, il fatto che nel tanfo di uovo marcio si avvertissero comunque urticanti venature di olio di mandorle bruciato e che molti spettatori sulle tribunette di fronte al ponte portassero la mascherina, ecco, questi fatti non avevano neanche minimamente lambito l'attenzione di Agota. Sto con un androide, ho pensato. E con un braccio sulla spalla l'ho costretta per un po' sulla ringhiera. Cercavo di rubare qualche azione tra i cespugli antiportoghesi sistemati dietro le reti di protezione. Agota mi studiava divertita. Sentivo i suoi occhi scaldarmi la guancia. Ma ti interessa sul serio questa roba?

Alberto prende l'Epo. Che senso ha che un antichista di cinquanta e passa anni, vezzeggiato e conteso dalle maggiori università americane, vegetariano, tendenzialmente luddista, si inietti eritropoietina? Ce l'ha, ce l'ha. Che volesse sorprendermi, questo piuttosto è strano. L'autosperimentazione tenta qualunque maratoneta. Non importa il livello, né le prospettive. Lo sport non c'entra niente con la maratona. Un maratoneta non è sportivo, non fa sport. Un maratoneta pensa con il corpo e il pensiero ossessivo del suo corpo è: resistere per 42 195 metri a una velocità superiore a quella già ottenuta. Immaginando il proprio miglior risultato come unico avversario, sconfiggersi è il chiodo fisso del maratoneta. La chimica non sarà lecita, ma è perfetta per sconfiggersi. Come può credere, Alberto, che io non sappia tutto ciò?

Agota si era sciolta con delicatezza dal mio braccio per appoggiarsi di schiena sulla ringhiera e guardare, sul lato opposto del ponte, le cellette illuminate della città.

– Guarda che bello il Duomo, – mi ha detto a un certo punto.

Mi sono girato anch'io, ho appoggiato i gomiti indietro, proprio come lei. Il Duomo era illuminato da sotto e galleggiava in mezzo al buio del centro storico, non piú brutto, ma nemmeno piú bello della media dei duomi europei. Immagino che bello per Agota fosse il blocco di luce rosa scontornato fiabescamente nel nero del cielo. Nessuno stava appoggiato in quel modo sul ponte. La gente teneva gli occhi puntati un paio di metri oltre le nostre scarpe. Passando s'irrigidiva leggermente, come se il marciapiedi non fosse largo abbastanza.

– Sí, bello, – le ho risposto. – Ti piacerebbe abitare qua? Intendo, anche dopo il master.

– Cosa?! Scherzi?!

No, non ero proprio sicuro di scherzare. Un villino in Fürj Utca sarebbe stato sufficientemente lontano da Trieste. Maura mi aveva appena detto che Gianna aveva telefonato e che ormai era questione di giorni. Fio-

na si stava scollando dalla sua fotografia, veniva fuori
un pezzo alla volta dallo sfondo di lettini bianchi. Un
pugnetto, un avambraccio, una spalla, la testa. Si libe-
rava da quella specie di placenta sagomandosi secondo
le fattezze di una bambina reale. Questione di giorni.

– Certo che scherzo, scema, – e l'ho stretta di nuovo col braccio intorno al collo per scrollarmi il terrore
dalla faccia.

Alberto aggiunge eritropoietina a quella già prodot-
ta dal suo organismo. Inganna il midollo osseo, gli estor-
ce altra emoglobina. Non c'è niente che possa ancora
vincere nella sua vita. Cattedre, premi, dollari, pubbli-
cazioni, allieve, ha già vinto tutto. Però può ancora
sconfiggersi. Quando l'ematocrito supera quota cin-
quantacinque il sangue assomiglia a una confettura di
ciliegie sciolta a bagnomaria. «Ps2. Ho provato l'Epo».

Agota mi ha offerto la sua grande bocca di adolescente e io l'ho sfiorata con un pollice, come se la mia
non bastasse per raccoglierla e godersela tutta. Dio,
non so quanto tempo era che non baciavo una ragazza
in mezzo alla strada. Quando ci siamo staccati, lei mi
ha preso per mano e si è messa a camminare nella direzione sbagliata. Eravamo a meno di cinque minuti
dal letto del mio vendéglakás. L'erezione mi costrin-
geva a un passo artritico. All'Internet Pöintz saremmo
potuti andare anche piú tardi, o il giorno dopo. Ma
Agota aveva deciso e a me secca mostrarmi sempre cosí infoiato. Soprattutto adesso che la pancia ha cominciato a sporgere. Lei ovviamente sostiene che è solo una
mia impressione. In effetti, l'avessimo anche concepito appena conosciuti, si tratterebbe comunque di un
feto di meno di quattro mesi. In effetti, la signorina
che mi sta girando sotto il naso in mutande e ghost
socks Mizuno – Csányi non le ha sequestrato i calzini
– fino a ieri faceva bere i turisti al jazz Garden. In effetti. Ma questo è solo bieco scetticismo e domenica
sera non avevo certo il coraggio di negare fiducia alla… alla mamma di mio figlio. E neanche oggi ce l'ho.

Una donna avanzava verso di noi trainata da un grosso labrador. Il cane era tutto proteso in avanti, non annusava, non pisciava, attraversava semplicemente il ponte dritto sparato verso la fine, ma si vedeva benissimo che anche dopo avrebbe continuato cosí. Il rumore che faceva da vicino era di uno che si sta soffocando in eterno. Al momento di passarci accanto, la donna si è sentita in dovere di imprecare, di sgridarlo.

– Non tirare, – mi ha detto Agota, sorridendo.

– Come?

– Non tirare. La signora diceva al cane di non tirare.

– Embè? Che c'è da ridere?

– No, niente, non tirare. Sei tu che dici non tirare, di solito. Oppure arrivi in mensa e dici ragazze, oggi si tira, – ha preso un respiro, – io non tiro piú adesso.

L'ho guardata.

– Dopo sí, se tu vorrai. Ma adesso no, basta, non tiro piú. È cosí bello non tirare. Prima o poi lo capirà anche il cane.

Vedo Alberto imbottito di Epo che tira gli ultimi dieci minuti a 160 battiti su per Marine, la cui pendenza media è al 18% e dove a febbraio le forsizie sono già fiorite. Il sole sulla sua testa rasata è davvero abbagliante. Chi lo incrocia, scendendo coi libri e i sacchetti del takeaway verso la baia, si chiede: ma dove cazzo tira quel cane? Agota non tirerà piú. Partorirà e non tirerà piú, lo so.

– Smettila di girare mezza nuda. Mettiti su qualcosa, prenderai freddo, – le dico, guardandole la pancia per non eccitarmi.

Lei prende ubbidiente un mio maglione dalla poltrona. Vorrei dirle: So benissimo che partorirai e non tirerai piú. Hai scelto la via piú facile, credi che non me ne sia accorto? Invece le dico:

– Lo sai che Gloria Simon, neomamma e campionessa olimpica, ha dichiarato che le doglie non sono niente in confronto alla maratona?

– Gloria Simon è rumena, – mi risponde lei, e accende la Tv.

45

Un Cessna sta compiendo ampi cerchi da albatro. Il cielo è un'uniforme campitura color seppia con due minuscole macchie bianche: quella in movimento, del Cessna, e quella fissa in basso a destra, della scritta Bbc World. Poi la telecamera scende sulle due facce con mascherina abbassata di Sárkány e del suo ospite. Il bicchiere mezzo pieno nelle mani del reporter sarà prevedibilmente l'oggetto di una sua nuova esemplificazione.

Come vedete, il fiume viene monitorato da un aereo della Protezione Ambientale. Considerando velocità e lunghezza, si stima che gli ultimi strascichi di quest'interminabile ondata tossica abbandoneranno Szeged al piú tardi dopodomani e a quel punto, anche se la corrente non smetterà di portare morte e distruzione dalle valli piú a nord, il peggio sarà passato e si potranno valutare con maggior precisione i danni ecologici e il rischio di epidemie.

In molti ci hanno chiesto perché non si è tentato di neutralizzare il cianuro con un agente chimico. Noi giriamo la domanda al professor Sándor Nagy, docente di Chimica Generale all'Università di Szeged.

Sárkány passa il bicchiere all'ospite.

Be', è un semplice problema di quantità. In questo bicchiere il cianuro è facilmente neutralizzabile, ma in una massa d'acqua come quella del fiume no. Gli agen-

ti impiegati – il cloruro di calcio o l'ipocloruro di sodio – dovrebbero avere una concentrazione cosí alta da risultare per gli esseri viventi ancora piú letali del veleno stesso.

Quindi professore, niente chimica?

Esatto, niente chimica. Il fiume ne ha già avuta abbastanza.

Grazie professore.

Béla Sárkány, Szeged, Bbc World.

46.

Quando vengo chiamato dalla portineria so che si tratta di Carlo: è l'unico a usare quel numero, detesta il fruscio della telefonia mobile. Anche le ragazze capiscono da come trangugio l'ultima sorsata di aminoacidi glucogenetici Gensan e mi stacco dal tavolo della colazione che non vado a rispondere a una semplice telefonata di cortesia.

– Allora Filosofo, come andiamo.

– A meraviglia, Carlo. Dimmi.

– Bene, ti sento di buon umore, bene. Cos'abbiamo in tabella oggi?

– Stamattina un Corto Veloce. Pomeriggio quattro per tremila a tre e trentacinque. Non le facciamo in pista però, andiamo sull'argine.

– Bene, bene, giornata di carico, eh. Senti Fil, abbiamo studiato un po' i programmi di primavera, anche insieme agli ungheresi, abbiamo valutato le spese…

– Si diceva Wrocław, no?

– Be' no, è venuta fuori Trieste.

– Cosa?! Trieste?!

– Trieste, Trieste. Loro preferiscono una gara di qua. Seconda fascia jò buono, péro no est, dicono. Trieste buono. Vogliono Trieste. E anche per noi è comodo: casca bene con lo scadere della tua missione, sai, per la rendicontazione…

– Ma è Trieste!

– Lo so, lo so, ma non ci pensare. Magari per quella volta sarà tornato tutto a posto.

– Ci sono una decina di maratone di seconda fascia in primavera, no, una ventina. Di' che l'avete fatto apposta!

– Ehi Filosofo, stammi a sentire, ti sei ficcato tu nei casini, non ti ci ho ficcato io. Può succedere? No, non può succedere, non a un professionista. Ringrazia che non hanno mollato tutto. Non puoi permetterti di mandare a puttane i rapporti della Federazione, sottolineo *a puttane*.

– Agota non è una puttana.

– Non mi interessa cos'è. So che era una mezzofondista, cos'è adesso credo non interessi piú neanche a loro. Se non l'hanno fatta abortire vuol dire che avevano messo in conto di perderne una, ma non tirare la corda, caro Fil. Non farli incazzare di piú.

– Non posso tornare a Trieste.

– Che significa non posso tornare a Trieste? Hai una moglie, se non sbaglio. Un incanto di moglie. A Trieste. E avrete una bambina anche, no?, a momenti. A Trieste. La tua vita è lí, Dario. Aspetta solo te.

Guardo il lavoro a maglia sotto lo sportello. La portinaia mi ha lasciato il posto per discrezione. In quelle dune di lana vedo Trieste. Il boschetto di Basovizza, il muretto a secco dello stretching. Non c'è nessuno. Anche il Giulia è completamente vuoto: non una macchina mitteleuropea, non un solo cittadino mitteleuropeo nell'alveare dei negozi. A Trieste non c'è piú anima viva. Davanti agli occhi ho un deserto di lana: no, quella città non può aspettare me. Carlo decritta facilmente il mio silenzio e continua:

– Non pensarci adesso. Vedrai che per il 13 aprile sarai tornato a posto. Concentrati sulle ragazze. Le *altre*, intendo. Lustrale meglio che puoi, perché quelli pretendono il risultato.

– Avevamo parlato di un semplice test, di una verifica finale.

– Sí, avevamo parlato anche di un formatore professionista, ma loro sono convinti di aver visto qualcos'altro. Vogliono che gli dimostriamo che si sbaglia-

no. Vogliono vedere, tempi alla mano, se c'è davvero
qualcosa di professionale che tu hai fatto e che a loro
è sfuggito. Oltre ovviamente a imporre i *tuoi* integratori dietetici, le *tue* scarpe e il resto dei materiali dei
tuoi sponsor.

– Carlo, io ho lavorato sodo.

– Ah, ma sono sicuro che ce ne accorgeremo tutti.
Il 13 aprile, a Trieste.

47

Asl di Trieste. Consultorio Familiare Pubblico. Ufficio Adozioni. Una scatola.

«Lei, Gianna, in altre parole mi sta chiedendo come ci siamo conosciuti?»

«Sí, piú o meno. Direi di approfittare che siamo tra donne, che ne dice? Credo che suo marito non ci permetterebbe di fare le romanticone».

«D'accordo. È successo tre anni fa, in giugno, al Sestrière. Io ero con la Squadra B per la preparazione estiva. Inutilmente, visto che di lí a due mesi, per colpa sua, be' diciamo per lui, avrei smesso. Dario era arrivato come ultimo dei quattro convocati per un ritiro della nazionale. Non era nessuno all'epoca. Nessuno di noi era nessuno, voglio dire conosciuto, visto in Tv, quelle robe lí. Stavamo nello stesso albergo ma non ci incontravamo quasi mai. Noi facevamo sedute brevi, poi rientravamo, andavamo nelle hot room o in piscina o a vedere quelli che giocavano a golf. Loro erano sempre lí fuori che correvano. In ogni momento ti giravi e vedevi quei quattro ragazzi pelle e ossa che correvano. Guardavi fuori dalla finestra ed erano lí che facevano skip. Uscivi ed erano laggiú in fondo, quattro puntini colorati che risalivano per i tornanti. Una persecuzione. Noi ragazze ridevamo, i primi giorni. Poi hanno cominciato a impressionarci. Io soprattutto, che non ho mai sopportato di correre, cercavo proprio di voltarmi dall'altra parte prima che passassero. La sesta sera l'ho visto per la prima volta in faccia. Giuro, quelli di Amnesty lo avrebbero fotografato per le loro campagne sui diritti umani. La settima ha trovato il coraggio di avvicinarmi mentre ordinavo un gin-tonic al bar della tavernetta. C'erano un sacco di francesi, ballavano tutti scatenati. La musica a palla. Ha messo sul banco anche lui il biglietto della consumazione e mi ha chiesto cosa dovrebbe bere. "Cosa dovrei bere", che razza di domanda è? "Io ho preso un gin-tonic" gli ho urlato. Ci toccava urlare, per la musica. Cosa dovrei bere... quello era proprio un marziano, però non so, non tornavo dalle ragazze, continuavo a parlargli. "Sono l'ultimo, il peggiore" mi ha detto quasi subito, come per giustificarsi. E io gli ho risposto: "Anch'io". Era la verità».

«E poi?»

«Ci siamo sposati tre mesi dopo. Lui mi ha chiesto di smettere. Diceva di avere bisogno anche della mia energia Che dovevo stargli sempre vicino, se no non avrebbe retto a tutta quella fatica. Io ero cotta a puntino. Credo fosse l'idea di fallire insieme a lui, l'idea di precipitare abbracciati o non so che altro, comunque ero proprio innamorata. E anche lui, eh. Poi è arrivata New York, la prima domenica di novembre, il 6 per l'esattezza. Pensi che lui ha ottenuto l'invitation per il rotto della cuffia. Niente ingaggio, solo il volo e tre notti all'Holiday Inn. Non era proprio nessuno. Glielo ripeto perché tanti pensano che io, come dire, sia salita sul carro del vincitore. Invece no, anzi. Quella mattina l'organizzazione è venuta a prenderlo alle quattro, per la pastasciutta. Lo so, è incredibile, mangiano una pastasciutta cinque ore prima della gara. Era talmente impanicato che stava per dimenticarsi il microchip... vabbe', è una lenticchia piccolissima che si ficcano tra i lacci delle scarpe per la misurazione cronometrica ufficiale. Non fosse stato per me avrebbe corso per niente, l'avrebbero squalificato, non sarebbe stato omologato, si sarebbe ammazzato per sei mesi per riscomparire nel nulla, chissà come sarebbe stata la nostra vita, boh. Io ho guardato la partenza in Tv poi sono scesa e mi sono spinta fino alla First Avenue. Non si può spiegare cos'è New York il giorno della maratona. I newyorkesi ridono, scherzano, fanno tutto quello che non fanno i newyorkesi di solito. Sembrano dei mattacchioni. E poi Manhattan è interamente chiusa al traffico. Riesce a immaginare Manhattan senza macchine per strada? Insomma, mi pareva di sognare. E anche dopo, quando gli altoparlanti hanno annunciato un italiano in testa e hanno detto il numero, 98, pensi, non erano ancora riusciti a trovare il suo nome, probabilmente cercavano tra i favoriti, insomma anche in quel momento ho creduto di sognare. Sono corsa in albergo. Lí tra la gente non avrei visto niente, e poi sarebbe passato appena al ventiduesimo chilometro e sarebbe stato solo un attimo. Invece in Tv, eccolo, era Dario, era proprio lui. Adesso gli avevano trovato anche il nome. 98, ITA, Dario Rensich. Lo schermo era solo per lui che volava con la pelle luccicante sulle braccia e tutta quella gente che gli urlava dietro fuori di testa».

«Che bello, Maura. Chissà la felicità. Eh? Cos'ha provato?»

«Be' sí, cioè no, non ero felice. Ecco, la verità è che non ero felice. Non ero neanche contenta. Sembrerà strano, lo so, ma era come se mi stesse tradendo. Che cosa ti sei messo in testa? Non vorrai mica vincere? Che significa tutta quella gente che ti applaude? È pazzesco, non l'ho mai detto a nessuno».

«Continui Maura, non si preoccupi».

«Capivo che era una cosa fantastica. Non stava scritto da nessuna parte che Dario dovesse essere un fallito. Era una sorpresa, certo, una sorpresa per tutti, ma non un tradimento. Gli outsider esistono e quello era mio marito. Eppure quella cosa fantastica nella mia testa non era per niente fantastica. Dicevo anche "vai! vai! non mollare!", sola nella mia stanza d'albergo, ma in realtà speravo che entrasse in crisi. Cristo, non era nei nostri patti che io avrei amato il vincitore della maratona di New York. Quanto mi sarebbe piaciuto stare con un campione? Praticamente zero. Io avevo smesso per lui! E lui adèsso mi usciva dalla sua pelle di fallito e mi diventava un campione? Stiamo scherzando? A dire il vero, stento anch'io a credere a quello che le sto dicendo, non la sto mettendo giú come vorrei, ma insomma, dietro per fortuna sono rinvenuti. Alla fine se lo sono mangiati in un boccone. Non potrò mai dimenticare l'inquadratura del sorpasso. Qualcuno lassú mi aveva restituito il marito. Dario è scomparso dallo schermo. Non ho mai amato tanto le popolazioni africane come in quel momento. Central Park era una festa di gialli e rossi autunnali, il sole intrideva di luce i colori, ogni cosa era tornata meravigliosa. Stava succedendo tutto a cinquecento metri dall'albergo. Ho spento la Tv, sono corsa all'arrivo, a Columbus Circus, e ho fatto giusto in tempo a vedere in lontananza la sua minuscola canottiera arancione che superava il traguardo. C'era l'uomo piú bello del mondo là dentro, se capisce cosa intendo».

«Sí, credo di sí».

«Sesto andava bene. La vita ci è cambiata lo stesso, ma sesto andava bene, sesto non era esagerato, non era primo. Lo hanno chiamato comunque da tutte le parti: la Federazione gli ha fatto firmare subito una bozza di contratto. Anche parecchi sponsor. Ma a me non dispiaceva, non vorrei essere fraintesa. Quello è stato l'apice del successo, di tutta la sua carriera, ed era a un livello assolutamente tollerabile per me. È stato un periodo magico. Siamo andati in California con l'intenzione di starci per un paio di settimane e ci siamo fermati quasi un anno. Si ricorda che le ho parlato di un certo Alberto?»

«Sí, come no! Quel vostro amico».

«Un patito della maratona. Dario ha fatto parecchie esibizioni in quell'anno, molte le ha vinte, e Alberto lo seguiva su e giú per la costa. Ci ha ospitati lui. Un uomo fantastico. Davvero speciale, come dicono laggiú».

«Speciale eh? Mi spieghi un po', speciale in che senso?»

«Un uomo sensibile, generoso, pieno di humour, un uomo che dissimula sempre la potenza che è. Guardi Gianna, lei neanche immagina le cose che può muovere un professore di fascia alta di Berkeley. In tutti gli ambienti, sa? Da una parte all'altra del pianeta. Eppure se lo vedi mentre va a fare lezione in bermuda non lo diresti mai».

«Ma lei... cosa prova per lui?»

«Be'... ammirazione, gratitudine... Alberto ci ha aiutati molto e sento che se ne avremo bisogno non si tirerà indietro neanche in futuro».

«Ammirazione, gratitudine, insomma solo amicizia. E in passato? Anche in passato si è trattato solo di amicizia?»

«Aspetti. Cos'ha capito?»

«No, mi scusi, se non vuole... sono stata indiscreta, non dovevo...»

«Ma no! Cos'ha capito?! Ha-ha-ha! Io e Alberto non ci siamo mai neanche sfiorati. Stiamo parlando di un vero gentiluomo, mi creda. Corsa e filosofia, punto. Non aveva occhi per me. E neanch'io per lui se è per questo. Io avevo il mio bel deportato in canottiera arancione».

«...»

«Anche Alberto però era abbastanza scheletrico».

«Maura, il colloquio sta andando benissimo, si senta libera di...»

«Okay, non è proprio del tutto vero che non avesse occhi per me. Ma io sono sempre stata fedele a mio marito».

48.

Appena cominci a sentire male ti devi fermare. In teoria la regola è questa. Ovviamente parliamo di un male anomalo, non compreso nella sofferenza costante che il fisico amministra durante uno sforzo di resistenza, parliamo ad esempio di una fitta sotto il malleolo mediale che improvvisamente si segnala come novità assoluta e in quanto tale pretenderebbe di essere presa in considerazione. Però, teoria a parte, quasi tutti tendono a comportarsi come Dora. Anch'io avrei fatto cosí. Adesso è distesa sul suo letto, ancora con i guantini di micropile addosso. Attorno a lei, io, Agota e László contempliamo la sua caviglia destra come qualcosa che in vita nostra ci è già capitato di vedere e che nondimeno fa sempre un certo effetto. Agota spinge dolcemente Dora giú, sul cuscino, le dice di non guardare, benché sia impossibile respingere il magnetismo di quella specie di grosso pompelmo che preme sottopelle dal metatarso a un buon pezzo di tibia. Per un attimo, sulla faccia di Dora, al male si è sostituito lo stupore. Anche a noi pare incredibile che lí in mezzo ci possa ancora essere il suo malleolo, eppure è cosí. Non c'è che dire, proprio una bella tendinite.

A ripensarci, mi pare di ricordare un suo piccolo cedimento intorno al quindicesimo chilometro, ma poteva essere un brutto appoggio, una pietra appuntita, insomma non gli ho dato alcun peso. Invece adesso Agota dice che Dora dice che la prima fitta l'ha sentita lí. Un SOS forte e chiaro che ha deciso di non ascoltare.

Prima ha sperato che smettesse, poi, capendo che era un altro tipo di dolore, ha pensato di appropriarsene, di costruirci intorno la sua corsa, di accreditarselo come handicap allenante. Una fitta che ti pugnala a ogni secondo passo in fondo in fondo cessa di essere una fitta, diventa un fuoco affidabile con cui impari presto a fare i conti e talvolta sogni addirittura di guadagnarci. Se finisco questo Lunghissimo insieme alle altre nonostante la barra rovente che si è impossessata della mia gamba, vuol dire che la prossima volta, senza barra rovente, trentasei chilometri saranno uno scherzo e io sarò la migliore. Non ha bisogno di confessarlo: è un ragionamento che avrei fatto anch'io. Solo che il risultato eccolo qua. Dovevo accorgermi che il mascherone di Dora non era normale. Dovrei guardarle sul serio, le wonderbabies. Tutte.

Dopo venti minuti di ghiaccio la flogosi si è fermata, il pompelmo non cresce piú. Io e László siamo ancora chini sulla caviglia. Agota invece è piú su e sull'altro lato, a carezzare la fronte di Dora. A giudicare dall'aria devota potremmo sembrare i re magi con Gesú bambino, non fosse che al posto dei doni abbiamo una siringa con 10 millilitri di cortisone. È stato un consulto rapidissimo. Appena le abbiamo tolto i fuseaux, io e Sancho Panza ci siamo guardati:

– Cortisone okay?

– Yes, László, cortisone.

Eppure stamattina era cosí bello correre sull'argine, soprattutto al ritorno, quando il sole era ancora abbastanza inclinato da gettare le nostre ombre fino ai primi alberi del fiume, come lunghissime lancette dei minuti. Dall'altra parte, nei campi, i trattori incrociavano, presidiando i beni, le proprietà, sollevando la poca polvere di una pianura ormai piú dura del cemento. Ogni tanto qualche gatto domestico inselvatichito tracciava rapide diagonali in mezzo a tutto quel nero senza nessuna necessità apparente. La pelle del contorsionista raggomitolato nel cubo di plexiglas era cosí tesa e asciutta che veniva da chiedersi come mai noi, i trattori, i gatti e tutto il resto non gli scivolavamo via. A vederle da dietro, mentre scappavano verso Szeged in bilico sulla costola del pianeta, le wonderbabies erano un vero spettacolo. Dora si, forse zoppicava un po', ma era cosí fluido il movimento di quella doppia fila, con Mónika tenuta a freno dalla mia posizione arretrata e le altre pilotate dal pacemaker in bicicletta, che ogni cosa mi sembrava perfetta. Anche le mie si sarebbero sistemate. Non sapevo come, ma per due ore e mezza mi sono lasciato cullare dall'idea sostanzialmente endorfinica che anche le mie avrebbero trovato ognuna il posto giusto.

Le infiltrazioni di cortisone non sono particolarmente dolorose. L'ago che penetra sotto il malleolo invece sí. Agota tiene giú Dora, che non piange ancora, ma è solo questione di secondi. Io guardo László intento a ricostruire mentalmente l'anatomia della zona occupata dal pompelmo. È meglio che faccia lui. Ha sempre toccato lui le ragazze – prelievi, infiltrazioni, intramuscolo –, sono abituate a farsi manomettere da László. Bisogna riconoscerlo: il nostro portaacque non è solo un portaacque. Con i corpi se la cava alla grande, anche se da come sta impugnando la siringa sembra che stia per disossare la spalla di un agnello. László è qui, accanto a me, che studia la strada da far compiere all'ago, e io rivedo il collo del contorsionista, il pistoncino che spinge l'overdose nel Tibisco, il cianuro che subito spiana le curve della vena, ed è come se fossi davvero nella mia classica trascendenza da aeroplano, finché l'urlo reale di Dora non mi fa ripiombare nella realtà della sua stanza reale.

Abbiamo abbandonato l'argine per scendere in Fürj Utca. Mónika ha allungato un po', ma a quel punto l'allenamento poteva considerarsi concluso: i trentasei c'erano tutti e fino al Kollégiuma era lecito andarci al piccolo trotto. Io mi godevo l'ottima esposizione al sole della mia futura via, giocavo a scegliere la casa in cui mi sarebbe piaciuto abitare, in giardino ci mettevo Agota intenta a insegnare l'ungherese, a me e al bambino. Insomma, non potevo accorgermi che l'unica ad essermi rimasta a fianco, ignorando l'allungo di Mónika, fosse Dora. Dopo si, quando ci siamo fermati sul piazzaletto del Kollégiuma e tutte le altre erano già dentro e lei stava lí come una statua di Giacometti smagrita dalla tortura. Dopo sí, ma in Fürj Utca no.

László estrae la siringa dalla gamba. Io e le ragazze ci decontraiamo all'unisono dopo l'apnea. Dora si fa scappare una scoreggia silenziosa che esala il suo fetore misto di brasato e aminoacidi a catena ramificata. Arrossisce, era quasi svenuta dal dolore e adesso arrossisce, e io chissà perché scelgo questo esatto istante per ammettere a me stesso che non riuscirò a recuperarla. Ovviamente non mi rassegnerò subito, la riempirò di glutammina contro l'inevitabile depauperamento delle difese immunitarie e continuerò col cortisone per almeno cinque giorni. Lei accetterà tutto, proverà a riprendere, resterà indietro, si spaccherà di nuovo. Non posso perderne un'altra, ma è cosí che andrà: è un fatto evidente a tutti e quattro come la nuvoletta fetida che ci è appena entrata nel naso. Sarà bene che mi inventi in fretta qualcosa per l'ambizione di Csányi, qualcosa che spinga le superstiti verso un risultato non meno che esaltante, qualcosa che faccia dimenticare alla Federazione magiara i soldati Bánóczki Agota e Vizikozmú Dora. Guardandole sbaciucchiarsi e carezzarsi l'un l'altra, capisco che il 13 aprile non dovrò ottenere semplicemente delle segnalazioni. Sto rischiando grosso. Qua serve qualcosa di piú. E io, purtroppo, so già cosa.

Sul fiume ci sono ancora le navi pettinacadaveri, ma sui loro fianchi l'acqua batte sgombra. Ha lo stesso aspetto gommoso di sempre, però non ribolle piú, è senza groppi ora – una gigantesca barra di liquerizia, lucida, nera, finalmente disciolta – e soprattutto, Sárkány non ha piú la mascherina.

Com'era prevedibile, il disastro ecologico che ha colpito il Tibisco in questi mesi ha inquinato anche i rapporti tra Ungheria e Romania. Ne parliamo con Gyula Kònya, editorialista del quotidiano di Szeged «Délmagyarország».

Kònya, come stanno andando le cose?

L'ospite guarda Sárkány come un giornalista ungherese guarda un altro giornalista ungherese che ha studiato in qualche college inglese e poi si è fatto pure assumere dalla Bbc. Sárkány copre il buco:

La Prefettura della Regione di Maramaros ha costretto la miniera di Nagybánya a pagare all'Ungheria un'ammenda di quarantacinquemila fiorini, giusto?

Sí, giusto. Ma forse bisognerebbe aggiungere che quarantacinquemila fiorini corrispondono a circa centottanta euro. L'Ungheria vuole essere risarcita davvero. Questi soldi sono un insulto. Loro ci hanno avvelenato il fiume. Poco importa che si siano scusati, poco importa che il direttore della Gold si sia dimesso. Loro ci hanno ucciso migliaia di tonnellate di pesci, hanno ster-

minato forse per sempre intere specie animali, hanno
messo a rischio i nostri allevamenti, i nostri raccolti, è
solo grazie alla mancata piena del fiume che la nostra
bella Puszta è stata risparmiata. Loro hanno attentato
alla nostra stessa vita, potevamo morire tutti avvelenati per quella maledetta miniera.

Ci sono degli accordi bilaterali a cui l'Ungheria può
appellarsi, Kònya?

Oh sí, certo, per il commercio, l'agricoltura, la tute-
la delle minoranze. Ma non per la qualità delle acque.

Però, Kònya, ci sono sempre le norme per la protezione ambientale del diritto internazionale, giusto?

Oh sí, ma in base a quelle norme noi dovremmo provare che la Romania fosse priva di norme precauziona-
li per le attività della Gold o non avesse controllato
l'applicazione delle stesse. Insomma, dovremmo mettere il Corpus Iuris Civilis di Bucarest con le spalle al
muro, ovvero un compito impossibile, per chiunque.

Quindi l'Ungheria, da parte del proprio vicino di casa, può solo sperare in un'iniziativa spontanea?

Vedi, è qui che sbagliate voi occidentali. Se le tuba-
ture del tizio di sopra si rompono e i suoi escrementi
piovono nella tua vasca da bagno, che fai tu? Speri? O
vuoi? O pretendi? O, meglio ancora, agisci?

Bene, ringraziamo Gyula Kònya. E questa attualmente la temperatura emotiva dell'opinione pubblica
ungherese.

Béla Sárkány, Szeged, Bbc World.

50.

Da: alberto.lentini@uclink4.berkeley.edu
Data: domenica, 10 febbraio, 16:11
A: dario.rensich@katamail.com
Oggetto: emassist

dario, si chiama emassist. è un'emoglobina
sintetica in fase di sperimentazione 2 (la fase 1 è
quella animale). un mio collega, il maiale che dirige
l'institute of pharmacology, dice che per voi è
meglio dell'epo. mi ha messo in contatto con quelli
che la stanno testando. il prodotto è sicuro,
garantito, solo che per alcuni vizi formali non
rientra ancora nei parametri statistici per la
commercializzazione, quindi, primo vantaggio:
includendovi nel loro campione vi forniranno tutto
gratis. secondo vantaggio: non essendo entrato nel
circuito, ai rilevatori risulta ancora sconosciuto.
l'emopure, ad esempio, commercializzato in
sudafrica, è una molecola molto meno raffinata
dell'emassist trattandosi di un polimero
dell'emoglobina bovina, per cui, anche se dà
ottimi risultati, è piú facilmente individuabile. poi
ci sarebbe la rsr13, che tu probabilmente conosci
come «turbo», fantastica per il rilascio di
ossigeno, ma che non ha la discrezione di
un'emoglobina ricombinante umana come
l'emassist.

fidati, mi sono informato bene.

allora, una fiala da 10 000 unità tre volte alla settimana. con questo dosaggio in un adulto sano si ottiene l'incremento di circa 1 g di emoglobina/dl di sangue. dovrai associare del ferro endovena, altrimenti l'efficacia sarà ridotta.

dovrai controllare periodicamente gli indici di stimolazione midollare. e ovviamente l'ematocrito. per mantenere la viscosità ematica lontana dall'ictus dovrai far muovere le ragazze per almeno mezz'ora anche di notte. ti serviranno delle cyclette... che scemo, tu queste cose le sai già, non è vero? bastava che ti dicessi: tutto come l'epo. riceverai al massimo dopodomani un pacco dalla alloxter di palo alto con il prodotto e i dettagli della posologia. non stare a tormentarti. voglio dire: per tutto il resto sí, ma non per questo. le farai diventare solo un po' meno sublunari. saranno solo un po' piú vicino ai corpi celesti. però non verranno abbandonate dalla fatica, né dalla pena gravitazionale. resteranno entità umiliate dalle affezioni. come te. come me. non si diventa stelle. e comunque nemmeno le stelle sono davvero insensibili. ricordati il maestro basilio.

alberto

51

– Le ragazze non sono per niente contente della novità, – mi ha detto Agota di ritorno dalla mensa. Ogni tanto si ferma un po' con le sue ex compagne, la sera, per mantenere intatto un ultimo filo tra lei e il mondo delle grandi aspirazioni. Sa di averle tradite e non le va di farsi odiare del tutto. Una blanda attività sindacale è ciò che il gruppo le consente per non venire completamente esclusa. Io approfitto di queste assemblee di fine pasto per appartarmi e telefonare. Sicché ieri Agota è rientrata per riportarmi la scontentezza delle wonderbabies mentre Maura mi stava dicendo che non era affatto contenta che dall'Holy Cross le avessero spedito altre foto di nostra figlia, perché lei, Fiona, voleva vederla crescere davanti ai suoi occhi, in casa sua, e non nelle foto tutte uguali dei burocrati haitiani. «Foto segnaletiche del cazzo» le aveva chiamate alla fine. Quando Agota ha visto che stavo al telefono, si è scusata con un aúgh della mano e si è sistemata sul letto, davanti a Sárkány. Ha fatto tutto silenziosamente, la Tv era già accesa, ciononostante Maura mi ha chiesto chi era entrato e io ho dovuto dirle che si trattava della tizia delle pulizie, che era venuta a portarmi gli asciugamani, e Agota è rimasta impassibile, come se Béla Sárkány le stesse rivelando le date capitali del suo avvenire oppure quelle del prossimo tour dei R.E.M. Distesa cosí sul letto, aveva i piedi enormi, la pancia piú grande della testa. La prospettiva non le rendeva giustizia. Mi sono alzato dalla poltrona e, trasferendo la

conversazione con mia moglie verso il bagno, le ho accarezzato il ginocchio sinistro. Le ragazze non erano
contente. Maura non era contenta. Fiona cresceva, era
una cosa reale, non era Roger Rabbit: nuove foto la ri-
traevano apposta per dimostrarci questo. Fissavo gli
accappatoi appesi sulla porta del bagno: al di là regna-
va Agota, con il mio erede appiccicato all'utero. Ogni
sera rispondo alla dolcezza di mia moglie il piú dolcemente possibile, cercando di sopprimere, soprattutto
nelle prime battute, la delusione di saperla ancora viva. Anche ieri sera è stato cosí. Maura, perché non
muori? Ti vorrei bene per sempre se tu morissi.

– Spiega un po'? Cos'è che hanno le ragazze? – Mi
sono disteso anch'io sul letto, abbandonando il cellulare sul comodino con tutto il calore di Maura ancora
lí dentro.

– Era la malata di nervi? – Ovvio che Agota se ne
sarebbe appropriata, non avrei mai dovuto usare quel-
l'espressione.

– Sí, era lei. Allora, cos'è che hanno le ragazze?

– Non sono tanto contente.

– Non tanto o per niente?

– Be', capiscono che la nuova medicina le fa stare
meglio. La medicina va bene, dicono –. La chiamava
medicina, non voleva irritarmi sul serio. Per fortuna
Agota non è una brava sindacalista.

– E allora?

– Allora si lamentano per la bicicletta. Dicono che
alzarsi la notte è faticoso, che fanno già abbastanza durante il giorno e che mezz'ora di bicicletta possono metterla magari nella pausa pranzo se proprio bisogna, ma
che svegliarsi di notte è una tortura.

– La cyclette va fatta di notte. Devono considerarla come parte della terapia. È la medicina che lo ri-
chiede, non io.

– Sí, ma è già una settimana che lo fanno. Vogliono
sapere quanto durerà.

– Durerà fino al termine della preparazione, ma loro non devono pensarci. La medicina le farà stare sem-

pre meglio –. Mi imbarazzava chiamarla cosí anch'io, ma non era certo il momento di rifiutare un piccolo aiuto. – Questo è un metodo collaudato. Interrompere il sonno dà fastidio, lo so.

– Be', non dà solo fastidio –. Agota teneva gli occhi sulle mani, si controllava lo smalto, il suo smalto blu da Belgrád Rakpart, non voleva che la sua replica risultasse il rimprovero che era.

– Okay, non dà solo fastidio. È molto faticoso. Ma questo posto è il tempio della fatica e le ragazze lo sanno. Entro pochi giorni si abitueranno al ritmo. Vedrai, appena finito il turno di cyclette si riaddormenteranno senza problemi.

– Perché le hai detto che sono la donna delle pulizie? – Agota ha tirato su lo sguardo e mi ha sorriso come una volta non sapeva fare. Prima di conoscermi, sapeva stare sopra, stare sotto, baciare, leccare, succhiare, nuotare a delfino, ma non sapeva sorridere in quel modo. Almeno qualcosa le ho insegnato.

– È stata la prima c…, – ma lei mi ha messo due dita sulla bocca e con l'altra mano mi ha lisciato i capelli poco sopra l'orecchia, senza smettere di sorridermi. Si vede che è ingrassata. Gli zigomi sporgono con una certa morbidezza, riposano in un rosa appena appena pronunciato. La pelle è meno trasparente, gira sotto il mento, sulla fronte, sull'osso del naso, piú spessa, attutisce le asperità come se fosse incipriata dall'interno. Prima, Agota aveva sempre qualcosa sul viso: la crosticina dell'herpes, le bruciature del sudore sotto le palpebre, un moccolo strisciato sulla guancia. Adesso, è tutto liscio, pulito, perfetto. Da come mi guarda capisco che si sente piú bella, ma c'è minor urgenza sul suo viso. Anche ieri sera, aprendo un istante gli occhi mentre la baciavo, ho visto che mi guardava cosí. C'era il suo occhio sinistro che contemplava, gigantesco, la mia tempia destra. Era l'occhio consapevole di una giovane donna che non ha imparato ad amare la maratona.

52

– Dio, che bello… Non c'è niente di piú bello di questa roba.

– …

– Ehi? Ci sei?

– Sí.

– Pensavo avessi messo giú. Ti stai già rivestendo?

– Dovremmo smettere.

– Eddai Maura, post coitum animal triste.

– No, dico sul serio. Dovremmo smettere. Questa è una maledetta droga. Per stare bene cinque minuti sto male tutto il giorno. Non so com'è cominciata ma deve finire. Non è giusto.

– Senti bella, sei grande abbastanza da poter affrontare i tuoi sensi di colpa senza la consulenza del dottor Sigmud Lentini, per cui se la ragione della tua telefonata era questa e non tutto ciò che l'ha preceduta direi che possiamo anche salutarci.

– Ma tu che razza di bastardo sei?

– Quello con cui hai appena avuto un orgasmo transoceanico.

– Brutto bastardo, Dario era anche tuo amico!

– *Era*? Non mi pare che sia morto. Dario *è* mio amico. Dacché ne so io, gode di ottima salute.

– Come fai a dire che gli sei ancora amico?

– Senti Maura, te l'ho già detto, dovresti essere capace di cavartela da sola coi sensi di colpa. Guarda che non è facile neanche per me.

– A no eh? Be', senti, non so come ti giustifichi tu, ma io non mi do pace. Dario è laggiú, coi nervi a pezzi, solo come un cane. Ogni sera mentre gli parlo cerco di non pensare a cosa ho appena fatto o a cosa farò con questo cazzo di telefono. A cosa farai tu. Lo sento cosí stanco, e solo.

– Be', stanco sí, ma non è solo.

– Che intendi dire?

– Intendo dire che… che ne so cosa intendo dire… magari con te esagera un po' per farsi coccolare.

– Cosa ti scrive?

– Ma niente, piú o meno le solite cose. Però non mi dà l'aria di soffrire di solitudine, non sembra solo, ecco, tutto qua.

– Che discorsi. Certo, ci sono le tue e-mail, le mie telefonate. E poi c'è la gente del collegio. E le squinziette. Ma…

– …

– Intendevi loro? Le squinziette?

– Ma no. Dicevo che non sembra solo e basta.

– Che razza di bastardo…

– Te l'ho detto, non è facile neanche per me.

– …

– Ti ricordi di Marini?

– Che fai? Cambi discorso adesso?

– No, non cambio discorso. Ti ricordi di Marini?

– Il console.

– Il viceconsole. L'ho visto ieri dopo un sacco di tempo. Non so come, siamo finiti a parlare di quella volta all'Equinox.

– Oh Alberto, non metterti a dirmi che hai sofferto anche tu quella sera. Per piacere, non lo fare.

– Non ti sto togliendo nulla.

– Ecco, è meglio, perché…

– Volevo solo dire che per te è stato diverso. Cioè, per me è stato diverso.

– In che senso?

– Nel senso che tu hai cominciato a soffrire solo *dopo* il referto medico.

– Invece tu e Dario, che mi siete corsi dietro, siete stati male *anche prima*, è questo che vorresti dire?

– Sí e no... La verità è che io sono stato male *solo prima*.

– ...

– *Dopo* ho provato sollievo.

– Be' Alberto, vaffanculo.

53

Sono proprio fiero delle wonderbabies. Il lavoro di asciugatura sta giungendo a compimento. Anche Imréné ora, nonostante i sei millimetri di plica soptrailiaca e una percentuale di grasso corporeo superiore all'11%, ha ad ogni appoggio le tre fasce del quadricipite che scavano nella coscia l'intreccio di un cavo d'acciaio. I pranzi ipoglicidici sono finiti e ormai Imréné non potrà piú scendere sotto i 48 chili, ma neppure lei sfigurerà a Trieste. Queste ragazze mi trasmettono fiducia. La sento nell'aria quando voliamo sull'argine a 3′30″. Mi pare di poterla sfiorare con i polpastrelli. Ogni tanto sciolgo le mani, le apro a raccogliere la fiducia delle mie ragazze, lascio che mi frizzi tra le dita al posto di tutte le parole che non mi dicono e che non potrei capire.

La seconda metà di febbraio ha fatto riaffiorare dalle spaccature del terreno il caldo di ottobre, ma c'è una diversa reazione dei nostri corpi ora, c'è qualcosa che li spinge dall'interno, un'euforia che li sovraespone, forse semplicemente la percezione subcorticale di una primavera mai cosí anticipata. L'aridità spaventosa dei campi non è piú in grado di spaventare nessuno da quando le giornate si stanno allungando. Non noi almeno, che concludiamo la seduta pomeridiana con il sole ancora intatto sopra i caseggiati della città e ci scoliamo la nostra brava bottiglia di Adhoc al limone sugli scalini del Kollégiuma come i modelli di una campagna di sensibilizzazione per l'anoressia. Eccoci se-

duti, con il mento sgocciolante e tutta la faccia scesa di
mezzo centimetro, anestetizzata dalle endorfine. Eccoci a torso nudo, con la dry fit appallottolata nella mano libera, grati al freddo per la sua morte precoce.

Questa calma contiene frenesia, ovviamente. Dentro
l'organismo a sei teste che siamo diventati è già scatta-
to il conto alla rovescia verso La Prova, stiamo tutti
scorrendo le tabelle delle otto settimane mancanti. Ma
l'Emassist ti fa pensare di aver trovato un lembo di polmone che non usavi mai, in più ha già risolto i problemi di anemia che affliggevano tutte le ragazze tranne
Mónika, e come se non bastasse, in mensa è tornata la
pasta, centodieci grammi di spaghetti Barilla con un cuc-
chiaino d'olio extravergine. Quindi l'ansia del gruppo
è visibilmente colma di ottimismo. Il che garantisce agli
allenamenti, anche da parte di fallite come Katalin e
Magdolna, una dedizione davvero speciale.

Essendo Dora la terza in termini di prestazioni (prima Mónika, seconda Agota), la sua rinuncia, avvenu-
ta dopo due recidive e undici infiltrazioni di cortisone,
è stata accolta con sollievo anche dalle gemmelline Mihályne e Imréné, questo naturalmente dopo che avevano accettato di spartirsi i body in lycra dell'amica.
Quando l'abbiamo messa sul pullman per Pécs, Dora
aveva dipinto in faccia il suo futuro nella pornografia
o in qualche televendita di attrezzature per l'home fitness: una bella ragazza liquidata dalla sorte dietro un
finestrino coperto di monossido e schizzi di fango. È
stato a dir poco imbarazzante che fosse solo lei a piangere. Al ritorno, abbiamo percorso i quattrocento metri che separano la stazione delle corriere dal Kollégiuma tutti sparpagliati: io, László, le ragazze, come degli
estranei che si allontanano dalla stessa fermata diretti
allo stesso sottopassaggio. Agota si è rimessa le cuffie
con i R.E.M. e mi ha camminato a fianco – la testa nei
versi nonsense di *Up*, gli occhi soddisfatti di chi è stato risparmiato da una carneficina e ha buoni motivi di
credere che da quel momento la vita potrà solo miglio-
rare. Ognuno di noi faceva grandi sforzi per trattene-

re l'allegria, ma c'era questo vento nuovo che sembra avere chissà quale profumo e invece è semplicemente ciò che resta nell'aria dopo che il tanfo è stato spazzato via, e c'era un sacco di gente col giubbotto aperto e nessuno portava piú la mascherina e, insomma, bisognava essere proprio bravi per non sorridere. È stato solo poco prima di entrare che Agota si è abbassata le cuffie sul collo e mi ha detto che le ragazze continuavano a lamentarsi della razione notturna di bicicletta.

Cosí mi sono messo la sveglia alle tre e adesso sono qui nella stanza di Mónika a fare il generale in trincea. La cyclette è oliata perfettamente e anche il movimento sonnambolico di Mónika lo è. Tiene la testa bassa sul manubrio con le treccine che scendono in un cespo di rovi infiocchettati. Ogni tanto la alza per cercarmi. – Well done, Mónika. Good, very good. You need it. Believe me –. Lei mi sorride, ma si vede che sta sognando di sorridermi e di passeggiare in bicicletta sullo scendiletto. Di là le ragazze chiacchierano, restano sveglie anche per il turno dell'altra, è come se si prendessero una pausa nella notte. «No break, no break» ho detto prima, a Mihályne, che se ne stava seduta in poltrona a intrattenere la compagna. «One of you rides the cyclette and the other one has to sleep» ho chiarito alle due, ancora intente a riprendersi dalla mia apparizione. Mónika invece pedala all'interno di un tunnel onirico. Sul suo cuscino ci sono due elastici arancioni, ma il letto ha quasi lo stesso aspetto di quello di Dora, non sembra il letto di una che si è svegliata di soprassalto nel cuore delle tenebre. Le coperte sono intatte, se non per la minuscola orecchia da cui dev'essere sgusciata. Nell'aria intorno a lei, il sudore si mescola con le zaffate dolciastre del piede d'atleta: è una cosa che la fa assomigliare ad Agota, anche se Agota ormai il suo unico paio di Adidas l'ha abbandonato in bagno e manco si ricorda l'ultima volta che ha avuto un po' di pus sotto l'alluce. Dal piede di atleta si guarisce presto: basta smettere di correre trenta chilometri al giorno.

Entra László. Le porte sono aperte sul corridoio come se fossimo nella stessa sala macchine, per cui non c'è niente da bussare. Anche su di lui la mia presenza ha lasciato il segno. Quando mi ha visto arrivare nella stanza di Katalin e Magdolna, è addirittura arrossito. Adesso ha ritrovato la solita imitazione di Gambadilegno ma si vede che è ancora scioccato. Almeno di notte, il primo piano pensava fosse territorio suo. Non era per questo forse che si alzava insieme alle ragazze? Se sapeva che arrivavo anch'io mica si svegliava. I suoi pensieri mi appaiono nitidi, a stampatello, come dentro fumetti. Le pieghe del giro vita gli escono a mo' di grembiule da un paio di pantaloncini da basket. Calza ciabatte da piscina. Considerando che nemmeno la canottiera Adidas viene dall'atletica, è evidente che il mio aiutante è un riciclaggio di mille sport. «I go back in my bed» mi dice, tenendo lo sguardo sul cespo di Mónika. Le treccine ballano rovesciate in avanti, lasciano vedere una fetta di nuca. È lei la nostra promessa. L'Emassist lo diamo a tutte, ma è questa ragazza la nostra promessa. Il concetto galleggia cristallino negli occhietti acquosi di Orso László. Lui preferirebbe toccasse a Katalin, ma Katalin è già troppo impegnata a salvare se stessa da un bel posto di shampista nell'unico salone di Szeged-Kiskundorozsma, per riuscire a salvare noi. Ecco perché Mónika ha ben due allenatori in stanza che la confortano silenziosamente, mentre raggiunge i valori di fluidità ematica sufficienti per allontanare anche stanotte lo spettro dell'ictus. Ora László guarda me, ma non si decide a uscire. Chissà quante cose vorrebbe dirmi se avessimo una lingua in comune. Chissà se anche lui chiama l'Emassist medicina quando lo inietta nella pancia delle ragazze. Chissà come lo chiama quando parla con la spia Csányi. Chissà come lo chiama Csányi con Carlo. Dall'assenza di visite, telefonate, richiami, sembra che l'approvazione sulla mia scelta sia unanime. László mette tutte le cose che vorrebbe dirmi nella solita bufala: – Forecast weather said rain tomorrow, – e torna in camera sua. Mónika alza la testa e mi sorride. Ha aspettato che uscisse per farlo. Macina i suoi quindici chilometri dormendo su un letto a pedali, però ha capito che siamo rimasti soli di nuovo. Io non le do corda, guardo indistintamente dalla sua parte, lei e insieme le sue culotte di seta riflesse dall'abat-jour contro la finestra. Cerco di non fissare né gli occhi né i glutei, di tenere unito il fronte/retro. Penso a culotte, abatjour, cyclette e mi pare che ci siano troppe parole francesi nella stanza. È come se fiutassi una certa premeditazione della sonnambula. L'unica fabbricata senza un difetto, l'unica sparata verso un avvenire di medaglie, copertine, assegni, l'unica vera maratoneta. Ricambio il suo sorriso nel modo piú generico possibile. Paternamente, la sto contemplando paternamente. Il ronzio della pedalata amplifica a livelli esponenziali il silenzio dell'intero Kollégiuma. Lei mi dice: – I know a secret about him, – indicando col mento il punto da cui è appena ciabattato via László. Un segreto? László? Ma io, scegliendo di recitare fino in fondo la parte dell'uomo senza equivoci, faccio no grazie con la mano e indietreggio a occhi bassi fuori dalla porta, come se avessi rifiutato una mancia. Di fatto già pentito.

54

Asl di Trieste. Consultorio Familiare Pubblico. Ufficio Adozioni. Una scatola.

«Dario, mi parli un po' di sua moglie».

«Oh Gesú, immagino sia questo il senso del colloquio individuale. Confidenze. Ha chiesto lo stesso anche a Maura?»

«Non mi dica che non ne avete parlato?»

«Be' sí, ne abbiamo parlato».

«E allora…»

«Okay, d'accordo, cosa vuole sapere?»

«Mi parli un po' di sua moglie».

«Be', l'ha vista no?»

«Sí, è molto bella…»

«No, intendo dire, ha visto cos'è veramente Maura?»

«…»

«Maura è tutto ciò che un uomo sano di mente possa desiderare dalla vita. È ciò che ti tiene in piedi, ciò che ti tira fuori dalle buche, non so se ha notato come esplodono i suoi passi quando cammina. Non sono gambe le sue, sono razzi vettori. Maura è ciò che puoi ancora guardare quando ti trovi… non so… diciamo in un locale schifoso. Sto andando bene?»

«Se la cava appena. Io, Dario, vorrei sapere perché mi detesta cosí tanto. Posso saperlo, eh?»

«Non detesto lei personalmente. Se lei, Gianna, fa queste domande vuol dire che le avranno detto di farmele. Trovo semplicemente pazzesco che debba guadagnarmi un figlio in una specie di talk show organizzato dallo stato».

«Nessuno trasmetterà la nostra conversazione in Tv. Lei non sa quello che dice. Ci sono delle procedure per stabilire cose che lei non può conoscere. A meno che non voglia insegnarmi il mio mestiere».

«No, non è questo».

«E allora la smetta. I tizi del suo talk show mi pagano per aiutarla».

«D'accordo...»

«Facciamo una cosa, ci diamo del tu?»

«Be'... per me va bene, Se fa parte della procedura...»

«No Dario, è proprio questo il punto. Non fa parte della procedura».

«Okay, va bene».

«Ecco, adesso parlami di Maura».

«Be', quella cosa del tenermi in piedi e tutto il resto è vera. Maura è davvero il palo su cui si arrampicano i miei rami. Prima pendevo di qua, pendevo di là, mi aprivo in tutte le direzioni, adesso sto su dritto, ho un posto».

«Di chi è stata l'idea di avere un bambino?»

«Sua. Lo sa già... lo sai già. Sua è stata. Ma a me è andata benissimo subito. Incontravo sempre qualcuno che mi diceva di spicciarmi, di non aspettare troppo, di non lasciarla a lungo senza un figlio. E poi eravamo sposati, la trovavo una conseguenza tutto sommato logica. Sai, non sono di quelli che si chiedono come si fa a mettere al mondo altri esseri umani in un'epoca come la nostra. Io non ce l'ho con la nostra epoca. Anzi, direi che ci vivo discretamente. I pezzi che stoccava mio padre in fabbrica adesso li fanno macchine a controllo numerico. Mia madre ricopiava migliaia di fatture con la carta carbone, mentre adesso compilerebbe i campi di un'unica scheda di database. Credo che i miei genitori sarebbero contenti della nostra epoca. E anch'io lo sono. Non mi sono mai posto il problema "bambini quale futuro?". Gli esseri viventi tendono a riprodursi, lo fanno sempre e da sempre. In situazioni ambientali spesso peggiori di questa. La faccenda passa anche attraverso di me o di un altro simile a me. Dov'eravamo?»

«Al tuo sí».

«Ecco, appunto, sí. Ci sono stato subito. Non proprio subito, a dire il vero. C'erano ancora le gare».

«È stato per risarcirla?»

«Risarcirla? Guarda che all'inizio neanche Maura la viveva come una necessità. Aveva voglia di andare alle feste. E poi risarcirla di cosa?»

«Be', ha interrotto la sua carriera per te».

«Ma quale carriera? Quando ci siamo conosciuti aveva già dato tutto. E, lo dice lei per prima, non era stato tanto. Qualche piazzamento in Coppa Europa, fine. Si era già iscritta al concorso per l'insegnamento. Aveva la testa fuori dallo sci ben prima che io potessi interrompere qualcosa, te l'assicuro».

«Quindi ci ha solo guadagnato?»

«Ehi, ma cos'è? L'Ufficio Adozioni o l'Unione Donne, questo?»

«Rispondimi, Dario».

«Ci abbiamo guadagnato tutti e due. Non allo stesso modo, certo. Maura mi ha dato il coraggio che a lei non serviva piú. Ecco, quella cosa per buttarsi giú nei burroni ghiacciati l'ha data a me e io l'ho messa sull'asfalto, perché anche sul dritto funziona, sai, e insieme ce l'abbiamo fatta».

«E quand'è che avere un figlio ha smesso di essere una semplice possibilità?»

«Io credo… circa sei mesi prima che a Maura venisse l'idea di farne uno».

«Non ti seguo».

«Prima che cominciassimo a provare, prima ancora che Maura me ne parlasse per la prima volta. Ovviamente l'ho capito dopo. Ci sono cose che neanche Maura sa. O sa di sapere».

«Cioè?»

«È successo un fatto».

«Ti ascolto».

«Erano i nostri ultimi giorni in California, Maura te ne ha parlato. Stavamo per tornare e un po' di gente ha deciso di prenotare un tavolo all'Equinox per salutarci come si deve. Erano amici acquisiti, amici di Alberto, sai no?, il nostro ospite. C'erano il viceconsole, due lettori di italiano, un podologo che mi ha rotto per tutta la cena perché gli mostrassi i miei, di piedi, ma questo non c'entra. C'erano le loro indistinguibili mogli. Insomma, una decina di romani trapiantati a San Francisco, pronti a sacrificare la loro finezza pur di farci provare la pacchianata dell'Equinox. Ufficialmente la scelta del ristorante era in onore di Alberto. Una scelta ironica. Sai, lui studia i cieli e gli astri secondo gli antichi, quindi Equinox, chiaro no?»

«Ma cos'ha di speciale 'sto posto?»

«È all'ultimo piano di un grattacielo e i tavoli sono addossati alle vetrate e l'intero piano del ristorante è un disco che gira su se stesso lentamente, in modo da farti ammirare tutta San Francisco infinite volte, mentre sei lí seduto a mangiare. Una trappola per turisti a duecento dollari a capoccia, machissenefrega, pagava il viceconsole e poi la serata era cominciata bene. C'erano i menu tipici di tutto il mondo e la cucina italiana occupava ben tre pagine. Lo trovavamo molto divertente. Tutte le specialità, tutti i tipi di pasta, tutti i tipi di zuppe e, incredibile, c'era anche la jota. Allora Alberto ha detto che dovevamo prendere tutti la jota triestina e io ho rilanciato dicendo che allora dovevamo prendere anche il bollito misto dal menu tedesco e consacrare la cena alla cucina di Trieste e cosí abbiamo fatto. Era troppo divertente sorbire la nostra jota insieme a tutta quella gente, seduti ognuno davanti alla specialità tipica prescelta, tra i giapponesi del tavolo vicino furoreggiavano le melanzane alla parmigiana, mentre, duecento metri piú sotto, l'Embarcadero, China Town, Grace Cathedral, Fisherman's Wharf e il resto di una patinatissima San Francisco non smetteva la sua sfilata. Eravamo totalmente presi dalla nostra consapevolezza. Hai in mente quando ti senti furbo perché sai che ti stanno imbrogliando? Ecco. È stato a lungo l'argomento della conversazione. Parlavamo a voce alta. Continuavamo a bere birra e a ridere. Solo Maura non rideva tanto, ma poteva essere qualsiasi cosa, anche un po' di malinconia, insomma non ci ho badato. Erano arrivati i piatti con il bollito e io facevo ridere tutti chiamando i singoli pezzi di carne in triestino. Ecco la porzina, ecco le luganighe de cragno, e giú a sbaccanarsi. Cazzo, era come essere da Pepi Sciavo, hai presente no?, solo che non eravamo da Pepi Sciavo, eravamo a San Francisco, tutti con le nostre brave porzioni di crauti triestini fabbricati chissà dove, microondizzati per noi, lí all'Equinox. E la moglie di un lettore mi ha chiesto se davvero mangiamo cosí a Trieste. Sai, tipo quelli che ti chiedono come fai a vivere in una città dove il vento soffia a centoventi all'ora, pensando che qui la bora sia perenne. Pazzesco, no? E mentre le dicevo piú o meno questo e tutti ridevano come matti, mi sono accorto che la sedia di Maura era vuota. È andata in bagno, mi ha detto Alberto. E cosí siamo andati avanti a sbellicarci e a mangiare prodotti tipici. E il podologo mi ha detto per la sesta volta che dopo avrei dovuto fargli il grande favore di mostrargli i miei piedi. E Maura non era ancora tornata. Non so bene quanto fosse passato, forse un quarto d'ora, forse mezz'ora. Nessuno si era accorto di niente. Nessuno ci aveva fatto caso. Sai quando a tavola c'è quell'euforia quasi affannosa, no? Ecco, cosí. Insomma, sono andato a vedere. Ho aspettato un po' davanti alle porte, poi sono entrato nei bagni delle donne e l'ho chiamata. A quel punto uno della sicurezza mi chiede se ho bisogno di aiuto. E io gli dico che sto cercando mia moglie. Sua moglie è forse una donna alta con i capelli rossi? Sí, dico io. Purtroppo sua moglie è stata male. Come sarebbe a dire è stata male? Adesso dov'è? E il tizio mi spiega che è già venuta l'ambulanza e se la sono portata via. Praticamente un sequestro di persona. E io mi sento letteralmente mancare il grattacielo

da sotto i piedi e sto precipitando in un incubo dove
sono solo, senza Maura, nel buio piú assoluto. Sono
tornato al tavolo e ho detto che hanno portato Maura
all'ospedale. Si sono alzati tutti e siamo corsi al guar-
daroba. C'era ancora il suo cappotto. Ho fatto enormi
sforzi per non sedermi lí sulla moquette dell'ingresso e
mettermi a piangere come un bambino. Il maître ci ha
rincorso temendo che non pagassimo. Nessuno osava
chiedere come potessero portare via la gente cosí, senza avvertire. Il maître la spacciava per efficienza. Loro e dell'Emergency Service. In realtà si erano sbaraz-
zati di una donna svenuta e ferita alla testa, prima che
troppi clienti la vedessero. Svenuta e ferita alla testa,
ecco com'era Maura. Io ero di là a far ridere quegli
stronzi con i crauti e di qua Maura stava male, era svenuta, si era ferita alla testa. Con tutto 'sto girotondo e
il cotechino e la porchetta, avrà avuto le vertigini, avrà
battuto da qualche parte, ma è viva, mi dicevo. Non
so dove, ma è viva. Mentre il viceconsole scaricava la
sua American Express e gli altri continuavano a stupirsi di com'era successo tutto cosí in fretta, della nostra distrazione ma anche del tempismo dell'Emergency, Alberto ha chiamato un taxi e siamo corsi dove
l'avevano portata, al San Francisco General Hospital.
Non ti preoccupare, avrà avuto un po' di nausea, anch'io stavo per vomitare a suon di girare in quella merda, ecco, Alberto mi diceva cose cosí, cercava di tran-
quillizzarmi, ma si vedeva che era preoccupato anche
lui. Ero talmente terrorizzato dal mio incubo, che non
riuscivo neanche a incazzarmi. Mi avevano sequestrato la moglie e, per quel che ne sapevo io, poteva essere anche in fin di vita. Il taxi ci ha mollati davanti alla rampa dell'Emergency Service. Siamo entrati per
l'ingresso riservato ai mezzi ospedalieri. Stavano giusto sistemando l'ultima ambulanza, erano in due. Uno
ci ha fermati, l'altro continuava a mettere a posto l'interno, e quella che aveva in mano, cazzo, quella era la
scarpa di Maura. Io sono il marito, gli ho urlato indicando la scarpa. Lui mi ha detto che non c'era ragione

di urlare, che era tutto okay. E mentre stavo per ur-larghi che erano dei figli di puttana, che mi avevano appena rubato la moglie e che io urlavo quanto volevo, quello che ci aveva fermati ha aggiunto: Compliments sir, your wife is pregnant».

«Cosa? Incinta?»

«Proprio cosí, incinta. Di colpo l'incubo era svanito. Era incinta, aveva la nausea, ecco perché non rideva a tavola. E io non le avevo chiesto niente, mi sentivo un cane, ma insomma era incinta, stava bene, era tornata la luce, non sarei rimasto solo, anzi, saremmo stati in tre. Ci hanno guidati davanti alla porta numero 16. Anche Alberto era felice. Continuava a dirmi coglione, cos'hai combinato, e mi dava un sacco di pacche. Quei momenti, mentre aspettavamo che uscisse il suo lettino, seduti lí sulla panca davanti al numero 16, credo siano stati i piú belli della mia vita. Ovviamente, l'ho capito molto molto piú tardi».

«Continua».

«Dopo circa mezz'ora è uscita. La tenevano in osservazione una notte, machissenefrega, le radiografie erano a posto e quella donna con la calotta di garza sopra la tempia sinistra era la cosa piú solida a cui mi potessi afferrare. Stava piangendo a dirotto e mi ha contagiato subito. Ricordo di aver pensato: dio, quanto si sbagliano questi poveri disgraziati, credono che siamo tristi e invece siamo contentissimi. Dalle altre panche seguivano la scena, capisci?, e non potevano certo immaginare che piangessimo perché stavamo aspettando un bambino. Non sperate che mi ci metta anch'io, ha detto Alberto. Su, forza, Maura, c'è di peggio che diventare mamma. Al che Maura, piangendo ancora piú forte, ha detto: Si sono sbagliati, non sono incinta, ho avuto solo un capogiro».

55

Sárkány aspetta il collegamento in mezzo a un via-vai di persone indifferenti. Guarda in camera, tiene l'espressione, aspetta il segnale. Dietro di lui c'è una ringhiera celeste e un fiume nuovo. Giallo, quasi una miscela di latte e senape. Ancora torbido, meno lento e colloso però. Con qualche sforzo si potrebbe anche definirlo un corso d'acqua.

Mentre Bucarest minaccia l'Ungheria di richiamare in patria il proprio corpo diplomatico, qui a Szeged si può tirare un sospiro di sollievo. Le autorità locali hanno revocato lo stato di emergenza. Come vedete alle mie spalle, anche le navi hanno sciolto il loro sbarramento. Qui ci troviamo sulla vivace via Stefania, quasi una terrazza panoramica sul Tibisco, e la gente passa dritta verso il proprio ufficio, verso la propria commissione, cercando di non guardare il fiume. Il biondo fiume, come lo chiamano qui, scorre piú liscio ora. Grazie alle piogge di questi primi giorni di marzo e all'apporto di acqua pulita da parte del Maros e degli altri affluenti, il cianuro è sceso al di sotto del valore critico di 0,01 milligrammi per litro. È difficile credere, tuttavia, a un rapido ritorno alla normalità. Nonostante questa massiccia trasfusione di sangue nuovo, le devastazioni di quello infetto sui tessuti circostanti potrebbero essere irreparabili o addirittura estendersi surrettiziamente, nel corso del tempo, a tutto l'organismo terrestre. Gli scienziati non possono prevedere le capacità metaboliche del nostro pianeta di fronte a una simile dose di veleno. Resisterà? E qui a Szeged, l'infezione guarirà? Torneranno a volare le aquile retiche sui cieli di Szeged? Si rivedranno le lontre? Verranno ancora ad abbeverarsi i caprioli? Sulle rive la vegetazione è stata letteralmente abrasa dall'ondata tossica. Riuscirà a rigenerarsi? Forse nei nostri report non vi abbiamo mai detto che Szeged è nota anche come «città del sole»: i suoi abitanti sperano ora che la primavera la renda degna di questo nome, ovvero che porti un sole buono capace di far dimenticare il sole cattivo di questo inverno. Per il momento possiamo constatare almeno che il terribile fetore di arachidi bruciate che ci ha accompagnato per mesi e mesi ha finalmente abbandonato le nostre narici. In attesa del sole benigno, è già qualcosa.

Béla Sárkány, Szeged, Bbc World.

56.

Prodigio della scienza, le ragazze reggono anche il terzo cinquemila a 3´35″ senza scoppiare. Le Ripetute Lunghe potevamo farle sul fiume, ma l'argine è ancora pieno di pozzanghere. È passata una settimana dall'ultimo scroscio, eppure il contorsionista non ha ancora assorbito del tutto i tre giorni di pioggia. La tiene lí, sulla sua pellaccia argillosa, sembra addirittura rigurgitarla, soffre dello stesso disturbo di Mihályne: indigestione d'acqua. Eccola Mihályne, in testa al gruppo, insieme alla sua inseparabile Imréné. Indossano entrambe le Mizuno Phantom e i body in lycra regalati, diciamo regalati, da Dora. Dietro, seguono Magdolna e Katalin, due call girl temporaneamente prestate all'atletica, sempre piú sorprendenti per la loro tenacia. Mónika non c'è. Mónika è cento metri avanti, che diventeranno piú di centoventi alla fine della Ripetuta. Costringendola a un ritmo di 3´30″, di fatto le ho permesso di uscire allo scoperto. László è seduto cinque gradini sotto di me sulla scala dei cronometristi e la guarda passare badando bene a tenere ferma la testa in direzione delle sue beniamine. Io e Agota invece – c'è anche Agota oggi al campo – la seguiamo con lo sguardo per un buon pezzo di curva: quella spilungona bionda con la testa piena di elastici è la speranza della maratona magiara, e un po' anche la mia. Intanto arrivano le altre quattro. A momenti mi sfugge il passaggio. 1´28″, ottimo. Lo urlo alle spalle delle ragazze mentre la grandinata delle loro otto scarpette si allontana. László si volta di

180 gradi per lanciarmi dal basso verso l'alto la sua occhiata canagliesca in puro stile Gambadilegno. È una cosa insolita: ultimamente andiamo d'amore e d'accordo. Siringhiamo, infiltriamo, sorvegliamo i turni di cyclette in perfetta armonia. In piú, da parte sua, alla complicità criminale si è aggiunta una rinnovata autostima in fatto di meteorologia. Questo, ovviamente, dopo le piogge della scorsa settimana. Di' un po' Mónika, che razza di segreto può riservarci uno come László, eh?

Le quattro ragazze raggiungono la prima della classe, che le ha aspettate corricchiando con discrezione subito al di là della linea del traguardo, e insieme fanno i sei giri previsti di Recupero Lento. Ieri sera Maura, per la prima volta, mi ha chiesto di loro.

– Perché wonderbabies? Sono cosí meravigliose? – Nella sua voce un pizzico quasi impercettibile di irritazione faceva vibrare le note piú alte. Mi ero accartocciato sulla poltrona come per proteggerla dalla vista di Agota che si massaggiava la pancia davanti al finestrone panoramico con un olio antismagliature.

– Be', mi sa che stiamo facendo un buon lavoro. Sono ragazze in gamba. Meravigliose forse è un po' troppo. Il nome wonderbabies viene dall'inizio, quando sembravano majorette su una pista di atletica. Adesso sono cambiate molto –. Agota era distante abbastanza da non sentire. Se mi sporgevo dallo schienale della poltrona, riuscivo comunque a vedere tutte quelle venuzze blu poco sopra il pube.

– Sono carine? Voglio dire, qualcuna è carina? – Erano domande nuove. Sul copione Fiona ero preparato: sapevo confortarla, incoraggiarla. No, di piú: ero capace di disincarnarmi totalmente e partecipare con tutto me stesso all'attesa. Cosa aspettavano a chiamarci? Perché l'Holy Cross ci spediva altre foto come se fossero ulteriori stati di avanzamento di una reificazione non ancora ultimata? Perché non si decidevano a rivelarci se per noi, laggiú, una bambina in carne e ossa con quegli occhi umidi e quel grembiulino celeste esisteva davvero? Sul copione Fiona sapevo farla sfogare. Mi spostavo in bagno e la lasciavo piangere per un po', immaginandomi seduto accanto a lei nel tentativo di staccarle dalle mani il Child Study per stringerla forte e baciarle i capelli. Col copione Fiona mi calavo nella mia parte cosí bene da riscoprire ogni sera chi io fossi veramente – la mia vera casa, la mia vera città, la mia vera vita – e amando mia moglie non morta di un amore solido come il palcoscenico su cui recitavo. Io credevo sul serio al nostro futuro quando Maura mi parlava di Fiona. Che cos'erano invece queste domande nuove?

– Carine? Sí, un paio sono passabili, ma sai io le vedo solo in allenamento, sempre stravolte dalla fatica –. Cercavo di non esagerare: sette diciottenni orrende l'avrebbero insospettita. Alle mie spalle, nella zona giorno, Agota si lustrava la pancia con sovrana indifferenza.

– Me le farai conoscere a Trieste?

Mónika lancia il quarto cinquemila. Le altre si lasciano staccare lentissimamente, concentrate sui loro tempi di passaggio. Alla fine di questi dodici giri e mezzo, arriveranno con appena venticinque secondi di ritardo, un intervallo minimo che le scaraventa in un film completamente diverso dal capolavoro in cui Mónika sarà la protagonista. Non posso certo biasimare il ringhio che Katalin mette nelle sue espirazioni guidando l'inseguimento. L'odio non è sportivo ma questo non è uno sport. La rabbia aiuta a protrarre lo sforzo per un periodo cosí lungo, uno sforzo di diciotto minuti alla velocità di soglia, ripetuto quattro volte. Il gruppo sfila sulla curva opposta con la continuità geometrica di un origami. Mónika è già semicoperta dal materasso del salto in alto, mentre le altre sono ancora tutte belle in vista, con la pelle luccicante delle gambe che sfarfalla cosí velocemente da farle sembrare immobili. È un gioco che la gente in discoteca apprezzerebbe molto, una specie di effetto strobo che qui invece si disperde nel verde eccessivo dell'erba nuova. Lo József

Horváth Kollégiuma è stato militarizzato dalla primavera con la stessa facilità con cui il mio cervello è stato militarizzato da Agota. L'esaltata arrendevolezza
che mi accomuna al mio posto di lavoro mi distrae per
buoni trenta secondi, il che mi impedisce di prendere
i passaggi delle ragazze. Non sentendo la mia voce urlare i parziali, László e Agota si girano a guardarmi.
Negli occhi troppo distanti del mio amore l'adrenalina
è scomparsa.

– Allora? Me le farai conoscere? Sí o no? – Sí o no?
Neanche questa era una domanda da Maura. Il tono
era scherzoso, ma le note piú alte continuavano a vibrare. Era come se con quelle vibrazioni riuscisse a spostare un peso cementato a terra. Rideva, ma intanto
spostava Trieste piú vicino, sempre piú vicino. Veniva
avanti con tutta la città, scherzando e vibrando. Tra
un attimo mi avrebbe schiacciato.

– Certo che te le farò conoscere. Ma ti assicuro che
non ne resterai sbalordita. Si tratta solo di sette vergini ungheresi immolate al dio Maratona, nient'altro –.
Dovevo dire sette ragazze ungheresi, sette ragazze, non
sette vergini, ma le venuzze di Agota hanno rubato la
mia attenzione. Aspettavo che qualcosa da un momento all'altro mi suggerisse la scelta di tempo per sol-
levarmi dalla poltrona e concludere la conversazione in
bagno. Però non succedeva.

– Chi ti dice che sono vergini? – Agota mi guardava ora. Indossava i miei ghost socks e la mia giacca della tuta. Teneva la pancia con tutte e due le mani. Una
pancia troppo grande, secondo me.

– Che ne so, chi me lo dice. Nessuno me lo dice –.
Sono riuscito a strapparmi dalla poltrona mentre Maura mi buttava lí, con vibrazioni sempre meno imper-
cettibili, che non credeva proprio fossero vergini le mie
allieve. Anzi.

Le wonderbabies stanno per concludere il quarto e
ultimo cinquemila. Tra Ripetute, Recuperi, Riscaldamento e Defaticamento, il totale supera i trentadue chilometri. Grazie alla seduta odierna gli enzimi mito-

condriali dei loro quadricipiti raggiungeranno una concentrazione di molto superiore agli abitanti di Tokyo. Ma il beneficio piú importante sta nell'aver resistito a una fatica psichica che non ha pari se non nella maratona stessa. Mónika si affloscia sul tartan appena oltre il traguardo. Mi guarda con l'aria di un husky stupefatto, spaventato a morte. Venticinque secondi dopo arrivano anche le altre, con gli occhi che scappano letteralmente dalla testa. Mancano sei settimane. D'ora in poi mi riprometto di non massacrarle piú in questo modo.

Quando sono uscito dal bagno Agota era ancora davanti alla finestra che si massaggiava. C'erano le sue unghie blu che andavano a spasso su quella superficie tesa, giú giú, fino a sfiorare il folto pelo nero. Aveva ragione Maura, non erano vergini le wonderbabies. Di una almeno ero sicuro. Mi sono avvicinato da dietro e ho messo le mie mani sopra le sue. Agota ha appoggiato la nuca sulla mia spalla, cercava coccole. Il modo in cui l'ho spinta sul davanzale l'ha fatta quasi cadere. Ho colto un vago progetto di ribellione nei suoi occhi, ma poi si è subito girata verso il vetro e ha chinato la testa tra le braccia tese, come per spingere un bob. Anche Maura tende a mettersi la mia tuta in casa. Alla fine l'orgoglio l'ha fatta retrocedere, non c'erano piú vibrazioni quando ci siamo salutati. Buonanotte. Buonanotte. Dormi bene. Sí, anche tu. Ho cercato di scacciare la schiena di Maura dalla schiena di Agota. Ho strizzato con tutta la forza che avevo l'isoprene vulcanizzato. Lei ha fatto ohi, ha scartato un poco, però non si è sottratta. Per la prima volta mi è parso possibile che i suoi glutei siano sensibili al dolore. Gli arrossamenti sulle zone strizzate erano accentuati dall'unto, mi dicevano cose, lanciavano avvertimenti che non capivo. Agota non era pronta per il mio assalto. Da nessuna parte, meno che meno là dove serviva. Avrei potuto usare l'olio che avevo sulle mani per renderle piú facile il tutto. Avrei potuto, ma non avevo proprio intenzione di farlo.

57

Quando Szőgy István è arrivato, io e Agota eravamo davanti al numero 21 di Fürj Utca già da un quarto d'ora. È sceso dalla sua Mercedes 600 verde bottiglia con i modi gioviali di chi è abituato a trattare con la gente. Aveva avuto un piccolo contrattempo alla dogana. Nessun problema, lui i rumeni li amava. Si era trasferito di là con la famiglia e il suo allevamento di maiali, perché in Romania con i tizi delle tasse ci si poteva ancora ragionare, mentre di qua ormai, e indicava con disgusto il nuovissimo porfido del marciapiedi, erano diventati davvero troppo ingordi. Per chi era la casa? Come per chi era la casa? Agota non si prendeva la responsabilità neanche delle risposte piú semplici. Aveva trovato lei l'inserzione sul «Délmagyarország», lei aveva telefonato, lei aveva preso appuntamento. Eppure adesso traduceva soltanto. Traduceva e poi restava a guardarmi finché non parlavo. Szőgy ci osservava confabulare in italiano con la bocca semiaperta e il labbro superiore proteso verso la conoscenza. Ogni traduzione di Agota si concludeva con una risata del nostro potenziale locatore. Era già la terza volta in meno di cinque minuti che ci offriva una sigaretta e che noi rifiutavamo. Io avrei voluto togliermi in fretta dalla strada. Non mi piaceva quella situazione davanti al cancello in ferro battuto di casa Szőgy, con la Mercedes ancora in moto e noi tre esposti alla curiosità del mio futuro vicinato. Là fuori eravamo troppo chiaramente uno straniero e la puttanella che lo aveva inguaiato intenti a chiedere asilo a un allevatore di maiali. Accorciavo le mie risposte perché Szőgy si decidesse a farci entrare, ma lui continuava a ridere e a offrirci da fumare, convinto forse che quei preamboli fossero indispensabili a una prima reciproca esplorazione.

Dentro, il giardino girava su tre lati della casa ed era stato invaso da una colonia di piccoli fiori gialli. Facevano male agli occhi tanto erano fitti. Sul retro c'erano tre conigliere e un odore di piume vecchie di gallina rimasto intriso nella terra chissà da quanto. Lí l'erba cresceva a chiazze di differenti colori, come di un terreno beccato, grattato, brucato e che solo di recente si era ripreso da una grave alopecia. Avanzavamo in fila indiana sulle piastrelle sconnesse del camminamento in mezzo al prato, mentre Szőgy non smetteva di indicarci la *fantastica* insolazione, la *fantastica* vicinanza al fiume, la *fantastica* tranquillità dei bracchi della villa accanto, la *fantastica* posizione rispetto al centro, il *fantastico* set da piscina – due chaise-longue in plastica bianca, tavolino basso per long drink, ombrellone Marlboro – che aspettava, incellofanato per bene sotto la legnaia, nient'altro che la nostra brama di abbronzatura. Ogni tanto lo sorprendevo a sbirciare la pancia di Agota. Non ci aveva ancora fatto i complimenti. Escludevo la possibilità che lei non me li avesse riferiti, visto che traduceva l'offerta dell'allevatore fino all'ultimo fantastico. Dietro quella meticolosità Agota si stava nascondendo. Credo fosse un modo per difendersi dalla nettezza della scelta che stavamo compiendo. Mi sembrava comprensibile. Ero abbastanza elettrizzato io per tutti e due, potevo anche permetterle di restare al coperto. Vicino a un albero scheletrico, soffocato da un'improvvisa fioritura, c'era una panchina di pietra. Li ci avrebbe dato le sue lezioni di ungherese. A me e a mio figlio. Cos'era quell'albero? Uno che fa ciliegie non buone. Un ciliegio selvatico? Sí, un *fantastico* ciliegio selvatico. Avrei voluto dirle che andava tutto benissimo, che le ciliegie le avremmo usate per giocare col piccolo e quelle buone le avremmo semplicemente comprate al Cora. Avrei voluto dirle che anch'io mi ci dovevo abituare a quella nettezza, ma lei camminava curva in avanti, cercando di non far tirare troppo sui bottoni il suo spolverino da cow-boy, e intanto stavamo già salendo i gradini dell'ingresso. Davanti c'era una specie di veranda, con quattro sedie di paglia e un tavolo in formica. Lí avrei imburrato le sue fette biscottate e lei avrebbe allattato il bambino. Il bambino o la bambina? Lei preferisce non sapere.

Szőgy si è tolto la sua giacca scamosciata. Agota invece ha insistito per tenersi lo spolverino e io l'ho imitata. Dentro, comunque, faceva piú freddo che fuori. La casa era rimasta chiusa da settembre, sembrava una cellula di resistenza dell'inverno. Dalla cucina si sentiva sgocciolare un rubinetto. Probabilmente il ghiaccio aveva rotto qualche tubo. Nessun problema, la manutenzione spettava a lui, al… come si diceva chi dava in affitto? Si diceva locatore. Ecco, al locatore. E intanto venivamo pilotati in soggiorno. L'odore, esalato da una quantità senz'altro significativa di caricatori, era quello anfetaminico del Gled al limone. Szőgy ci ha chiesto di aiutarlo alle finestre. Via via che alzavamo le tapparelle, lí e poi nelle altre stanze, prendeva corpo – con tutti i faretti, i finti marmi, i divani anatomici in pelle e inox, gli interruttori a manopola – la nostra vita futura. Era impossibile non vederla. La gioia mi stava procurando una leggera vertigine, si mescolava all'imbarazzo esattamente dietro il palato: mi pareva di poterli separare con la lingua, ma non ci riuscivo. Nella confusione ricambiavo le risate per me incomprensibili di Szőgy, il quale ovviamente rilanciava con entusiasmo ancora maggiore, proponendomi di fumarci una sacrosanta sigaretta e sapendo che non avrei potuto rifiutare ancora per molto. Agota rispondeva all'agguato della contentezza rendendosi praticamente invisibile. Tutto ciò che saremmo diventati era lí pronto a saltar fuori dal buio, a ogni giro di tapparella il sole lo scolpiva meglio, e lei si incurvava sempre di piú sopra nostro figlio, guardando ora me ora l'allevatore di maiali, di fatto cercando di disciogliersi nelle parole che portava da una lingua all'altra. Una *fantastica* moquette di tre centimetri, un *fantastico* armadio rosa e nero madreperlati, una *fantastica* specchiera che si stacca dal comò con la sagoma di un felino all'attacco, un *fantastico* bagno coi miscelatori in ottone... vabbe', avremmo fatto qualche cambiamento, ma la casa in Fürj Utca c'era. E noi anche.

Prima di parlare di soldi Szőgy ha voluto mostrarci la consolle con il gruppo integrato del videocitofono e i comandi del cancello automatico, poi siamo tornati in soggiorno. Incorniciata alla parete c'era una T-shirt con le facce dell'allevatore di maiali e una probabile moglie sottotitolate dalla scritta I LOVE SEICELLE. Quei due sulla maglietta erano proprio al settimo cielo. Pazzesco, non capivo come si potesse essere felici lontano da Szeged. Guardavo alle spalle di Szőgy la macchia gialla dei fiori entrare compatta dalla finestra insieme all'aria non piú fetida della primavera e già soffrivo per le volte in cui avrei dovuto allontanarmi dalla mia casa in Fürj Utca. Quanto avrei resistito in un posto che non fosse lí? Come avrei fatto senza le mie colazioni in veranda, senza la mia chaise-longue, senza le mie lezioni di ungherese sotto il ciliegio selvatico? Stavo già provando nostalgia per la mia vita futura, mentre Szőgy doveva aver chiesto qualcosa che aveva incendiato gli zigomi di Agota e non mi era stato tradotto. Cos'era successo? Niente. L'aveva offesa? No, non l'aveva offesa, non era successo niente. Ma Agota aveva gli zigomi rosso Ferrari come non glieli vedevo da mesi e Szőgy aveva il labbro superiore troppo proteso verso la conoscenza perché non fosse successo niente. Le aveva chiesto se era quello il suo lavoro, se lavorava per un'agenzia abusiva per stranieri, tutto lí. Come tutto lí? Gli aveva risposto che era la mia donna? E che quello era mio figlio, gliel'aveva detto? Sí, gliel'aveva detto. Nessun problema, lui amava le coppie miste. Anche lui, pur essendo un grosso fornitore della fabbrica di salami Pick, si era sposato con una rumena – lei, sí, sulla maglietta, esatto – ma poi erano andati a vivere laggiú, dove, anche se si stava cosí cosí, almeno non ti stressavano le palle con le tasse. Agota traduceva meticolosamente, ma ormai era tornata visibile: il dizionario elettronico che avrebbe voluto simulare era ora un'incandescente ragazza incinta. Non poteva piú sottrarsi. Tutto ciò stava accadendo sul serio. Seduta in mezzo a me e a Szőgy, c'era lei sul serio. Doveva accettare il disagio di essere contenta. Due mesi anticipati di cauzione. Ovviamente l'allevatore di maiali voleva che ci mettessimo d'accordo tra noi, con una scrittura privata, senza contratti o altro. Come si diceva nero in ungherese? Si diceva fekete. Trecento euro non erano tanti per proteggere la Felicità Pura. No, d'accordo, andavano bene. Qua la mano. Ecco dove proseguiva la nostra vita dai primi di maggio.

Szőgy ci ha accompagnato fino al portone. Noi lo abbiamo convinto che no, grazie, non fumavamo proprio e abbiamo indugiato con molto piú coraggio di prima sul porfido immacolato del marciapiedi. La Felicità Pura avrebbe abitato lí, si sarebbe amata, moltiplicata: i miei vicini facevano bene ad abituarsi sin d'ora allo straniero e alla sua giovane concubina. Quando ci siamo avviati verso il Kollégiuma mi ha colpito come i capelli di Agota restassero opachi al sole di mezzogiorno. Con la gravidanza sono diventati grassi, ma non pensavo cosí tanto, e questo mi ha messo una tale tenerezza addosso che non ho saputo resistere alla tentazione di tirarla a me con un braccio attorno al collo. Cazzo, stiamo facendo sul serio, mi ripetevo in continuazione. L'euforia mi solleticava in gola insieme a un lieve senso di nausea. Oh, Agota. Sentivo il calore del suo zigomo sull'orecchia, il rancido del cuoio capelluto prevalere di poco sul doposhampo. Ho aspettato il contatto della sua mano che si aggancia dietro, sul passante della mia cintura, per chiederle:

– Sei contenta? Eh, sei contenta?

Lei mi ha risposto con un sorriso.

58.

Da: alberto.lentini@uclink4.berkeley.edu
Data: martedí, 11 marzo, 21:03
A: dario.rensich@katamail.com
Oggetto: le foche di aristotele/aumento di peso 2

vedi dario, aristotele si è chiesto a lungo che cosa
fossero le foche. dallo jutland gli arrivavano
disegni e storie di pescatori su alcuni esseri
sublunari che, semplicemente esistendo, gli
mandavano all'aria tutto il lavoro sulla divisione.
basta leggere de partibus animalium per capire che
stava per impazzire. la specie foca a quale genere
apparteneva? aveva le pinne e nuotava anche a
grandi profondità, velocissima, proprio come un
pesce, ma non aveva il corpo ricoperto di squame.
d'accordo, strisciava sul ghiaccio come nessun
mammifero avrebbe mai fatto, ma non era un
pesce, visto che respirava bene anche fuori
dall'acqua e visto che, soprattutto, partoriva e
allattava i suoi piccoli. e allora? cos'era la foca?
ecco, insomma, ciò che voglio dire è: cos'è quella
ragazza? se ho capito bene, nuota
meravigliosamente a delfino, ma a letto. prende la
pillola con un uomo sterile e resta incinta. cos'è
per te quella ragazza? c'è un'etichetta chiara nella
tua testa per la sua specie? sei in grado di leggerla?
se sí, potresti dirmela? a questo punto è

importante che lo sappia anch'io.

i pescatori dello jutland, oltre che di foche, raccontavano di un sacco di altre cose.

raccontavano, ad esempio, di navi che di punto in bianco affondavano misteriosamente, il che permetteva ad Aristotele di dubitare della loro attendibilità in generale e quindi anche dell'esistenza di animali contraddittori.

piú tardi si è capito che la corrente del golfo permetteva la navigazione di mari altrimenti impraticabili e che tuttavia non si poteva evitare, almeno fino al diciannovesimo secolo, che un'imbarcazione anche di grande cabotaggio venisse investita da una raffica di vento siberiano, si ghiacciasse nel giro di pochi secondi e, sopraffatta dall'aumento di peso (argh! la solita grana! aumento di peso!), venisse inghiottita dai flutti.

questo solo perché tu tenga presente che le foche esistono veramente, che le navi possono affondare da sole veramente e che il casino che stai combinando è tutto vero.

alberto

ps. non ci fosse l'insulinoresistenza, la cosiddetta morte del cavallo sarebbe il modo perfetto per terminare la vita di un maestro stoico dei giorni nostri. non che io lo sia, per carità, però mi dispiace che il mio cuore non possa scoppiare correndo su shattuck.

59

Non devo farmi prendere dal panico. Non devo permettere che la testa resti sola. Devo riprenderla nel corpo, costringerla a girare nel sistema pensante della caviglia, dell'avampiede, del glicogeno, dell'umidità del-
l'aria, delle mucose nasali, delle ghiandole sudoripare,
dell'asfalto, del sole, del cardiofrequenzimetro, dei canali semicircolari, del verde rigoglioso che dall'inizio
dell'argine sta annegando le mie retine. Devo trascinare la testa dentro questi venti chilometri di Ritmo
Gara, devo impedirle di disintegrarsi. Mi sfilo dal gruppo, provo a mettermi al traino dell'ultima e rilassarmi.
Mi pare di avvertire il materiale colloso della linea di
bordo strada in rilievo sull'asfalto, là sotto c'è il contorsionista raggomitolato nella posizione di sempre. Lo
sento scricchiolare. È tornato asciutto. Il sistema del
corpo che pensa ingloba anche lui. È questa la parola,
sí, *inglobare*. La testa non è piú sola. In effetti, mi sto
rilassando. Allora riprendo da dove il panico aveva cominciato a isolarmi. Ripasso, con calma:
Punto 1. La direttrice dell'Istituto Holy Cross di Jacmel ha telefonato.
Punto 2. Tra cinque giorni andrai insieme a Maura
e alla vostra assistente sociale ad aprire l'ultima scatola, libererai tua figlia.
Punto 3. Mancano quattro settimane alla maratona
di Trieste.
Punto 4. Agota ha una pancia troppo grande.
Punto 5. Maura non è morta.

Punto 6. Fiona esiste.

Il panico mi sta di nuovo isolando per sferrare l'attacco finale. Decido di affrontare i primi due punti trascurando gli altri, prima che la testa si disintegri. László, lí davanti, sta tenendo l'andatura sui 3´45″ come gli ho ordinato. Mónika, sfilatasi a sua volta per affiancarmi in coda, mi guarda con l'aria di chi si è accorta solo ora della mostruosa cicatrice che solca la mia faccia. Il fatto è che non ho nessuna cicatrice.

Nelle ultime telefonate la dolcezza di Maura si è riempita ogni sera di quelle strane vibrazioni. Era dalla settimana scorsa che la sentivo a disagio. Anche quando tentava di scherzare, aveva la voce che tremava su tutti gli acuti. Poi, l'annuncio di ieri.

– Si sono decisi. Finalmente quei bastardi si sono decisi. Hanno chiamato, Dario –. Spingeva la voce verso l'alto, ma non le uscivano grandi esclamazioni. La immaginavo su e giú per il soggiorno a cercare nei suoi magici polpacci la spinta che le parole non trovavano da sole. Era felice di ottenere una cosa che si aspettava, felice di una felicità logora, per niente incredula.

– Non ci posso credere. Era ora, finalmente. Non ci posso credere –. La mia incredulità invece era fin troppo sincera. Avevo smesso da un po' di pensare a Fiona come a un'entità diversa da una foto. Di colpo, insieme a lei, avevano preso consistenza la cameretta coi giocattoli, il playground del Giardino Pubblico, i miei suoceri, Gianna, Maura che controlla che la pappa non scotti, le serate passate a imparare i versi degli animali, in una parola, la famiglia. L'avevamo progettata un sacco di tempo fa e adesso mi aveva preso alle spalle. Vigliaccamente, si era realizzata.

– Ha chiamato un tizio per conto della madre superiora. Dopo qualche minuto hanno mandato un fax con le istruzioni precise. Ti rendi conto, Dario? Cinque giorni, tra cinque giorni avremo la nostra bambina, – Maura stava giocando con le noci che teniamo sopra lo stereo, le sfregava una contro l'altra, credo continuando a camminare. Forse aveva preso addirittura tutto il

vaso e se lo portava a spasso per la stanza. Il cordless
incastrato nella spalla, il vaso sottobraccio, le mani a
fare croc croc con le noci. Quel rumore mi costruiva
proprio sotto il naso casa mia.

– Be', guarda, non ci posso credere. Era ora. Cinque giorni, vuol dire che abbiamo già i voli?

– Sí, ho già prenotato tutto, anche per te. Troverai
il biglietto a Budapest. Il codice di prenotazione è...
hai una penna? – e ha cominciato a dettarmi i numeri,
le lettere, gli orari, le coincidenze e a dirmi dove ci saremo incontrati e ogni altro dettaglio potesse salvarci,
con la propria concretezza, da un'analisi in roaming internazionale su ciò che Gianna non avrebbe esitato a
definire i sentimenti di coppia. Era proprio di Gianna
che mi stava parlando: – È incredibile come si sia attaccata a noi. Le ho detto di venire. Ho fatto male?

– Ad Haiti? Ma no, perché, hai fatto bene invece –.
Cinque giorni. Mercoledí 19 marzo. Il copione Fiona
era andato distrutto: ora non dovevo piú recitare la parte del padre, non dovevo piú fare il padre, dovevo essere il padre.

– Ha detto che proverà a farla passare per missione
e se no chiederà ferie. Che sente che almeno una volta deve farlo e che questa è la volta giusta. Con noi, capisci? Voleva pagarsi tutto lei, ma io le ho detto che è
nostra ospite. Ho fatto male?

– Ma no, smettila. Va benissimo –. Andava benissimo infatti. Maura mi era venuta sotto con tutta Trieste. A suon di vibrare, telefonata dopo telefonata, a
suon di sfregare le noci ci aveva ricostruiti come sulla
torta del matrimonio proprio lí, in mezzo al mio vendéglakás. Per fortuna Agota non si era accorta di niente.
Com'è che Agota non si è ancora accorta di quei due
sposi che le minano la casa? Com'è che tutto sta succedendo senza che io riesca a prepararmi non dico una
soluzione, ma neanche l'ombra di un rimedio?

Il verde della vegetazione nuova continua ad alla-
garmi le retine. Alla primavera sono bastati tre giorni
di pioggia per cavar fuori erba, un sacco di erba lucci-

cante, dalla pelle tesa del contorsionista. È una barriera infittitasi uniformemente lungo l'argine, fino a soffocare gli ultimi sprazzi di fiume. Il verde dovrebbe rilassare: ci dipingono gli uffici, le sale operatorie, i centri specializzati nei film sull'eutanasia. Eppure non mi è di nessun aiuto. Mónika ha distolto lo sguardo. Dev'essere troppo imbarazzante per lei assistere al massacro che avviene subito dietro la mia faccia. Si accontenta di stare al passo, di espirare quando espiro io, di cullarmi nella puzzetta agliata delle sue ascelle, di sentire la mia Wave Rider destra che appoggia sull'asfalto all'unisono con la sua Wave Rider sinistra. Mi tiene nella sua corsa, come per dirmi: Ti porto io indietro, non ti preoccupare, tu vedi di risolvere i tuoi problemi, concentrati, là dentro, che a riportarti al Kollégiuma ci penso io. Magari mi sbaglio – non è facile interpretare i segni della campioncina di Debrecen – però intanto mi lascio pilotare. Il cardio dice 132 battiti. Il sudore mi brucia gli occhi, sfoca la vegetazione in macchie lanuginose. Prendo nuovamente in considerazione i punti 1 e 2, provando a dividerli in sottopunti, a spezzarli in parti piú piccole, sempre piú piccole e meno spaventose. Ma perché Agota ha la pancia cosí grande? E perché ho accettato di testare le wonderbabies alla maratona di Trieste? Insomma riguadagnano spazio il punto 3 e il punto 4. In piú ne sorgono di nuovi. Perché Alberto aveva quel tono nell'ultima lettera? Perché Mónika sperava di stuzzicarmi con un segreto di László? Il cardio sale a 150. È tale la sensazione di anossia che mi riduco a progettare sequenze di operazioni minime: tra meno di venti minuti rientrerò al vendéglakás, berrò cinquanta centilitri di Adhoc Gensan all'arancia tutto d'un fiato, sistemerò fuori dalla porta la cesta con la roba sporca per le inservienti, mi farò la doccia, bacerò la grande bocca adolescente di Agota, chiederò a Carlo tre giorni di permesso facendo in modo che lei senta, poi la bacerò di nuovo e le dirò che si, ha capito bene, devo partire, lei mi dirà per dove e io le risponderò che devo andare a prendere mia figlia Fiona dalla sua ultima scatola in un posto lontano anni luce chiamato Jacmel, perché non ho un'ex fidanzata malata di nervi ma una moglie con la testa funzionante e piena di capelli rossi, una moglie che è appena diventata mamma di quella bambina haitiana.

– Sai, non mi pare vero che sia venuto il momento, – Maura continuava a far croccare le noci. Le sue parole alludevano a una sorpresa che non passava nel telefono o che almeno io non percepivo. Nella sua voce c'era piuttosto determinazione e una felicità depotenziata, estenuata dall'attesa.

– Anche a me non pare vero –. Vedevo Fiona scollata dalla fotografia, le linee perfettamente tridimensionali delle sue braccine marroni, vedevo i suoi genitori, i genitori che lei metteva al mondo, piantati tra me e Agota come sulla torta nuziale: a me sí che non pareva vero.

– Hai paura, Dario?

– Paura? No che non ho paura.

– Io un po' sí –. Laggiú, in soggiorno, era sparito il rumore delle noci.

– Un po' è normale, lo sai. Ci sarebbe il training autogeno, eventualmente –. E Maura, senza neanche tentare di ridere, ha risposto:

– Già.

Davanti al gruppo ogni tanto mi appare la citybike di László. Sta tirando a 3′45″ spaccati. Mercoledí all'alba prenderò l'intercity per Budapest. Cinque giorni. Adesso, che ci sia anche un week-end in mezzo mi sembra troppo. Penso con orrore alla quantità di operazioni minime che dovrei prefigurarmi per colmare un periodo cosí lungo – a Szeged, senza Agota – e quasi automaticamente correggo la sequenza che ho appena progettato: tra meno di venti, anzi, quindici minuti rientrerò al vendéglakás, berrò cinquanta centilitri di Adhoc Gensan all'arancia tutto d'un fiato, sistemerò fuori dalla porta la cesta con la roba sporca per le inservienti, mi farò la doccia, bacerò la grande bocca adolescente di Agota, chiederò a Carlo tre giorni di permesso facendo in modo che lei *non* senta, poi la bacerò di nuovo e le guiderò la testa dentro l'accappatoio.

60.

Trieste, via Biasoletto 26. Una scatola.

«Permesso...»

«Buonasera Gianna, come sta?»

«Ciao Maura. Io e tuo marito l'altra volta abbiamo deciso di darci del tu. Ti proporrei di fare altrettanto».

«Con piacere».

«A proposito, e lui dov'è?»

«Eccomi, ero di là in cucina. Come va?»

«Be', non mi lamento, ragazzi. Però mi sa che a voi va meglio, avete proprio un aspetto invidiabile».

«Grazie Gianna, abbiamo fatto un po' di mare a Canovella tutti i giorni. È pazzesco che io abbia questo colore, non ci credo neanch'io. Ma venga avanti... cioè, *vieni* avanti».

«Ulalà, ma che bello qui! Guarda che luce!»

«Sí, è molto luminoso. È piccolo però c'è molta luce. Aperto sia di qua che a nord. Cosí Dario può guardare il mare e io di là vedo il boschetto che va su su fino a Basovizza e mi sento... diciamo che mi sento un po' in montagna».

«Posso vedere il balcone?»

«Ma certo. Dario, porta Gianna sul balcone, che io finisco di preparare in cucina».

«Ah, che meraviglia!»

«Sí, la vista è splendida. Avrei dovuto togliere il tavolinetto, scusami».

«No, non ti preoccupare, ci passo lo stesso. Non sono grassa come sembro».

«No… scusami… è che noi ceniamo spesso qua fuori, anche se quasi non ci si sta».

«Ah, lo farei anch'io. Vedo che avete già messo la rete sulla ringhiera».

«Sí, è stata un'idea di Maura. Tende a prendersi avanti. Tu penserai non sanno neanche se avranno il bambino e già mettono la rete sulla ringhiera del balcone».

«Non essere paranoico, Dario. Penso che Maura abbia fatto bene. E il bambino lo avrete. Per quanto mi riguarda, lo avrete».

«Occazzo, grazie. Grazie davvero».

«Non c'è di che. Anzi, fammelo dire anche a Maura. Mauraaa!»

«Sí, Gianna».

«Ah, sei qui. Stavo dicendo a Dario che io so già quello che scriverò nella mia relazione. Vi ho portato un po' di associazioni da contattare, cosí intanto che la scrivo voi vi prendete avanti, come dice Dario».

«Oh, Gianna, grazie. Che bello!»

«Sí sí, lo sposo può baciare la sposa, dai, fatelo pure».

«Dario ha preparato un po' di cose in cucina. In realtà avevamo pensato a un caffè. Ma adesso ci vorrebbe una bottiglia!»

«Non stappiamo bottiglie prima di avere il Child Study in mano. Sono le quattro, il caffè andrà benissimo. Dai, andiamo in cucina. Dopo dovete mostrarmi tutta la casa, eh. Oh, che bello là in fondo, cos'è?»

«È una specie di… lo abbiamo adattato a studiolo. Ci sono solo il computer e due tre cose di Dario. Finché non sarà la cameretta del bambino».

«E qui? Oh no, non dovevate. Cosa vedo? Le paste, le creme carsoline! È un attentato alla mia ferrea disciplina Weight-Watcher's».

«Era un tentativo di corruzione. Non sapevamo che avevi già deciso».

«Bene Dario, vuol dire che mi farò corrompere. Tagliamene metà. Anzi no, ne prendo una intera. E quello, Maura, cos'è? E il caffè che compro anch'io, quello del commercio equo e solidale, giusto?»

«Sí, è quello nicaraguense. Dario lo ha temuto a lungo, diceva che ci potevano mettere dentro di tutto, stricnina, di tutto, che lui si fidava solo delle grandi marche. Comunque poi l'ho addomesticato».

«Bene, bene. Sentite ragazzi, intanto che viene su il caffè, un paio di cose. Siamo a buon punto, ma ci vuole ancora tanta pazienza e tanta forza. Dopo che avrò consegnato la relazione, passerà almeno un anno prima che otteniate il Certificato di Idoneità all'Adozione dal Tribunale dei Minori. È un'eternità a cui purtroppo nessuno sa porre rimedio. Nel frattempo voi potrete sentire le associazioni di appoggio. Io vi ho portato quelle diciamo piú garantite, ma ve ne procurerò delle altre appena me lo direte. Ognuno di questi vi chiederà di documentare le vostre professioni, i vostri redditi, le vostre proprietà, la vostra eventuale impossibilità biologica alla procreazione, oltre ovviamente al Certificato del Tribunale. Ecco, qui abbiamo, ad esempio, le Missionarie della Carità, quelle di Madre Teresa di Calcutta, per intenderci. Operano a Roma. Sono la prima classe dell'adozione. Loro vi chiederanno anche qualche certificato integrativo diciamo religioso, il parroco, lo zio prete, robe cosí. Lo so, lo so che voi… ma non ci vuol niente per una lettera del parroco, credetemi. Con le Missionarie bisogna spicciarsi perché il primo appuntamento lo danno dopo circa quindici mesi dall'avvenuto recapito dei documenti. Ovviamente dovrete tradurre il tutto in inglese e autenticare la traduzione, ma questo vi servirà in ogni caso piú tardi, per ottenere il Child Study».

«Senti Gianna…»

«No, aspetta aspetta Maura, poi ci sono gli Amici del Bambino, a Bergamo. È un'associazione di genitori adottivi. A differenza delle Missionarie, i loro contatti principali sono in Africa, non in India. Sono volontari, gente in gamba. A dire il vero da quando uno di loro ha ricevuto una bambina sudanese con l'elefantiasi sono un po' pessimisti. Tendono a scoraggiarti. Ti invitano e poi ti mostrano le gambe di elefante della piccola Mary. Ma voi avete già resistito alle mie novelle sul brasiliano, che tra l'altro sta imparando a parlare l'italiano, e non vi farete scoraggiare. Ottimo il caffè, è proprio quello che compro anch'io».

«Senti Gianna, io e Dario avevamo pensato, nel caso tu ci...»

«Nel caso tu ci promuovessi».

«Dario, lascia parlare me».

«Okay».

«Ecco sí, nel caso tu ci promuovessi, di chiedere una mano ad Alberto».

«Ah, il vostro santone».

«Alberto non è il nostro santone. Alberto è nostro amico, mio e di Maura. E ha già detto che può aiutarci».

«Be', Dario, purché il bambino entri in Italia legalmente, io non ho certo nulla in contrario se voi riuscite a... diciamo a saltare qualche passaggio. Capisco bene il vostro stato d'animo. Però permettimi di dirti che dalle cose emerse nelle nostre chiacchierate, non so, insomma, non credo che Alberto sia proprio vostro amico».

«Ma che ne sai? Quali cose?»

«No, Dario, non cosí. Però sí, Gianna, Dario ha ragione: come fai a giudicare Alberto? Manco lo conosci?»

«Ragazzi, ritiro quello che ho detto, scusatemi. Non avevo il diritto, avete ragione. Erano sensazioni, ecco tutto».

«Sí, ma tu non sei qui per...»

«Hai ragione, Dario. Te l'ho detto, scusami».

«Okay, argomento chiuso».

«Quell'uomo voi lo conoscete e io no. Se vi aiuta legalmente, fate bene a mettervi nelle sue mani. È una cosa che capisco».

«Okay, argomento chiuso».

«Sí, Dario, però sottolineo, *legalmente*. Niente miracoli da santone. Niente clandestini».

«Niente clandestini, okay».

«Bene, ora chiudiamo davvero. Su, Maura, portami a vedere il resto della casa».

«Be', non c'è molto da vedere. Vieni vieni, qui abbiamo il soggiorno».

«Oh, che bella Tv. Sarebbe questo quello che si dice uno schermo ultrapiatto? Sembra un ufo. Guardate tanto la Tv?»

«Be', qualche film, qualche documentario sul satellite, non tanto».

«Non è vero. La guardiamo tanto, sí».

«Parla per te».

«Okay, parlo per me. Io la guardo tanto, guardo tutto quello che c'è, mi piace la Tv. Lo so, Gianna, dovrei dirti che non mi piace, ma a me piace da matti».

«Dario, ci risiamo, nessuno pensa che non ti debba piacere la Tv. Sarà sufficiente che non ci metta tuo figlio, lí davanti, per tutte le ore che ci st... oh, ma qui cos'abbiamo, sei tu Dario che leggi l'Allende?»

«No, la leggo io l'Allende».

«Oh Maura, è o non è fantastica?»

«Sí, lo è. È la mia preferita».

«Dio, abbiamo gli stessi gusti. Io, guarda, per *La casa degli spiriti* non so quanto ho sofferto. Ma tutti i sudamericani in genere mi fanno quest'effetto... struggente».

«Oh sí, anche a me».

«E tu, Dario?»

«Io cosa? Io guardo la Tv».

«Non essere stupido».

«No, lascialo fare, Maura, ormai lo conosco».

«Lui legge in prevalenza cose scientifiche. Comunque dei sudamericani digerisce solo Manuel Puig. Sai, quello del *Bacio della donna ragno*».

«Mai sentito. Certo che ne avete di libri, guarda che roba».

«Li abbiamo presi ieri un tot al metro perché, te l'ho detto, non sapevamo che avevi già deciso».

«Ha-ha, che ridere, Dario. Proprio divertente. E io che pensavo di averti conquistato».

«Ma tu mi hai conquistato, Gianna. Sei la mia ispettrice preferita».

«Non ero una conduttrice di talk show?»

«Ah già...»

«E quest'innamorati? Che eleganti. Sembrano due attori. Ragazzi, che foto! Posso prenderla un attimo? Sono i tuoi, Maura? Ti assomigliano».

«No, sono i genitori di Dario».

«Oh».

«Questa è una foto del rullino che avevano ancora in macchina quando sono morti, vero Dario?»

«Oh, Dario».

«Te l'avevo detto, no? Dell'incidente».

«Certo che me l'avevi detto. Solo che...»

«La macchina fotografica è schizzata fuori dal finestrino e si è salvata. Con dentro questa fotografia. La terz'ultima. A Rovigno».

«Gesú, sembrano cosí giovani».

«Be', lui cinquanta, lei non ne aveva ancora compiuti quarantotto. Parliamo di sedici anni fa».

«E per questo che non guidi? È per questo che non hai la patente?»

«Io *ho* la patente. Non ho l'auto, ma ho la patente. E poi l'auto ce l'ha Maura. E se serve guido. Lo so che un buon padre è automunito. Guiderò, Gianna, te lo prometto».

«Non intendevo questo. Pensavo che tu, insomma... con dei genitori cosí sfortunati...»

«Sfortunati? Guardali, a quanti capita di fotografarsi cosí dodici ore prima di morire?»

«Vabbe', lasciamo perdere».

61

Abbiamo deciso di incontrarci a Malpensa. Non vedevo Maura da due mesi e mezzo. L'ho sognata quasi tutte le notti, morta. E adesso è qui, seduta accanto a Gianna, nella fila piú vicina al nostro gate. Stanno già litigando. Discutono cercando di mantenersi nel cilindro d'aria della propria sedia, guardano dritte davanti a sé per non rovinare tutto prima che il viaggio cominci, ma si capisce benissimo che stanno litigando.

– Oh, ecco il tuo principe, – dice Gianna, quando ormai sono a pochi passi da loro, e scappa dal suo cilindro per abbracciarmi.

Il sorriso di Maura si accende con ancora troppa voglia di litigare dentro. Sembra contenta di vedermi, ma avrebbe preferito finire prima la discussione con la nostra assistente.

– Solo bagaglio a mano, eravamo d'accordo, giusto? – mi dice, non lasciando alle labbra neanche il tempo di chiudersi per schioccare un piccolo bacio, praticamente baciandomi e parlandomi insieme.

– Sí, eravamo d'accordo –. Dobbiamo stare solo tre giorni ad Haiti: uno per trovare Fiona dentro la sua ultima scatola, uno per portarcela a casa, uno se lo mangiano i fusi. Il nostro volo, l'unico possibile nelle date impostci dal pio Istituto Holy Cross, raggiungerà Port-au-Prince via Milano-Chicago-Miami. Se si sommano le tratte di collegamento – la loro da Trieste, la mia da Budapest – cambieremo aereo quattro volte e io e Maura conosciamo bene l'efficienza internaziona-

le dei Lost and Found. Al ritorno poi, viaggiare leggeri non ci precluderà l'eventualità di anticipare qualche
coincidenza. Insomma, ci sono mille ragioni per limi-
tarsi al bagaglio a mano.

– Gianna si è portata un armadio a rotelle, – dice
Maura, con la vena sulla fronte.

– Uuuh, che sarà mai, per una Samsonite, – risponde Gianna, guardando nuovamente davanti a sé, in uno
spazio laterale a noi due e a chiunque altro, uno spazio
ancora sgombro da occhi litigiosi. È chiaro sin d'ora
che la nostra assistente, in questo viaggio, dovremo as-
sisterla noi.

Ovviamente sull'Atlantico smetto di esistere. Mentre Maura mi accarezza la mano sul bracciolo, io vado
a Szeged, controllo che le mie wonderbabies facciano
i compiti, corro con loro un paio di giri di pista come
se potessero vedermi realmente, o comunque sentirsi
spronate in chissà quale modo dalla mia presenza fan-
tasmatica, incrocio lo sguardo di Agota oltre il vetro
panoramico del vendéglakás, cerco di capire, cosí sospeso davanti alla finestra, cos'è che guarda sempre da
lí, cos'è che ha davvero negli occhi quando fissa il fiume. Tornando a ventiquattromila piedi, il suo pancione mi appare piccolo piccolo. Mi alzo ancora, supero
l'aereo cabrando verso la stratosfera, e poi nella meso-
sfera e poi nella termosfera, incontro meteoriti, aero-
razzi x-15, space shuttle, satelliti, continuo a salire senza preoccuparmi della rarefazione dell'aria. Atomi di
elio e idrogeno piovono verso l'alto ma io non mi preoc-
cupo. Ci saranno circa 2700° C ma io non mi preoc-
cupo. Respiro a meraviglia. Vedo Alberto che si allena
tra gli eucalipti del Tilden, i giardinieri dell'allevatore
di maiali che stanno rifinendo la mia villetta in Fürj Utca, la mamma di Maura che bagna il ficus della mia casa disabitata e piena di giocattoli. Berkeley, Szeged,
Trieste sono un solo colpo d'occhio intorno al 40° pa-
rallelo di quella sagoma per niente sferica che è il contorsionista raggomitolato nel plexiglas. Da quassú il

pianeta non soffre. E neanch'io. Vedo il microscopico
Boeing in cui sono seduto, Gianna e Maura che continuano a passarsi le stesse foto, e mi accorgo che l'unico posto dove non ho ancora avuto il coraggio di andare è quello in cui mi porterà l'ultimo aereo. Sento
che non mi costerebbe nulla forzare il campo gravitazionale e disperdermi nello spazio, ma resisto alla tentazione, mi costringo a credere alle teorie consolatorie
di Alberto, a un'umiliazione cosmica, stellare. Mi basta pensarci un attimo, per precipitare dalla non esistenza sul sedile reclinato del mio viaggio reale.

Atterriamo a Chicago che la giornata deve quasi ri-
cominciare da capo. Di nuovo le undici del mattino, di
nuovo un porto distante dai centri abitati, circondato
da rettilinei tronchi, immersi nella sterpaglia, occupa-
to dalla stessa gente distesa su tre sedie col sacchetto
del Duty Free ai piedi, un porto identico a tutti gli altri porti senza mare costruiti con lo scopo di staccarmi
dalla vita per un numero determinato di ore e trasfe-
rirmi nel modo piú rapido possibile in un punto diverso della superficie terrestre.

Gianna sta vomitando tutto il salmone affumicato
sulla mano del doganiere che la interroga. In volo non
ha fatto altro che lamentarsi dell'aria condizionata. Le
hostess non hanno potuto accontentarla: quel gelo era
un marchio American Airlines, nessuno aveva il permesso di ridurlo.

«Sento che mi si sta bloccando la digestione» ci aveva avvertito. Durante la manovra di atterraggio ha anche rifiutato il sacchetto. Qui però, allo sportello della dogana, il salmone è eruttato con una pressione di
parecchie atmosfere.

Mentre Maura accompagna la nostra assistente a la-
varsi, approfitto per controllare ancora una volta il passaporto. La faccia è la mia, il nome anche, il timbro rosso che hanno appena stampato a pagina 23 dice U.S.
Immigration. Chicago: non c'è scampo, quello è il papà
di Fiona diretto a Port-au-Prince, il papà in cui devo

entrare prima che sia troppo tardi. Maura sta tornando dalla toilette con tutta la sua splendida potenza di polpacci e io non ho piú la forza di desiderarla morta. Siamo pronti per un altro decollo, un altro cielo.

Le luci della pista di Fort Lauderdale appaiono sul nostro finestrino in anticipo di pochi minuti. Sono le due di notte. Il taxi solca una Highway pressoché deserta. Per il momento, salvo il fatto che non dormo da 36 ore, non corro da 48 e che Gianna pretenderebbe di girare un po' per la Ocean Drive prima di chiuderci in albergo, si può dire che a Miami sta andando tutto liscio. Il letto è troppo comodo e profumato per prendere sonno. Prima di addormentarmi sfilo delicatamente dalle mani di Maura le foto nuove, in effetti tutte uguali. Fiona ritratta da sola, non piú nel lettino, appoggiata con la schiena a una parete scura. I suoi occhi umidi a dodici, quindici, diciotto mesi. Foto segnaletiche, ha detto una volta Maura. Mentre si appoggia alla mia spalla per continuare a guardarle insieme a me, riesco a intuire gli spasmi del colon, dell'utero, dei muscoli masticatori di mia moglie. Sto cercando le parole per dirle che questa bambina sana e normodotata ci salverà, ma non riesco neanche a pronunciarne il nome che Gianna bussa e mi chiede di correre da lei. È riuscita a fondere la caffettiera elettrica della sua camera.

Il passaggio dalla Florida ad Haiti avviene adesso, in sala d'imbarco, molto prima di arrivare sull'isola. Sono le nove del mattino. Delle trecentocinquanta persone pronte a salire sul Boeing insieme a noi solo altre due sono bianche, e si tratta di suore del Midwest con la T-shirt di una missione luterana che non mi sentirei di includere nella percentuale. Avvertire il nostro biancore, la nostra disarmata sovraesposizione agli sguardi della gente, sta producendo anche in Maura il primo silenzioso cedimento. In qualunque direzione mi giri trovo i loro occhi già puntati su di me. E quando li in-

crocio, mica li distolgono: macché, restano a guardarmi senza battere le palpebre per interi minuti. Guardano gli indifendibili capelli di mia moglie senza battere le palpebre. Cristo, senza battere le palpebre, proprio come fa Fiona, da nove mesi, nelle sue foto. Haiti
è già tutta su quest'aereo, penso. È l'interrogazione
senza curiosità che stiamo subendo. L'unica a sentirsi
a proprio agio è Gianna. Finalmente al centro dell'attenzione, usa ogni volta le sue sette parole di francese
e le sue tredici di inglese per conquistarsi il sorriso di
bambini che parlano solo in creolo. Poi, sconfitta, re-
gala una salvietta profumata. – Hai visto che serio quel
carboncino? – Carboncino, negretto, bambolina: la nostra assistente si sta concedendo una licenza dal linguaggio professionale. Tutti quei colloqui fatti in punta di piedi per non calpestare la dignità degli oppressi.
Mesi e mesi di ispezioni giannesche. Ma adesso no.
Adesso siamo alleati, compagni di viaggio. Siamo i suoi
piccioncini. Non c'è da stupirsi che Maura continui ad
andare alla toilette.

Eccoci a Port-au-Prince. La Samsonite con dentro
l'amuchina, la clorochina e tutte le altre sostanze fon-
damentali per la sopravvivenza tropicale di Gianna non
è comparsa sul nastro dei bagagli. Maura non è piú in
condizione di prendersi la rivincita che merita e decide di impiegare le ultime energie, prima di una completa disidratazione, aiutando la nostra assistente al
banco del Lost and Found. Io intanto mi sono procurato una Mitsubishi da un bivacco di moribondi chiamato audacemente Local Rent-a-Car. Sicché ora, sfian-
cati, soli, ma soprattutto bianchi, ci immettiamo sulla
strada per Fiona.

Le indicazioni della madre superiora sono precise:
seguite la carrefour per Jacmel[1], prima della città tro-
verete l'Hôtel Jacmel, passate lí la notte, al mattino
chiedete a qualcuno di indicarvi la salita di Baissin

---

[1] Ad Haiti *carrefour*, in francese «incrocio», significa «strada statale».

Blue, dopo mezz'ora sarete arrivati, non venite al pomeriggio. Questa perentorietà dà all'ultima scatola di Fiona le sembianze di una cassetta di sicurezza: per Gianna è la prova di quanto le suore siano protettive nei confronti dei loro orfanelli, insomma è un fatto positivo, confortante; per noi no. Beninteso, né io né Maura abbiamo aperto bocca, ma mi basta guardarla, mia moglie, per capire che pensiamo la stessa cosa. Quel modo di mangiarsi il labbro inferiore, quel modo di stringere gli occhi di fronte a nessun lampo e a nessun'esplosione, quel modo di rimettere le ciocche troppo corte nel fermaglio della coda, quei modi per me sono parole. Non venite al pomeriggio, non venite. Mamma, papà, non venite. Da quanto tempo è che non mi trovo cosí d'accordo con lei? Sento le nostre menti procedere con le geometrie del nuoto sincronizzato. Stesso ritmo, stessa direzione, stessi scatti da marionetta. Il nostro movimento però è solo inerzia, irrefrenabile inerzia di uno sforzo mantenuto troppo a lungo. Sotto le sue carezze da stiamo facendo la cosa giusta, anche lei lo intuisce, potrei giurarlo. Eppure non smette di accarezzarmi, appoggia la sua mano sopra la mia ogni volta che la lascio per un po' sulla leva del cambio. Stiamo facendo la cosa giusta, stiamo facendo la cosa giusta. Nega l'inerzia, non si arrende. Gianna addita i bersagli della sua attenzione: la vecchia seduta nel canale di scolo, lo storpio col carrello degli sciroppi, il venditore d'acqua, il mulo stracarico di capre morte, le donne coi catini in testa, il bambino rachitico con le mosche negli occhi, il maiale col muso dentro i resti di un cane, il camion con le vacche legate sul fondo del cassone, la gente seduta sulla pancia delle vacche. Per ogni bersaglio si sporge dal finestrino e dice: «Guarda!» Ha la testa completamente ricoperta dalla polvere della strada, sembra l'operaio di una cava. Non sono balle: la miseria esiste davvero. Ecco il senso del suo lavoro! Ecco la causa per cui riempie moduli e stende relazioni! Ecco la sua missione! «Guarda!» L'entusiasmo sta accelerando la regressione della sua correttezza.

Dopo settanta chilometri di sterrato, la carrefour per Jacmel si stacca dalle bidonville della giungla e comincia a salire piacevolmente asfaltata. La polvere è sparita, cosí pure le carogne di animali investiti, buttate a bordo strada. L'aria si fa via via meno rovente. Per raggiungere la costa a sud dobbiamo attraversare le montagne. Nel primo villaggio abbiamo comperato da una bambina tre banane grosse come cotechini. Gianna è piú affamata di noi ma non ha voluto saperne di mangiare frutta senza la sua amuchina. Preferisce digiunare fino all'albergo, in memoria della Samsonite. Però la piccola venditrice merita una sua riflessione.

– Eh sí, ragazzi, la vostra Fiona sarà proprio fortunata. Chissà cosa le sarebbe toccato senza di voi. Magari avrebbe venduto banane sulla strada anche lei. Bravi i miei ragazzi.

Maura si gira a sorriderle. Stiamo facendo la cosa giusta, stiamo facendo la cosa giusta. Nega l'inerzia. Ma secondo me neppure lei considera cosí sfortunata quella bambina con la camicetta fucsia, i dreadlocks belli ordinati e il casco di banane per appoggiare la schiena. Vorrei dirglielo, trovare il coraggio di dirle, qui, in questa stupida jeep, con la banana ancora in mano: Tu pensi che Fiona sarà fortunata con noi? Pensi davvero che potrò vivere di nuovo a Trieste? Perché non sei morta? Perché non muori? Ti vorrei bene per sempre se tu morissi.

Valicato il passo, i tornanti si sono fatti piú ripidi, i villaggi piú radi e in poco meno di un'ora siamo scesi a valle. È finita la strada asfaltata. Sono ricomparse le buche, le zaffate di morte, la polvere. Ancora cinquanta chilometri, mi dico. Dai, non sono tanti, passeranno prima che te ne accorga. E infatti, tra i primi tuguri in lamiera che annunciano una nuova città mi salta agli occhi lo spruzzo mal tarato di un irroratore automatico: sotto il suo arcobaleno, piú avanzato rispetto al giardino, c'è un cartello con su scritto HÔTEL JACMEL. Non è ancora troppo tardi per chiedere di

Baissin Blue, il sole ha appena iniziato a cadere, arriveremmo all'Holy Cross con il primo buio. L'idea di essere cosí vicini a nostra figlia, alla bambina sconosciuta per la quale ci siamo umiliati e fatti umiliare e vicendevolmente annientati purché diventi nostra figlia, e di lasciarla per una notte di piú nella sua ultima scatola, l'idea di andare a dormire a un passo dal suo lettino bianco mi fa impazzire. Se Fiona deve nascere, se Maura deve partorire, se questa cosa deve cominciare, bene, che cominci subito.

– Non fatelo ragazzi, – ecco Gianna che rientra dalla sua regressione, – se la direttrice non vuole che ci andiate di pomeriggio, figurarsi di sera.

– Tu che dici? – Oh bella! Io che dico, Maura? Che ti sta sanguinando di nuovo il labbro. Che la gita è finita. Che ho paura anch'io ma ormai siamo costretti a diventare ciò che volevi che fossimo. Adesso. Subito. Quindi le dico:

– A me non me ne frega un cazzo della direttrice. Gianna può restare in albergo. Noi andiamo a prenderci la bambina. E smettila di morderti!

– Dario, ragiona. Ascoltatemi ragazzi. Abbiamo fatto un sacco di strada, non roviniamo tutto sul piú bello. Questi istituti hanno equilibri sofisticati, una gestione delicatissima. Basta niente e succede un casino.

– E allora? – E allora. Sto parlando come un bambino. Sento che la saggezza di Gianna sta neutralizzando Maura. E allora è chiaramente un'obiezione già sconfitta.

– E allora vi conviene rispettare le regole della madre superiora. Perché se quella vuole può rendervi le cose molto complicate. Diglielo tu, Maura. Scendiamo da questa carretta, ci facciamo una doccia, una bella mangiata e domani, puntuali e ubbidienti, saremo dalla piccola. Su ragazzi, avete aspettato tanto, non sarà un giorno a cambiare il vostro destino di mamma e papà.

Maura mi guarda – la gita non è ancora finita – e io le pulisco il sangue col dorso della mano.

62.

Da: alberto.lentini@uclink4.berkeley.edu
Data: giovedí, 20 marzo, 10:22
A: dario.rensich@katamail.com
Oggetto: zenone

dario, non credo che troverai né il tempo né il
modo di collegarti, lí dove sei. immagino che haiti
non pulluli di internet caffè e che tu comunque
abbia altro a cui pensare in queste ore, giusto? se
ho fatto bene i calcoli, leggerai, mi leggerai,
quando sarai già tornato a trieste, con la tua bébé
créole e maura.
è giusto che tu abbia scelto cosí. credo di aver
lavorato anch'io perché le cose prendano questa
direzione, almeno all'inizio. è giusto e sono
contento per voi.
adesso però ti sto facendo un gestaccio, lo vedi,
vero? non sto a dirti perché, sarebbe troppo lungo
e poi forse bene bene non lo so neanch'io. mi
capita spesso di farlo anche mentre corro. uno mi
passa con la macchina un po' piú vicino di come
dovrebbe e io gli mostro il medio. lui pensa:
guarda 'sto vecchio pagliaccio, so io dove glielo
metto adesso quel dito. ingrana la retro, mi
raggiunge, si ferma, ma quando esce, io e il mio
dito medio bello alzato siamo già piú avanti e, tu
lo sai, rincorrermi non è facile. allora risale in
macchina, sgomma e stavolta cerca di chiudermi

sul bordo strada. ma, per quanto bravo sia a
stringere, c'è sempre uno spazio per saltare. per
quanto rapido sia a smontare, io e il mio gestaccio
siamo già troppo lontani. e cosí all'infinito. hai in
mente achille e la tartaruga, no? ecco, magari
quelli che mi inseguono per strada non conoscono
zenone, ma tu sí, tu sei un ragazzo in gamba.
perciò rinuncia subito, non tentare di
raggiungermi. lascia che questo vecchio pagliaccio
ti mostri il medio senza dirti perché. resta in
macchina insieme a fiona e a tua moglie. e
dimenticami.
alberto

ps. abbiamo tutti rischiato grosso. l'ho capito solo
un'ora fa. stavo bevendo un mokappuccino alla
nocciola al solito posto di fronte alla bart e l'ho
realizzato chiaramente: è grazie a te se non siamo
finiti male, è grazie a te se, con un passo indietro,
ci siamo riappropriati della nostra forma e della
nostra necessità.

63.

Sono circa le tre di notte e sentiamo bussare. Io e
Maura siamo supini, lei con la mano sulla mia, tutti e
due con gli occhi sulle pale del ventilatore, attenti a
non fare altro che respirare. I colpi sulla porta sembrano di una fronte, di un ginocchio, di qualcosa che
nessuno userebbe mai in condizioni normali. Gianna è
strisciata fuori dalla sua stanza e adesso è in ginocchio
davanti a me.
    – Non sto molto bene.
    – Cristo! Cos'hai?! Cosa ti succede?! – Ma Gian-
na frana tra le mie braccia e non riesce piú ad aprir bocca se non per sbavare e vomitare.
    Sto attraversando il palmizio che separa le camere
dalla hall cosí, in mutande, con il corpo di Gianna che
si contorce in conati da ernia. Non voglio credere che
stia succedendo sul serio.
    Il guardiano col fucile a pompa che veglia sulla re-
ception mi spiega a gesti che se intendo chiamare una
ambulanza faccio prima a seppellire la mia amica in
giardino.
    – Est-ce qu'il y a un hôpital ici? – chiedo.
    Niente.
    – Hôpital, ici, Jacmel, – riprovo.
    – Hôpital? Uè, Hôpital Port-au-Prince.
    Okay, mi dico, come se fosse il pegno di un simpa-
tico gioco di società, devo andare a Port-au-Prince.
    Se penso alla rapidità con cui si è ammalata, se pen-
so al tempismo della sua febbre e delle sue convulsio-

ni, stento a credere che siano, come non possono che essere, involontarie. D'accordo, è rimasta senza i suoi disinfettanti, ma siamo ad Haiti da neanche un giorno. A cena ha bevuto solo acqua sigillata. L'aragosta alla creola? Ma l'abbiamo mangiata anche noi, qualunque cosa contenesse quel sugo. E anche noi abbiamo fatto il bagno in piscina. L'Hôtel Jacmel, per letali che siano le sue zanzare, non può aver ridotto in poche ore un'assistente sociale troppo piena di risorse in un'appestata sul punto di morte. Mi sorprendo a pensare che domani forse avrò bisogno di lei.

L'avvolgiamo in un lenzuolo e la carichiamo sulla Mitsubishi. Non provo neanche a dire a Maura di restare: stesso ritmo, stessa direzione, stessi scatti da marionetta, non puoi interrompere a metà una prova di nuoto sincronizzato. Cosí torniamo nella capitale. Buche, zaffate, polvere, montagne, polvere, zaffate, buche. I fari svegliano la gente addormentata sul ciglio della strada. Le scariche diarroiche di Gianna dentro il lenzuolo: i suoi rumori ormai privi di imbarazzo, i nostri colli irrigiditi da quel brutto, bruttissimo segnale.

Invece la nostra assistente, all'hôpital, arriva viva.

– Brava Gianna, ce l'hai fatta, – le dico, davvero stupefatto che abbia gli occhi ancora aperti.

Escono due militari. Prima di metterla sulla lettiga, mi chiedono se la *femme* è assicurata. Non mi pare che questo sia un ospedale militare. Che ci fanno qua due infermieri in mimetica? Ovviamente non lo sto chiedendo. Il piú magro dei due mi sfila dalle dita il contratto dell'assicurazione e l'altro si porta dentro Gianna tirando la lettiga per dietro, come una carriola vuota.

Lei trova anche la forza di prendere il passaporto sotto il mento e dirci:

– Andate, voi –. È chiaramente il marine ferito in ritirata. E noi, senza sapere se dietro quelle veneziane rotte c'è qualcuno capace di guarirla, senza sapere se e quando torneremo a trovarla, senza sapere se rivedremo mai Gianna ancora viva, noi, i suoi piccioncini, la stiamo abbandonando.

Il ritorno a Jacmel è piú veloce. Con l'alba vedo meglio e ormai per queste strade sono di casa. Sento gelide fitte di stanchezza irradiarsi dalla colonna vertebrale come dagli ugelli di un criobisturi. Le gambe sono sfinite da piú di tre giorni di non corsa. Ma la fatica vera è l'inerzia condivisa con Maura, l'acido lattico per questo sforzo troppo prolungato, per tutte le scatole aperte prima dell'ultima.

Lei continua a dire:

– Domani le portiamo nostra figlia.

Fissa il parabrezza col suo sguardo da testa decapitata e ripete:

– Domani le portiamo nostra figlia.

Succhia il sangue del labbro martoriato e dice ancora e ancora:

– Domani le portiamo nostra figlia.

Io ovviamente annuisco, anche se la frase «Domani le portiamo nostra figlia» mi appare comprensibile una volta e priva di senso la volta dopo.

Alla reception dell'albergo il tizio col fucile a pompa ha ceduto il posto al direttore, il quale ci ha tenuto in caldo due crêpe all'ananas cucinate poco fa da lui in persona e ora per cinque dollari si offre anche di accompagnarci a Baissin Blue.

Mangiamo la pappetta stucchevole del direttore Jean per mostrargli che non ci fa schifo la roba cucinata da un nero con le unghie incrostate di uovo e per mostrare a noi stessi che non moriremo avvelenati, che nessuna febbre ci fermerà, per negare insomma che stiamo crollando. Dopo la doccia Maura si trucca, anche. Giusto un filo di rossetto dello stesso colore dei capelli, un altro piccolo pezzo di training autogeno. Non ci resta che scalare la scarpata verso il lettino di Fiona.

Jean guida la jeep come se non ci fosse il precipizio, si gira verso di noi, si sbraccia per indicarci la cascata, saluta chiunque scenda da qui con piú di un mulo e, per lasciare il passo alle bestie, mette ogni volta due pneumatici quasi nel vuoto. Questo vuole farmi un favore, mi dico. Ma si sbaglia. Io non voglio morire, devo tornare a Szeged, non posso morire, c'è Agota che mi aspetta laggiú e ormai neanche Maura muore piú. Grazie per il pensiero, ma ormai ci siamo. Nessuno può piú morire, adesso dobbiamo proprio cominciare.

Baissin Blue è una pozza di fango dove alcune donne, probabilmente inservienti dell'Holy Cross, stanno facendo il bucato. L'Istituto si trova poco sopra, con le sue costruzioni in calce ben distribuite dietro una pesante inferriata rossa. Non ci sono scritte a renderlo riconoscibile, ma una strana giostra accanto al portone centrale: una ruota orizzontale, composta da ampi cestelli, per metà esterna e per metà interna all'Istituto, una specie di porta girevole per neonati chiamata, se non sbaglio, ruota degli esposti. Per un attimo, prima di entrare, mi sfreccia nel cervello l'immagine di Agota che depone il suo piccolo in uno di quei cestelli e poi svolazza via. La mia cicogna ungherese. No, Agota non l'avrebbe mai fatto. Non con me.

Ci apre una ragazza in grembiule rosa. Io le mostro le carte, Jean mi traduce e lei va a chiamare la direttrice. Del loro discorso l'unica cosa che ho intuito è che il soprannome della madre superiora è Diabol. Aspettiamo suor Diabol. Maura sta mezzo passo davanti a noi, protesa verso gli infiniti punti dello spazio da cui potrebbe sbucare sua figlia. Non dice dov'è la mia Fiona, datemi la mia Fiona, o cose del genere. Inghiotte in continuazione per resistere all'adrenalina in eccesso, solo questo. Inghiotte e con un kleenex si tampona il sangue che i suoi denti hanno ritrovato sotto il rossetto.

Ecco comparire una nera chiara con un'impeccabile divisa grigia. Avrà piú o meno settant'anni e si presenta come la mère supérieure. Avanzando nel giardino ci troviamo in mezzo a un complesso coloniale piuttosto articolato. Diabol nomina le costruzioni continuando a camminare. Nurse School, Work House, Sister House, non aggiunge altro, come se i nomi bastassero per qualsiasi spiegazione. Non sa l'inglese: quelli sono suoni con cui qualcuno le ha insegnato a identificare i rispettivi contenitori. E io mi sto chiedendo chi cazzo ha letto le nostre traduzioni, chi cazzo ha scritto il Child Study. Ma Diabol è già arrivata alla Children House, la casa dei bambini, il contenitore dei bambini in attesa di avere una casa. E proprio quando sta diventando insopportabilmente chiaro che questo posto per essere il giardino di un orfanotrofio è troppo silenzioso e privo di orfani, Diabol si rivolge a Jean e gli spiega che siamo arrivati molto tardi, che a quest'ora i bambini riposano e che solo in via eccezionale, considerando le difficoltà del viaggio eccetera eccetera, lei ci concede di vedere nostra figlia. E noi, senza chiedere secondo quale concezione diurna mezzogiorno sia tardi e sperando che «vedere nostra figlia» sia una cattiva traduzione di «prendere nostra figlia», seguiamo Diabol e Jean su per gli scaloni del dormitorio.

Stiamo entrando. Maura si mette a tremare. Le doglie dello spirito, avrebbe detto Gianna. Adesso avremmo proprio bisogno delle stronzate di Gianna. La verità è che anch'io, che non sto partorendo, comincio a sudare freddo. Lo stanzone è meno buio della foto – la prima, l'unica vera foto – e soprattutto ha i lettini pieni. Fiona non ci aspetta in piedi al centro di un deserto di culle bianche. Fiona non è piú il suo ritratto solitario. Si è moltiplicata in tutti questi bambini addormentati. Un mare di grembiulini celesti da cui cominciano a sollevarsi le prime teste. Eccoci piccola, siamo papà e mamma, tu dove sei? Vedo un enorme armadio a vetri stipato di giocattoli e mi accorgo di avere in mano un bruco gigante. Come ci è arrivato nelle mie mani, questo coso di peluche verde? Ricordo Maura che lo tira fuori dalla borsa, ancora in albergo. Tieni, portiamoglielo, è il tuo preferito no? Sí, Maura, è il mio preferito. E mentre mi guardo il bruco e sto attento a non premergli la trombetta nella pancia, sento ridere Jean e Diabol. Lui traduce:

– Dice che dovete indovinare qual è la vostra –. E noi, invece di protestare, invece di massacrare a calci e pugni questa suora negra, avanziamo verso la lunga fila di lettini. Ogni volta che ci avviciniamo a un bambino, Diabol dice no e il nome. Noi guardiamo, esitiamo, facciamo un passo verso la culla e Diabol dice:

– No, Megha.

Ne facciamo un altro e lei dice:

– No, Marlene –. E poi, via via: «No, Touna», «No, Sophie», «No, Louisette». E noi capiamo che da soli Fiona non la troveremo mai. Sia io che Maura ci ricordiamo nel dettaglio il viso di Fiona, ma quanto può cambiare il viso di una bambina di diciotto mesi, anche in poco tempo? Quale di queste bambine addormentate sa fissare l'obiettivo senza battere le palpebre? Qual è la tua scatola, Fiona? Diabol si stufa del gioco un attimo prima che Maura si lasci assalire dai conati. Va in fondo allo stanzone e pesca dal letto una bambina, giannescamente *fa nascere nostra figlia*, che, svegliatasi di soprassalto come nel peggior parto possibile, esplode in un pianto rabbioso. La mère supérieure la solleva sopra la testa, le borbotta qualcosa sorridendo per la prima volta, la gira verso di noi sempre con le braccia tese in alto come a dire «Eccola!», ma anche «Questa vi va bene?» Mette Fiona in braccio a Maura e le dice una frase che si capisce anche in creolo ma che Jean traduce lo stesso:

– Se sei brava la calmi –. E Maura non mi dice ammazza questa suora bastarda, probabilmente non riesce neanche a pensarlo perché ha in braccio una bambina urlante che è sua figlia. Cosí comincia a camminare su e giú lungo la fila dei lettini e sussurra parole tenerissime alle urla di Fiona, parole che finiscono per far singhiozzare anche lei. Al che Diabol, prima che il pianto contagi tutti i bambini, spinge madre e figlia fuori dallo stanzone e io le seguo giú per le scale col bruco che, per le contrazioni irriflesse della mia mano, si è messo anche lui a fare i suoi rumori. Vedo la coda di cavallo rossa, esageratamente rossa, di mia moglie e una bambina esageratamente nera che si puntella a braccia tese sul suo seno, urlando tutta la paura che ha in corpo. Fiona mi fissa mentre scendo dietro di lei. I suoi occhi non sono piú quelli delle foto: adesso cercano, interrogano, chiedono perché. Tutto il baraccone si sta spostando in giardino. Jean, Diabol, qualche inserviente. C'è anche la ragazza in grembiule che ci ha aperto. Si tengono a distanza, ma non troppo. Sono incuriositi dal pianto italiano di mia moglie. Ecco che torna fuori l'intuizione della sala d'imbarco, un'intuizione che, a dirla o a provarla, non fa lo stesso effetto: siamo bianchi. Insomma, mi sto accorgendo che Maura è davvero troppo bianca. Fiona la guarda come se fosse stretta tra le braccia di un mostro. Vede una montagna di capelli ruggine, due occhi verde acqua, un seno enorme e lentigginoso, sente i suoni scomposti, cigolanti di una lingua straniera, non potrà mai calmarsi in braccio a quella cosa. Maura però non ha tempo per simili intuizioni.

– Piccola mia, amore della tua mamma, non fare cosí, Fiona, amore, piccola mia, – non smette di supplicarla e piange e inevitabilmente cigola. Allora la prendo io e provo con il bruco, ma Fiona aumenta, se possibile, l'intensità del pianto. Mia figlia è un corpicino gommoso che vibra dal terrore. Dal pannolino scende sul mio braccio un abbondante versamento di diarrea. Diabol decide di togliercela e la passa alla ragazza col grembiule rosa. La mère supérieure ha l'aria abbastanza soddisfatta. Parla con Jean, il quale ci dice:

– Ha detto di andare a mangiare e di tornare tra due ore. La bambina sarà pronta.

Mentre ci allontaniamo, Fiona esegue le istruzioni della ragazza che l'ha ripresa in braccio. Ci fa ciao con la manina, convinta che il pericolo sia passato.

Sull'altro lato della cascata c'è una capanna col tetto in lamiera, il Restaurant Baissin Blue. Jean ordina un risotto al cocco per tre ma, dopo averci guardato meglio, capisce che se lo mangerà tutto lui. Io e Maura beviamo due birre a testa. Come fantasmi siamo degli ottimi bevitori di birra. Due lenzuoli bianchi che mettono chissà dove tutto questo liquido tiepido di nome Prestige.

– Bisogna avere coraggio per chiamare qualcosa cosí ad Haiti, eh Jean? Tu che ne dici? – Anche Jean sa che Maura non gli sta facendo una domanda. – Rispondi stronzo, come fate a produrre una birra *prestigiosa* in questo posto di merda?

– Lascialo in pace, lui non c'entra.

– Oh certo, lui non c'entra. Tu non c'entri, vero Jean? Però te la ridi eccome con quel diavolo del cazzo. Ti faccio ridere, eh? – Maura aspetta che Jean tiri su gli occhi dal risotto, ma Jean non ha bisogno di conoscere l'italiano per intuire che gli conviene continuare a mangiare. Per un attimo ho anche temuto che Maura gli sollevi la faccia con le mani. Ma no, impossibile. Dove la trova tutta 'sta forza un fantasma?

– Lascia stare Jean. Risparmiati per dopo. Dobbiamo tornarci lí dentro, lo sai, no?

– Lo so, lo so.

Anche lei come me deve avere tutto chiaro in mente: le scatole, lo sforzo, l'inerzia, l'affranta sincronia dei nostri movimenti. Piú di tutto sta diventando insostenibile, in questa specie di pranzo a base di birre, la nostra comune omissione della parola Fiona.

Io e Jean ci siamo distesi sulle panche. Maura rimane a fissare l'inferriata rossa, oltre l'acqua nebulizzata della cascata. Ha assunto la sua posizione a uovo.

Sono passate due ore. Rientriamo all'Holy Cross. Il giardino adesso è pieno di animali e bambini. Galline, capre, maiali girano dappertutto. Forse c'erano anche prima, ma io non li avevo notati, esattamente come non avevo notato l'orto su un lato della Sister House, né il playground in fondo al parco. I bambini sono accosciati in cerchio con le mani sulle ginocchia e la bocca aperta. In mezzo a loro una suora prende da un pentolone piccoli pugni di cibo e li imbocca. Loro aspettano il proprio turno totalmente concentrati sulle manovre della suora. Non mi pare che ci sia nostra figlia, ma non so se la riconoscerei: di fatto non ho ancora visto la faccia non urlante di Fiona se si esclude il momento del ciao ciao, quando ormai era troppo lontana. E comunque Fiona non c'è. Ce la portano tra un minuto, dice a Jean la suora nutrice, prima di mollare un ordine secco ai bambini tipo rompete le righe. I piú grandicelli però non corrono subito al playground. Assaporano, guardandosi bene dall'avvicinarsi, la fortuna di non essere la ragione della nostra presenza a casa loro. Studiano questi due fantasmi intenti a trasudare birra sotto il sole con l'attenzione che si dedica a un problema grave. Altrui.

Il minuto sta diventando un quarto d'ora, ma ecco che una suora ci fa segno di venire. Fiona è in piedi sull'unico tavolo del dormitorio, circondata dalle mani che finiscono di prepararla. Ha un vestito giallo, i dreadlocks risistemati con gli elastichini nuovi, la pelle ancora lucida di chissà quale lozione, splende come la migliore figlia che si possa desiderare. Solo che, già sentendo i nostri passi di bianchi su per le scale, si è messa a urlare. Non cosí forte come prima: dice anche qualcosa adesso, cercando nelle inservienti, con le parole mozze dei suoi diciotto mesi, ciò che le sue carezze e il suo pianto non hanno trovato. Per queste ragazze, in buona parte o forse tutte ex bambine adottabili, si tratta di un rito di iniziazione privilegiato. Che cosa inizi questo rito di iniziazione, crediamo di saperlo solo noi. Diabol tira Maura per il braccio verso uno scaffale con la roba di Fiona. I pannolini, il cartellino delle vaccinazioni, il biberon, il latte in polvere. E una boccetta col contagocce. Jean traduce:

– Dice che queste dovete dargliele stanotte, perché dorma, non piú di venti –. Perfetto, abbiamo anche il narcotico per sedare il cucciolo finché non arriva al parco nazionale. C'è tutto, bisogna proprio cominciare.

L'unica a piangere insieme a Fiona è la ragazza in grembiule rosa che ci ha aperto al mattino. È anche l'ultima rimasta ad aggiustare la bambina, che ormai non ha piú nulla che possa essere aggiustato. Risponde alle suppliche di nostra figlia lisciandole un po' l'orlo del vestitino, ritoccandole i dreadlocks della fronte, lacrimando con la faccia immobile, come se avesse una semplice irritazione agli occhi. Di colpo, anticipando istintivamente un comando di Diabol, strappa Fiona dal tavolo, la consegna alla madre ufficiale e scappa giú per le scale. «Bisogna recidere il cordone ombelicale, subito, senza tentennamenti. Lo faranno lí davanti a voi. Sarà duro, ragazzi». Gianna, com'è che sapevi tutto e poi ti sei frollata nel primo brodo tropicale? Perché hai scelto la febbre, invece di aiutarci? Come si ferma il dolore? Come fermiamo le urla di questa bambina?

Suor Diabol ci sta mettendo letteralmente alla porta. Credo voglia evitare agli altri orfanelli la vista di come potrebbero scomparire un giorno, rubati da una coppia di fantasmi. Sul portone ripete piccole parole mentre noi ci sistemiamo in macchina: cose tipo sciò sciò o via via, che Jean comunque non traduce piú. Questa vecchia ci sta regalando una figlia: è pazzesco salutarsi cosí, eppure stiamo già montando in macchina, le diamo le spalle tutti concentrati sul motorino di avviamento, sulla manovra di inversione, sulle braccia nere di Jean che girano il volante verso il nostro inizio. Io e Maura abbiamo fatto mille gare, ma non ci siamo mai sentiti cosí completamente abbandonati dalle forze prima della partenza. È come se Fiona ci stesse risucchiando, come se il suo pianto si stesse mangiando le nostre ultime riserve di glicogeno. Le urla sembrano entrare in lei, non uscire. La sua bocca è una finestrella aperta sull'antimateria, dentro potrebbe anche finirci il mondo intero. Gli incommensurabili volumi di suono che produce sono il dolore di questo inghiottimento, di questa sparizione. Piange senza voltarsi a cercare l'Holy Cross – le mani sulle ginocchia, il bruco dietro la schiena, seduta in mezzo a un uomo e una donna dalla pelle cadaverica – probabilmente spera che il pianto prima o poi la svegli. Non osa guardarci, intanto però, contro la sua stessa volontà, ci sta inghiottendo.

Per tutto il tragitto, fino all'hôtel, Maura non smette di accarezzarla. Con le sue dita bianchissime fa ampi cerchi sul pancino e sulla schiena di Fiona. Tra un massaggio e l'altro le porge il biberon d'acqua, come se nostra figlia potesse davvero chiudere la bocca su quel ciuccio e dissetarsi. Capisco il tentativo di Maura: fendere la continuità delle urla è ciò che voglio anch'io. Ma non ho il coraggio di imitarla, provo a compattare le energie residue restando immobile, cercando nell'inazione i sacchi di sabbia per resistere. Tolgo il bruco da dietro la schiena di Fiona, tutto qui. Glielo appoggio sulle gambe senza neppure strizzarlo. Lei lo guarda, guarda il bruco del fantasma, immaginando, credo, che anche questo al risveglio sparirà. Io lo rimetto al suo posto, dietro la schiena di Fiona, come il casco di banane dietro la schiena della bambina venditrice. Tu pensi che sarà fortunata con noi? Maura, pensi davvero che potrò vivere di nuovo a Trieste? Pensi davvero che lí, con me e te, senza vendere banane, Fiona sarà felice? Perché non sei morta? Perché non muori? Ti vorrei bene per sempre se tu morissi.

Solo Jean riesce a far bere il tranquillante a nostra figlia. Le prime venti gocce non sono servite a niente. Fiona le ha trangugiate con un biberon intero d'acqua e poi ha ripreso subito a inghiottire il mondo. Non lo calmi un dolore simile con venti gocce di tranquillante. Cosí adesso, dopo neanche dieci minuti di strada, ci fermiamo di nuovo. Riempiamo per metà il biberon con altra acqua e ci scarichiamo dentro tre, quattro, e dopo un'occhiata da criminali braccati, cinque misurini, per un totale di circa cento gocce. Fiona ha ancora sete e beve tutto questo sonno facendolo sciabordare nella plastica con gli scatti delle sue manine e svenendo praticamente all'ultimo sorso tra le braccia nere di Jean.

Che morbida bambina. La soda gommosità dei piedi, le braccia a riposo, le pieghe sudate dei gomiti e delle ginocchia, il viso, il viso!, finalmente il viso riconoscibile di Fiona. Maura sorride alla testolina addor-

mentata sulla sua tetta sinistra. C'è ancora speranza,
vedi Dario? Ce la possiamo fare. Capisco che si è riac-
cesa in lei la battaglia possibile/impossibile. È andata
a prendere chissà dove altro ATP. La sua non è piú solo inerzia. E forse neanche la mia, visto che sto contemplando la speranza di questo abbraccio di madre e
figlia come la cosa che doveva cominciare, che sta cominciando e contro cui non ho la forza di combattere.
Una speranza che mi lacera piano con questa foto di
Oliviero Toscani sviluppatasi da sola sul sedile accanto al mio.

Adesso però, in albergo, mi pare che Maura non ci
creda già piú di nuovo. Sono sotto la doccia e la sento
parlare a nostra figlia.
– Sono io la tua mamma, ti troverai bene, vedrai, –
dice questa e altre frasi del genere. Solo che una bambina addormentata non è propriamente convincibile e
insomma capisco che Maura sta affrontando l'ennesima seduta di training autogeno, abbastanza sicura, almeno dal tono di voce, che qualcuno o qualcosa alla fine la batterà. Uscendo dal bagno vedo Fiona distesa in
diagonale sul letto e Maura appoggiata sul gomito che
le parla a un palmo dal viso, con la voce un po' su e un
po' giú, e penso ad Agota, a Szeged, alla mia cicogna
di Szeged. Il pensiero ha lo stesso effetto di una crosta
di pane nell'esofago. Tanto che il bruciore mi fa lacri-
mare e Maura si confonde, si alza per stringermi e tutto è di nuovo sbagliato in questa stanza.
A rimettere le cose a posto arriva il risveglio di Fiona. Gli occhi si aprono sulle pale del ventilatore – un
ventilatore identico a quello dell'Holy Cross –, esplo-
rano piano il soffitto del non dormitorio calando quindi, già informati, sui due fantasmi abbracciati. L'urlo
esplode dal niente. Fiona non può permettersi di piagnucolare. Non puoi perderti a piagnucolare se ti ri-
svegli in un incubo, solo un pianto urlato a tutta forza
può toglierti da qui, solo piangendo cosí puoi sperare
di inghiottire tutto il mondo e che il dolore smetta. Al

primo urlo Maura ha avuto un crollo di tensione e adesso si sta afflosciando su di me come se le avessero sfilato la spina dorsale. La metto distesa accanto alla bambina, ma nessuna delle due accetta un contatto. Piangono ognuna per conto proprio.

– Tieni il bruco, piccola, guarda che bel bruco, è il mio preferito sai? – Fiona si lascia appoggiare sopra le gambe il bruco. È di nuovo seduta. E ovviamente lo ignora.

– Maura, cazzo, non fare cosí, non puoi farlo, non in questo momento.

– Che significa non in questo momento? Non ci vuole, non vedi che non ci vuole?, – indica Fiona che, sempre continuando a urlare, ci guarda, fuori da tutte le scatole, teoricamente nostra. Chissà che impressione vederci litigare.

– Sapevamo che sarebbe stato cosí, all'inizio».

– Sí, lo sapevamo. Ma non cosí. Cazzo, non cosí.

– Non sarebbe stato male imparare quattro parole di creolo.

– Ma Gianna ha sempre detto che capivano il francese. E poi, che cazzo cambiava? Eh, me lo vuoi dire? Cosa le dicevi in creolo? Che le vogliamo bene? Che è per questo che la portiamo via da casa sua?

– Dai Maura, tirati su e aiutami. Non abbiamo molto tempo ancora, dobbiamo cambiarla e poi le diamo qualche altra goccia. Eh, Fiona? La vuoi l'acqua per dormire? – Non so come faccio a stare qui in piedi a parlare invece di sedermi anch'io per conto mio. Sento le gambe e le mascelle indurite nello sforzo di resistere. Prego che Agota plani su di noi con le sue ali magre e mi strappi via da tutto questo. Eppure non mi riesce piú di desiderare la morte di Maura.

Conto fino a trecento. Guardo l'orologio. Ricomincio. Riesco a contare piú o meno cinque numeri al secondo. Non trovo nessuna buona ragione per smettere, anche se mi accorgo che non sono piú fermo in mezzo alla stanza e che, mentre sto contando, ho cominciato a cambiare il pannolino alla bambina. Maura si è alzata. Sta riempiendo il biberon di altra acqua. Carica il primo misurino con le gocce e lascia la boccetta aperta sull'angolo del comodino. Fiona, forse vedendo l'acqua, forse per la prima volta incuriosita dal mio giocattolo preferito, ha afferrato per la coda il bruco e in questo esatto istante lo sta mandando con la testa contro la boccetta. Prima che accada riesco solo a dirmi: ecco fatto.

– Oddio, nooo! – supplica Maura con il misurino ancora in mano, mentre la moquette finisce di bere il tranquillante.

– Non gridare cosí, che la spaventi!

– Oddio, nooo! – Non è un'imprecazione. Maura sta chiaramente supplicando la moquette.

– Calmati! – Pazzesco, ho tutte le ragioni per desiderarla morta, ma non ci riesco piú.

– Oddio, nooo! – Fissa la macchia scura sul pavimento e supplica. Nient'altro.

– Smettila Maura, la devi smettere, calmati.

– Oddiooooo!

– Pazienza, dai. Vuol, dire che faremo bastare queste –. E, perfettamente conscio di aver pronunciato una colossale stronzata, prendo il misurino e lo spremo nel biberon. Trenta gocce al massimo, a quattro ore dall'aereo, mentre Fiona, terrorizzata dagli oddio della mamma, è di nuovo fuori di sé.

Il tramonto arriva con la sua solita fretta tropicale e in tre minuti se n'è già andato lasciandoci nel buio pesto delle sei e mezza. Contando di raggiungere Port-au-Prince intorno alle nove, abbiamo giusto il tempo per far visita a Gianna. Qualcuno bussa. È il direttore Jean, con un piatto di riso e una banana. Diabol gli ha ordinato di nutrire la bambina a quella che per loro è l'ora di cena e lui, puntualissimo, esegue. La nostra autorità di genitori è del tutto formale nel territorio di Diabol. Jean, non solo non ci ha consultato per il cibo, ma adesso, conoscendo le nostre difficoltà di fantasmi, si è pure seduto sul letto di fronte a Fiona e ha comin-

ciato a imboccarla. Noi, con il biberon narcotico ancora inutilizzato, osserviamo nostra figlia – mani sulle
ginocchia, testa piegata indietro – spalancare la bocca
incontro ai pugnetti di riso di Jean. Stiamo a guardare
in silenzio, un po' umiliati, un po' tanto umiliati, ma
anche abbastanza sollevati all'idea che il pianto di Fiona non fosse solo dolore. La bambina aveva fame, ecco cosa aveva. Inghiottiva o no il mondo? Certo che lo
faceva. Perché aveva fame. Bisognava saziarla. È con
questa illusione che partiamo.

Riso, banana, biberon narcotico. Fiona dorme distesa sul sedile posteriore, con la testa sulle gambe di
Maura, esattamente nella medesima posizione in cui
l'ha messa Jean un'ora fa, al momento di salutarci e di
rifiutare la mancia. Stiamo salendo gli ultimi tornanti
a pochi chilometri dal passo. Nell'angolo inferiore a destra dello specchietto vedo una porzione di tempia e
l'occhio sinistro di mia moglie. L'occhio è nient'altro
che un'ombra piú scura nell'incavo tra lo zigomo e il
sopracciglio ma capisco che è aperto, so che è aperto:
è l'occhio di mia moglie. Quali pensieri ci girino dietro non è un mistero per me: Maura ci crede di nuovo.
Non cigola, non fiata, neppure accarezza piú Fiona,
terrorizzata lei per prima di crederci di nuovo. Si trova nella posizione non troppo a lungo sostenibile in cui
le energie sono quasi del tutto esaurite e quel quasi può,
nella sua aleatorietà, nella sua volubilità destinale, farti vincere o farti piegare le ginocchia a dieci metri dallo striscione dell'arrivo. È proprio quando senti di po-
tercela fare che vieni assalito dal terrore di credere in
questa possibilità. Può sembrare un gioco di parole ma
io e Maura sappiamo che non è cosí. Se non sei esausto non hai paura, se sei esausto non hai paura, ma se
sei *quasi* esausto, ecco il terrore piombarti addosso: Oddio, ce la posso ancora fare, posso farcela, forse ce la
farò. E Maura è *quasi* esausta. E Fiona sbava in silenzio la coscia della mamma. Quanto a me, analizzo, spac-
co il capello in quattro, non oso chiedermi niente.

Basta che Fiona si svegli – pazzesco, lo sta facendo, ecco che muove la testolina –, basta che venga svegliata dal suo urlo – eccolo! – perché a 2100 metri di altitudine il felice terrore di Maura svanisca e tutto ridiventi impossibile. Definitivamente impossibile.

La bambina scatta via dalle gambe della mamma come se fossero le rotaie di un treno assassino. Si afferra al mio appoggiatesta e riprende a inghiottire il mondo. È buio. Le palme nere che vede fuori non sono di Baissin Blue e questa jeep non c'entra niente con l'Holy Cross e qui dentro i fantasmi non sono ancora spariti. Maura mi sta dicendo di accostare, che la bambina è cianotica. Riesce a dirmi solo questo. Ha la stessa voce neutra di quando mi ha indicato i pesci di Szeged sullo schermo della Tv: «Devi andare lí». Fiona non si fa toccare. Gli occhi fuori dalle orbite, le labbra blu, le mani bloccate a mezz'aria da lunghe, lunghissime apnee: è sfigurata dall'incredulità di non essersi ancora liberata dall'incubo. Siamo tutti e tre in piedi, stretti nello spazio della portiera aperta, in realtà già molto lontani. Il pianto di Maura non fa rumore, sembra un'irritazione agli occhi, un po' come quello della ragazza col grembiule. Maura non si morde il labbro, Maura non si ficca le ciocche piú corte dentro la coda. Questo è il corpo di mia moglie ma lí dentro non c'è piú nessuno. È come se fosse morta davvero. Sta aspettando che cessi l'apnea. Prende la figlia sotto le ascelle e la risistema sul sedile. Mi guarda come può guardarmi il corpo di mia moglie ormai disabitato e insieme capiamo che quel sedile è già di nuovo una scatola, insieme decidiamo di rimettere Fiona dove l'abbiamo trovata.

Già all'inizio della salita per Baissin Blue Fiona ha smesso di piangere. Adesso sta con la testa fuori dal finestrino come i cagnetti in gita. Annusa il buio di casa e Maura deve tenerla per il vestito perché non si ribalti. Ma la bambina non si divincola piú. Se esiste una saggezza a diciotto mesi, questa bambina è saggia, e percepisce nettamente, oltre che la sua vittoria, il nostro fallimento, l'imminente dissolvenza del fantasma con i capelli arrugginiti. Tanto vale lasciarlo fare. Voltandomi, vedo la mano di Maura aggrappata al giallo del vestito. Ha ragione Fiona, non c'è niente di possessivo in quella presa. Maura sta trascorrendo gli ultimi istanti del suo giorno di madre in uno stato non piú che vegetale. Si sentono i colpi dei sassi sotto la scocca della jeep, qua e là il verso di qualche uccello notturno, ma su tutto romba la calma – una calma doppia, asintotica – di mia moglie e mia figlia.

Appena apro la portiera, Fiona si butta, cade, si rialza senza una lacrima, comincia a correre, incespica, si rialza, sempre senza una lacrima, raggiunge il portone rosso e si mette a battere con tutte e due le mani. L'Holy Cross dorme profondamente.

– Vieni, piccola –. Maura la stringe a sé. Me la passa e io la depongo nel cestello degli esposti. Lei si accuccia buona buona. I piedini, il vestito, gli occhi, i dreadlocks, tutto le ride nella sua bella scatola. Stiamo per spingere la ruota. Per la prima e ultima volta troviamo il coraggio di baciarla.

La jeep caracolla via da Baissin Blue, attraversa Jacmel, riaffronta la montagna, fa tutto da sola. Ho l'impressione di tenere le mani sul volante per esigenze esclusivamente scenografiche. Veniamo risucchiati verso l'aeroporto internazionale di Port-au-Prince da una forza superiore alle nostre, che ci terrà uniti non oltre la durata del viaggio. È una certezza soda, palpabile, come l'umidità di questa notte caraibica. Maura mi guarda solo quando è sicura che non posso distogliere gli occhi dalla strada. Quando la guardo io, resta a fissare il parabrezza, mi offre il profilo trasparente della cornea, la garanzia del silenzio. Ogni tanto si tampona il sangue del labbro con un kleenex. Mi sta perdendo. La sto perdendo. Mi pare proprio di vedere – là, nei fari, dove guarda anche lei – la parola INSIEME che svanisce.

A Malpensa, dopo ventiquattro ore esatte di non esistenza, accompagno Maura alla sua coincidenza per Trieste.

– Tieni tu il bruco –. Non mi ero accorto che avesse ancora il bruco.

– Il bruco? – Ma intanto lo sto prendendo e Maura lo ha già mollato e sta già a due metri da me e questo è il nostro saluto.

– Sí, tienilo tu.

– Perché? – Perché. E Maura sta già consegnando la carta d'imbarco e stanno già imbarcando quella donna piena di capelli che non so se è morta ma non voglio piú che muoia.

– Era il tuo preferito, no? Starà meglio con te.

Solo adesso che la navetta l'ha ormai inghiottita e la riporta verso una casa affollata di giocattoli non nati, sistemo tra i manici della borsa il mio bruco coi rumori e scoppio a piangere.

Forse Gianna ci avrebbe fermati? Forse sarebbe riuscita a salvarci? Tre colloqui di coppia, due colloqui individuali, una visita ispettiva, per poi abortire. Gianna è tornata oggi, viva. Mi ha chiamato al centralino del Kollégiuma, per dirmi che sa tutto. Non è stato certo per mancanza di tempo che non siamo andati a trovarla l'altroieri sera. Avevamo i minuti contati e l'aereo l'abbiamo preso solo grazie a una tizia zelante che ha riaperto il volo apposta per noi, ma non è questo il punto. Il punto è che eravamo due corpi disabitati. Insieme alla bambina era sparita anche la giovane coppia. Oggettivamente dei coniugi Rensich non c'era piú traccia. Ci fossimo presentati all'ospedale, Gianna non ci avrebbe riconosciuto.

Ho provato a dirglielo, ma non ce l'ho fatta.

64.

Accanto all'antenna parabolica di un edificio di pochi piani ci sono due grossi uccelli indaffarati con il becco su una specie di cespuglio, una corona di sterpi. Gli
uccelli hanno piú o meno le stesse dimensioni dell'antenna e lo stesso bianco irreale. Solo la punta delle ali
è nera. Sullo sfondo, altri uccelli identici, anch'essi a
coppie, lavorano su altri tetti identici. L'antenna, i muri delle case, i tetti, gli uccelli, i loro trampoli ocra, tutto è sovraccarico di colore. Il cielo è senza uno sbaffo,
sembra un pezzo di cartone.

Off, la voce di Sárkány.

*Sono tornate! Le signore di Szeged sono tornate! Da
un paio di giorni hanno ritrovato ognuna il proprio tetto, il proprio camino. Hanno volato per seimila chilometri. Sono affamate, dimagrite, stravolte dalla fatica,
ma eccole di nuovo qui, a casa!*

Piano americano sul corrispondente.

*Per gli ungheresi la cicogna è sicurezza, fecondità,
fortuna – e amore, vista la tendenza monogamica di
questi trampolieri. In tutto il paese i loro nidi vengono
protetti come piccoli templi.*

Primo piano sul corrispondente.

*E adesso attenzione, perché non sono le cicogne la
vera sorpresa. Già, sembrerà strano, incredibile, eppure
è cosí: non sono loro la vera sorpresa. L'istinto le avreb-*

*be riportate indietro si fosse trattato anche di tornare
all'inferno, dicono qui a Szeged. No, la vera sorpresa è
un'altra, guardate!*

Il letto sfatto del Tibisco. A filo d'acqua, sospeso
uniformemente su quasi tutta la superficie, galleggia
un soffice strato di lanugine gialla dai confini spersi,
confusi nell'aria. Solo zumando, la telecamera svela la
composizione puntiforme e farfallesca della sottile copertura del fiume. Poi l'inquadratura rientra in piano
americano sull'entusiasmo di Sárkány.

*È ricomparsa la palingenia! La farfallina gialla, ri-
cordate? palingemia longicauda, il fiore del Tibisco. Eccolo, il Tibisco fiorito! Fino a ieri temevamo di poter-
le rivedere solo al museo. Gli zoologi che avevamo in-
tervistato mesi fa paventavano addirittura l'estinzione
della specie. Uova bruciate dal cianuro, creature meravigliose cancellate per sempre. E invece il miracolo si è
compiuto e questo straordinario fenomeno della natura è di nuovo davanti ai nostri occhi. Quattro giorni di
allegria per Szeged. Il fiume è fiorito. Le sue rarissime
farfalline sono rinate. Le cicogne stanno ricostruendo i
loro nidi. Il mondo può ancora sperare.*
Béla Sárkány, Szeged, Bbc World.

65.

– Perché non le hai mai fatte correre l'intera distanza? – mi chiede Agota, con i gomiti appoggiati sul tavolo e il bicchiere di birra tenuto a due mani, come se fosse una tazza di tè. Alle sue spalle, un fiammifero illumina di colpo la testa del tizio solitario che l'ha acceso.

Il Mojo Club è il nostro locale preferito. Lo gestisce un ragazzo serbo della Voivodina che appena ci vede corre allo stereo, toglie i Doors o quello che c'era e mette su *Up*. Boris non è un appassionato dei R.E.M. ma ci ha preso in simpatia. È l'unica persona con cui scambiamo due chiacchiere fuori dal Kollégiuma. Sicché il Mojo Club, umido, buio, seminterrato, tappezzato di cianfrusaglie rockettare, sempre pieno di studenti impegnati a ubriacarsi silenziosamente, è il posto dove ci dirigiamo quando vogliamo sottrarre il nostro dopocena alla Tv satellitare e consacrarlo a una breve passeggiata nella notte primaverile. Prima, portandoci le birre, Boris ha detto qualcosa sulle dimensioni della pancia di Agota. A giudicare dai gesti erano complimenti rivolti anche a me, ma lei non li ha tradotti.

Il tizio solitario ha una sigaretta in bocca. La testa è accesa davanti al fiammifero. La domanda è: «Perché non le hai mai fatte correre l'intera distanza?» Agota beve un sorso di birra. Mi tiene a galla col suo sguardo poco sopra l'orlo dei nostri bicchieri. Sa aspettare. Sono tornato da tre giorni e non l'ho ancora toccata, ma lei aspetta paziente. Ha capito, tutti hanno capito che non è stato il jet lag a ridurmi cosí la faccia. Ha capito, tutti hanno capito che nel mio misterioso viaggio in California sono state consumate quantità inimmaginabili di dolore umano. Che ci è andato a fare in California? Un funerale forse? Sí, dev'essere morto qualcuno. Sono queste le voci che girano nel gruppo. Ed è ciò che ho raccontato ad Agota senza che lei mi chiedesse nulla. Agota avrebbe continuato a massaggiarsi con l'olio antismagliature senza farmi una sola domanda. Si sarebbe accontentata di vedere la mia faccia, non mi avrebbe costretto a mentire. Sono stato io a dirle spontaneamente che ero stato a Berkeley insieme alla mia ex fidanzata malata di nervi, perché un nostro amico era morto. Le ragioni della scomparsa di Alberto non erano chiare – e questa non era del tutto una bugia – ma almeno, durante il volo di ritorno, avevo potuto convincere la mia ex fidanzata dell'opportunità di smettere di sentirci. Forse ciò che mi fa piú male è che Agota non abbia voluto sapere neanche questa volta il nome di Maura. Sono tre giorni che non mi chiudo in bagno col telefono, tre giorni che non riesco neanche a sfiorarle i capelli, eppure Agota accetta questi cambiamenti standomi accanto, muta come il figlio gigantesco appollaiato dietro le sue venuzze, passeggiando con me verso il Mojo Club, tenendomi a galla nel suo sguardo mentre beve birra, chiedendomi esclusivamente degli allenamenti delle ragazze. «Perché non le hai mai fatte correre l'intera distanza?»

Invece di accendersi la sigaretta, il tizio solitario contempla la corsa del fuoco sul fiammifero.

La curiosità di Agota è puramente scientifica. Non le sta a cuore la sorte delle wonderbabies, le pare semplicemente strano che un master cosí sofisticato sulla maratona non preveda allenamenti lunghi quanto la maratona stessa. Non si è mai presa cura delle sue compagne, non ha mai tentato di rendere credibile il suo ruolo di interprete, meno che meno ora che la simulazione è agli sgoccioli. Le interessa solo la mancanza in sé di un collaudo, di una prova generale, intuendo che in sei mesi di tabelle su carta millimetrata, diete col bilancino, «medicine» cyclette-dipendenti, non può certo trattarsi di una svista. «Perché non le hai mai fatte correre l'intera distanza?» Questo pomeriggio le ho chiesto di uscire sul piazzale al nostro arrivo. Era importante che traducesse alle ragazze il mio discorso. Avevamo appena corso novanta minuti di Progressivo – 45′ di Lento, 30′ di Medio e gli ultimi 15′ di Veloce ben sotto i 3′25″ al chilometro – in mezzo a una nevicata di farfalle gialle. Le wonderbabies, accartocciate sul ghiaino del Kollégiuma, non riuscivano neanche a scuotersele di dosso. László distribuiva l'Adhoc Gensan al limone facendoci notare con smorfie, ditate, battiti di ali, l'analogia tra il colore delle bottiglie e quello delle farfalle. «Povero László», – credo fosse il pensiero di Agota mentre aspettava che mi decidessi a parlare, seduta a gambe larghe sugli scalini. «Molto bene, con oggi si conclude la preparazione vera e propria per Trieste. Mancano tredici giorni. Questa è stata l'ultima tirata prima della gara. Da domani inizieremo le due settimane di scarico. Tutto quello che potevamo accumulare l'abbiamo accumulato, adesso non ci resta che ricercare l'efficienza e la freschezza muscolare. Correremo solo al mattino, dedicando la seduta pomeridiana allo stretching. Seguiteremo con la terapia per... per l'anemia e quindi con le pedalate notturne in cyclette. Ridurremo le maltodestrine e gli aminoacidi. Mangeremo tre pasti completi al giorno. Concentrazione e rilassamento sono ora i nostri obiettivi. Il lavoro piú grosso lo faremo con il cervello. Io sono molto soddisfatto di come vi state comportando. Sono sicuro che a Trieste otterremo dei risultati che riempiranno d'orgoglio anche la vostra Federazione e vi ripagheranno dei sacrifici di questi mesi. Venite qua, voglio stringervi la mano». Le ragazze si sono alzate sbalordite, con gli occhi adrenalinici, da teppiste, da scippatrici, com'erano anche quelli di Agota prima che la gravidanza l'addomesticasse. Katalin, Mihályne, Magdolna, Imréné, Mónika. Cinque signore biciclette. Brave, qua la mano. E loro si succedevano davanti a me, glissando sui segnali allarmanti di un gesto cosí solenne, emettendo solo flebili köszönöm per l'insospettata conclusione del loro calvario, accanendosi il meno possibile sui miei occhiali Mizuno Feather, senza mai tentare di stanarmi da lí. Seduti insieme sugli scalini, László e Agota ci osservavano. Mónika ha distolto subito lo sguardo dalla cicatrice che crede di vedermi scendere tra gli occhi fino al mento, e che io non ho. È davvero finita? Saremo davvero in grado di affrontare la maratona? Ci hai insegnato davvero tutto quello che sai? Da dove, da cosa sei tornato? «Perché non le hai mai fatte correre l'intera distanza?»

Un istante prima di bruciarsi le dita, il tizio solitario alle spalle di Agota si accende un secondo fiammifero con l'ultimo pezzettino del primo. Non le ho ancora risposto, ma lei mi tiene nel suo sguardo senza aggiungere altro. Sa che ho sentito. Aspetta che trovi il modo di parlare. Ce l'ho sempre fatta. Beve un sorso. Ce la farò anche stavolta. Nella penombra del Mojo Club gli occhi di Agota sono piú neri e distanti che mai. Sto per dirle che dietro di lei c'è uno che si illumina la faccia invece di fumare, ma poi provo a concentrarmi su ciò che mi ha chiesto. «Perché non le hai mai fatte correre l'intera distanza?» È facile, so rispondere a questa domanda. Dovrei dirle che, per una maratona, un'atleta di 45 chili consuma in media 340 litri di ossigeno e compie circa 25 000 passi, ovviamente alla massima velocità consentita dal suo organismo. Al termine dei 42 195 metri la cannibalizzazione delle fibre mitocondriali, subita in uno sforzo lungo almeno due ore e mezza e pari a 1 700 chilocalorie, le impedirà di camminare eretta per parecchi giorni. La prima volta è un'esperienza cosí traumatica che anticiparla in allenamento non servirebbe ad altro che a peggiorare la situazione, questo dovrei dirle. Ci sono molti sport in cui il gesto viene provato solo a pezzi. Se un ginnasta dovesse verificare per intero il suo esercizio agli anelli prima di ogni competizione, rischierebbe di spaccarsi in due, letteralmente. Siamo in buona compagnia, quindi. Senza considerare che la maratona non è uno sport, ma il gesto piú bello che una mente umana possa produrre. Dovrei dirle che penserei cosí anche se sapessimo volare, che le wonderbabies hanno imparato a disincarnarsi, a far dialogare gli enzimi, le proteine, i neuroni, gli eritrociti insieme all'asfalto del contorsionista e a migliaia di altre cose. La mente, intesa come il sistema del corpo che pensa, ha ricevuto nei Lunghissimi tutte le istruzioni per affrontare *l'intera distanza*. Mancano gli ultimi chilometri, d'accordo, quelli dal trentottesimo al quarantaduesimo, d'accordo. Ma gli ultimi chilometri saranno l'inedita devastazione a cui la mente è preparata: non ha senso devastarla prima del tempo.

Chi arriva alla maratona dal mezzofondo, chi non l'ha mai provata, corre in gara *l'intera distanza*. Ecco, so benissimo ciò che dovrei dirle. Il fatto è che, mentre il tizio solitario si sta accendendo la sigaretta con l'ultimo pezzettino di fiammifero – il secondo o il terzo? – io mi accorgo che non credo piú a nessuno di questi principî, vedo chiaramente che non sono e non posso essere il maestro di nessun'arte marziale. Per cui alla mamma di mio figlio, che mi guarda da poco sopra il bicchiere, anzi, che mi segue come se le stessi rispondendo da un paio di minuti, riesco a dire solo:

– Perché ho già fatto male a un sacco di gente.

66.

Ci sono giorni in cui scacciare Maura è un'operazione impossibile, giorni in cui cammina per Kárász Utca, o beve la birra che Boris porta ad Agota, o scivola riflessa coi suoi capelli rossi sulla vegetazione dell'argine, giorni in cui sta seduta sulla poltrona del mio vendéglakás con Fiona in braccio e mi chiede di scaldarle il biberon proprio mentre provo a riavvicinarmi alle labbra di Agota. Ce ne sono degli altri invece, come ieri, dove succedono talmente tante cose che la sua immagine viene ingoiata dal vortice.

Stavamo per scendere in mensa dopo il Corto Lento della seduta mattutina, quando un fattorino ha chiamato László per consegnare i pacchi gara. Le ragazze si sono precipitate giú per le scale e hanno assaltato il portaacque ancora intento a contare i colli e firmare le ricevute. Trieste si era presentata al Kollégiuma, mi aveva spedito la sua sfida in forma di sacchi arancioni numerati. Quelli erano cavalli di Troia, ma le wonderbabies non la pensavano allo stesso modo. Frugavano eccitate nel mucchio cercando il proprio nome, strappandosi di mano i sacchi finché non lo trovavano, eccolo!, con gli accenti giusti, il cognome per ultimo come si usa in Occidente, wow! E poi via a tastare, a misurare, ad annusare, abbandonate all'erotismo dei materiali. Cappellino Adidas bianco con visiera blu e logo della *Bavisela. 4ª Maratona d'Europa*. Spillina della Bavisela. T-shirt Adidas grigia con logo della Bavisela. Marsupio blu scuro con logo delle Assicurazioni

Generali e della Bavisela. Chip elettronico giallo del tipo in velcro, per caviglia. Pettorale di carta con i tre loghi – Adidas, Generali, Bavisela – in viola, e il numero in nero. Buono omaggio per il pasta-party della vigilia. Una bottiglia di Gatorade gusto Cola. Una barretta di Enervit al lampone. Una bevanda a base di carboidrati e magnesio, con guaranà, di una marca emergente che adesso non ricordo. Una confezione di cerotti New-skin. Una di dolcificante ipocalorico e una di antipiretico, entrambe della Aleve. Una cartina turistica di Trieste con i monumenti ingranditi ma senza la parte alta della città, senza San Luigi, senza via Biasoletto.

Le ragazze erano sedute per terra con la testa nei sacchi. La discussione tra Imréné e Mihályne gravitava chiaramente su come sarebbe stato quel pettorale viola-bianco-nero sul top verde della nazionale. Mónika si stava già provando il chip.

– What's Bavisela? – mi ha chiesto László, l'unico privato della gioia di scartare i regali. Anche Mónika e Magdolna si erano girate per sentire la risposta.

– It's a wind, a mild wind, – e un po' a corto di vocaboli ho imitato una specie di venticello. Se ci penso adesso, stento a credere di averlo fatto, eppure eccomi in piedi in mezzo alle ragazze che soffio come su delle candeline. Avevo bisogno di Agota, ma lei ieri mattina aveva una visita di controllo ed è arrivata in mensa a festa finita.

Subito dopo pranzo mi ha chiamato Carlo. Non sapevo come evitare l'interrogatorio. Ho chiesto alla portinaia che mi cedesse il posto e ho cominciato a iperventilare, lasciando che il grande capo brancolasse da solo nei suoi preamboli. Poi, passando sopra la sua voce come se il telefono della portineria avesse un grave difetto di ricezione, gli ho riferito nel tono piú inindagabile e piatto che potessi produrre: che i pacchi erano integri, corrispondenti alle generalità delle concorrenti, nonché mie, e completi in ogni loro parte; che avevo restituito mia figlia Fiona dopo un giorno scar-

so di paternità; che le ragazze pur non essendo nella lista top-runner avevano ottenuto pettorali da wild card;
che io e Maura avevamo rotto di comune accordo; che
essendo la Adidas sponsor anche della Bavisela ora mi
erano chiare le ragioni dell'insistenza magiara per Trieste; che quella era l'ultima volta che mettevo piede nella mia città.

Quando sono rientrato nel vendéglakás, Agota si stava ripassando lo smalto, appoggiata alla testiera del letto, le gambe completamente allungate, le punte dei piedi aperte e tutto il corpo arreso alla prepotenza della
gestazione. Mi sono disteso accanto a lei, ho preso il
telecomando che aveva tra le gambe senza osare toccarla e ho giocato per un po' coi canali satellitari. Da
un paio di giorni è sparito Béla Sárkány. La Bbc World
ha smesso di occuparsi di Szeged. In attesa che affon-
di una petroliera o spiaggi un branco di balenottere o
accada una qualsiasi altra catastrofe ambientale, lo spazio *Nature* ha ritrovato la sua programmazione abitua-
le. Che fine avrà fatto Sárkány? Ieri, mentre quattro
leonesse lavoravano sui genitali di uno gnu senza riuscire ad atterrarlo, l'ho anche chiesto ad Agota. Secondo lei Sárkány sta vivendo felice a Londra, dove ha
una bellissima moglie e dove lo promuoveranno senz'altro caporedattore di qualcosa. Io ho azzardato che forse era rimasto in Ungheria come corrispondente locale, ma lei ha bloccato per un attimo il pennellino blu e
con gli occhi stretti a fessura mi ha detto:

– Tu credi veramente che uno cosí resti qui? – E non
si trattava di una domanda.

Alle tre e mezza, quando László ha condotto le wonderbabies sul prato del giavellotto per la seduta di stretching, io ho deciso che avrei scritto ad Alberto, che
non l'avrei lasciato andare senza un perché. L'avere
raggiunto, stretto sul bordo strada e fatto parlare, ecco come avrei trascorso il pomeriggio. Cosí mi sono diretto all'Internet Pöintz di Híd Utca. Sul ponte osservavo la gente cercando di studiare il modo speciale in
cui la primavera intrideva le loro facce ungheresi. Mi

pareva fossero lí per me, mi venissero incontro proprio per insegnarmi la loro contentezza di pietra. Diventerò mai un vero seghedino? Rubavo pareri semplicemente guardando e offrendomi allo sguardo. Il caos che creavo nei loro occhi l'attimo prima che li ripiantassero sul marciapiedi, quel caos limbico, preconscio, era la risposta.

Maura non si era impossessata di nessuna donna, ieri. Almeno questo mi confortava. Al capolinea di Széchenyi Tér c'era un'autista di autobus, in pausa, indaffarata con una folta coda di capelli biondastri tendenti al rosso. Se l'aggiustava seduta sulla ringhiera della fermata, dandomi ostinatamente le spalle. Sei tu? Dimmi che non sei tu. Al momento di risalire però, si è mossa con un'agilità cosí bovina che non ho neanche aspettato che si voltasse. No, niente Maura. Ieri il vortice degli avvenimenti mi ha aiutato a tenerla lontano.

L'Internet Pöintz era quasi deserto. Solo surfer da tariffa piena, ricchi e stranieri, smarriti dal destino oltre le linee nemiche. Cinque in tutto. Sei, includendomi. Ho scelto da una lunga fila di computer liberi il primo con il salvaschermo subacqueo, ho trovato il mio provider, la mia casella postale, ho cliccato NEW MESSAGE sull'indirizzo di Alberto e sono rimasto davanti alla campitura crema di una nuova lettera ascoltando il ronzio metafisico della rete per ventisette minuti e trentacinque secondi (scontrino del gestore), prima di approfittare della telefonata di un giornalista del «Piccolo» per alzarmi, pagare e uscire senza scrivere una riga.

– Rensich, come sta?, posso disturbarla?, era da un po' che non tornava sulle nostre pagine. Vorrei farle alcune domande in vista della Bavisela. Sa, dedicheremo quattro pagine alla maratona sia domenica che lunedí, ma diciamo che abbiamo già cominciato a coprire l'evento.

– Be', avrà notato che non ci sono tra i top-runner, io ho smesso. Correrò solo per seguire le mie allieve.

– Lo so, infatti. Volevamo fare una cosa su questa sua nuova professione, un ritratto dell'uomo Rensich, parlare della sua vita. Come ha vissuto la sua prima esperienza di trainer? Cosí lontano da casa, perché lei è ancora in Ungheria, giusto?

– Sí.

– Ecco, sí, bene. Com'è stato per lei lavorare laggiú? – Stavo tornando verso il Kollégiuma. Tra le arcate del ponte cominciavo già a scorgere il verde anfetaminico dei platani del Népliget. Laggiú è quaggiú, bastava che gli dicessi questo. Non sono lontano da casa. Casa mia è in Fürj Utca.

– No, guardi, io lascerei perdere.

– No, ma perché? È stato cosí duro? Ha avuto difficoltà? È stato boicottato, si tratta di questo, no?

– No, guardi, mi hanno trattato benissimo. Ho trovato solo gente ospitale e preparata. E solo che non voglio parlare della mia vita. Lasciamo perdere il ritratto, guardi.

– Ma è giusto che i lettori sappiano. Voglio dire, com'è sta per lei questa nuova sfida? Cos'ha provato ad allenare... sette promesse dell'atletica magiara?

– Cinque. Sono cinque. Ragazze molto dotate, capaci di sopportare bene già a diciott'anni grossi carichi di lavoro.

– Ah sí?

– Sí. Vengono dal mezzofondo, ma in futuro le vedremo nei gruppetti di testa di parecchie maratone.

– Mi sta dicendo che qualcuna delle sue ragazze ha delle chance per domenica prossima? Chi sarebbe? Dora Vizikozmú? Agota Bánóczki? – No, i soldati Vizikozmú e Bánóczki sono caduti sul campo. Qualcuno gli aveva dato la soffiata. Ma il verde del parco mi trasmetteva sempre piú energia e Maura mi stava lasciando in pace. Non c'era traccia di lei neanche tra le giovani mamme sbottonate sulle panchine. Potevo provare a non prendermela.

– No, guardi, è meglio che ci salutiamo.

– Ma perché? Non sono queste le piú in condizione? – Sí e no. Una la vedrà, di qui a poco, promossa con qualcosa in bocca nella nicchia a luci rosse del suo

Blockbuster preferito. L'altra è semplicemente la Felicità Pura, che io non so come mi sono trovato a possedere ma che ora non cederò a nessuno. Una donna stava imboccando con dello yogurt un bambino in triciclo. Era tutta sporta verso la bocca del figlio, ogni tanto scalciava per allontanare i corvi. Aveva degli splendidi polpacci. E i capelli... del colore che hanno i grandi fumatori sulle dita, con la ricrescita nera. Avrei potuto dirglielo cosí, a Maura. Sul giornale. Vedevo il titolo a due colonne, di spalla all'articolo sulle presenze illustri della quarta edizione della Bavisela: Io amo Agota. Per un attimo ho avuto la tentazione di confessarmi con il giornalista.

– No, guardi, le hanno dato una lista sbagliata. Quei due nomi non li conosco, non li ho mai sentiti. Comunque io non intendevo pronosticare un'affermazione delle ragazze alla maratona di Trieste. Parlavo del futuro. Trieste è solo la verifica finale del nostro stage, un indicatore utile per la Federazione magiara. Detto questo, credo che qualcuna di loro si segnalerà agli osservatori del ranking.

– Il ranking mondiale, la carriera professionistica, certo. È questo che hanno in mente.

– Non so, non credo. Mi sembrano tutte fiere dei colori della nazionale. Ripeto, è un test importante soprattutto in quella direzione.

– Síssí, certo. Quanto è diplomatico, Rensich. E a lei che effetto fa testarsi davanti al pubblico di casa?

– Al Ligetfürdő tre pallanotisti prendevano il sole sul bordo vasca. Mi pensavo lí dentro nelle ore di nuoto libero, tra qualche mese. Io, Agota e il piccolo. A giocare nell'acqua scura delle terme, a scherzare sulla puzza di uovo marcio. Fuori, tra le altre squame di quel parcheggio a forma di rettile, una Lada 125 senape, con il seggiolino imbottito. Casa.

– Trieste è la città che amo di piú al mondo. Sarà un onore per me, oltre che un piacere. Spero di essere all'altezza della competenza dei triestini. Comunque io... – Adesso dovevo dire che ero sereno. Tutti nelle interviste difficili dichiarano la propria serenità. Indagati, associazioni delle vittime, dirigenti sul punto di essere licenziati. Maura avrebbe aperto il giornale e avrebbe letto: Sono sereno. Mi dispiace, Maura, a Trieste non tornerò mai piú.

– Diceva Rensich, io... ?

– No, io niente, la verità è che la gara femminile non se la fila nessuno.

– Oh, finalmente, via un po' di diplomazia. Continui, la prego.

– C'è poco da continuare. Le prime arrivano venti minuti dopo gli uomini. La gente si stufa presto. Ed è un peccato, perché vedere una donna che corre la maratona in due ore e mezza è a dir poco emozionante.

– Bene, sono sicuro che il pubblico resterà ad applaudirvi. Allora, vuole dirmi la sua favorita? Sia sincero, lei ha un asso nella manica –. Ero già all'ingresso del Kollégiuma. Oltre la rete del campo vedevo le ragazze, allineate come ballerine, allungarsi con una gamba sull'ostacolo dei tremila siepi. Mónika teneva il piede piú a martello di tutte. La sua testa piena di elastici era perfettamente adagiata sul ginocchio.

– Guardi, la coreana ha un personale di due e ventidue. E poi c'è l'etiope che ha vinto a Roma, c'è anche lei, no?

– Sí, la Edato, Gadisse Edato, certo.

– Ecco, vede, gli assi sono già tutti sul tavolo.

Le sorprese non erano finite. A cena, dopo essersi deliziate con tre fette di brasato senza sugo, un etto di patate prezzemolate, tre fette di ananas sciroppata, le ragazze hanno voluto comunicarmi la loro unanime decisione di rimanere al Kollégiuma durante quest'ultimo week-end. È stato tutto molto imbarazzante, con Agota che mi chiede di venire al loro tavolo e finge le esitazioni di Alzata con Pugno in *Balla coi lupi* mentre traduce il sussurro compreso di Mihályne e io che mi spingo in entusiastici igen di incoraggiamento con una faccia che farei bene a nascondere dietro un bel fazzolettone da nordista. Ma, insomma, il gesto resta. E an-

che il suo significato. Non lascia indifferenti la vista di
Katalin, Magdolna e László che giocano a calcio-balil-
la il sabato pomeriggio, invece di pascolare al Cora o
da McDonald's, né la vista di Mónika che impila sulla
scacchiera, presumo in una specie di solitario, le sue
pastiglie di magnesio. Ecco un ritiro di maratoneti, mi
accorgo di pensare. E la responsabilità di tutto ciò, anziché lusingarmi, comincia a sembrarmi una colpa. Ieri però, al tavolo delle ragazze, ero lusingato sul serio.

Lo stavo dicendo ad Agota, mentre bevevamo la nostra birra al Mojo Club e Boris si era già premurato di
metterci *Losing my religion*.

– Quante cose, oggi. Questa delle ragazze poi, non
me l'aspettavo proprio.

– Neanch'io. Non si lamentano piú nemmeno della
cyclette. Le hai conquistate. Perché quante cose oggi?

– E a te, ti ho conquistata? – *Losing my religion* stava avvicinandosi al punto in cui ero scoppiato a piangere in quel locale di Budapest, insieme a Maura.

– Dimmi quali cose, dai.

– Be', i pacchi gara, la telefonata della Federazione,
un'intervista, l'abnegazione delle ragazze.

– La?

– Elle apostrofo abnegazione, diciamo la loro definitiva conversione al culto della maratona –. Il tizio
della canzone diceva che il secolo era agli sgoccioli, che
gli slip gli erano scivolati alle ginocchia e Boris da dietro il bancone la stava cantando tutta e il punto ormai
era lí a un paio di versi. Piangere sarebbe stata l'ultima della giornata.

– Sai, c'è un problema –. Ecco l'ultima della giornata, invece. Anche nella penombra del Mojo Club gli occhi di Agota erano troppo neri e troppo distanti. Ho
scelto il sinistro, il piú esposto alle luci del bancone. Boris spinava birre fischiettando, ora. *That was just a dream
| that was just a dream* stava passando senza danni.

– Cioè?

– Cioè, il signor Szőgy ha telefonato perché c'è un
problema –. Era l'allevatore di maiali, non era Agota,

non era la visita di controllo. Ho bevuto un sorso di birra per ridurre la peristalsi dell'intestino.

– Cioè?

– Cioè, c'è un problema al camino. Lui dice che non è niente di grave che puoi andarci ad abitare lo stesso ora che viene l'estate. Ma che è meglio se vai a vedere. Lui ha detto che domenica è qui. Per cui se a te va bene ti diceva di andare dopodomani. Verso mezzogiorno. Okay?

– Puoi, vai, ti diceva… sbaglio o quella sarà anche casa tua?

– Sí, hai ragione, – e sorridendomi ha staccato una mano dal bicchiere e l'ha appoggiata sulla mia, come aveva fatto Maura su tutti gli aerei verso Fiona. Ma ieri Maura non è apparsa. Il dorso di quella mano è rimasto pieno, le unghie corte e blu. E io non mi stavo sottraendo. Grazie alla nostra casa di Fürj Utca ci stavamo toccando di nuovo.

67

Domenica mi si è scoperchiato il dolore. Immaginandolo come una discarica di rifiuti tossici perfettamente a norma, una specie di capsula interrata dove sono finiti tutti i pesci avvelenati del Tibisco, domenica una forza superiore al dodicesimo grado della Scala Beaufort è entrata in me e lo ha scoperchiato. Paradossalmente il dolore non è doloroso: diffuso in simili quantità non spacca lo stomaco, non rosicchia le ossa, non si presenta con la franchezza di un dito chiuso nella porta, non fa vedere le stelle. Paralizza, solo questo. Domenica ero in piedi tra Agota e l'allevatore di maiali, quando ho capito che ogni singolo capillare del mio corpo era irrorato dal cianuro. Stavo ascoltando le spiegazioni di Szőgy e sentivo che i pesci morti avevano aggredito ormai il mio sistema neurovegetativo. Non so come riuscissi ancora a pensare. Guardavamo tutti e tre il camino. Szőgy spiegava e Agota traduceva. Non si erano accorti che la mia immobilità era diversa dalla loro. In effetti, da fuori dovevo essere solo uno che osserva due cicogne impegnate a costruirsi il nido.

– Dice che se ti danno fastidio, non ci vuole niente a scacciarle –. Agota mi parlava tenendo gli occhi su quella coppia maestosa di animali, come Szőgy. Ovviamente non si curava di controllare il mio stato. Non poteva immaginare che fossi paralizzato. I due uccelli lavoravano indisturbati su un mucchio di materiale grezzo ricamandoselo attorno in pareti via via piú fortificate. Giravano senza urtarsi, con una sincronia cosí istintiva da risultare innaturale – la coda verso l'interno, il becco sugli orli, a incastrare stoppie, sacchetti di nylon, lunghi pezzi di polistirolo. A turno, ogni tanto aprivano le ali come per sgranchirsi, o forse per mantenere l'equilibrio. Avevano le stesse dimensioni, la stessa pezzatura nera sulle penne remiganti. C'era una tale determinazione a far nascere qualcosa in mezzo a quelle immondizie che si capiva che non dipendeva da loro. Nessuna delle due aveva davvero deciso di costruirsi un nido, nessuna delle due avrebbe davvero deciso di accoppiarsi e di covare le uova. Erano mosse da una necessità che le precedeva e che le aveva semplicemente catturate nella sua onda. Eppure la loro coazione sembrava la scelta piú fortunata. Non potevano non accontentare la vita se chiedeva nuove cicogne. Erano *libere* di *dovergliele* consegnare.

– Dice che il camino, sotto, in casa, è chiuso dai vetri, e che non sentirai cattivo odore e che dopo, quando torna l'inverno, ti basterà rimuovere il nido se il vento non lo avrà già spazzato via da solo, – Agota continuava a tradurre al singolare e a tenere il naso in su, verso la casa che due sposi baciati dalla fortuna stavano costruendo sopra la nostra. Non poteva dubitare che stessi solo ascoltando. Non poteva accorgersi di quale razza di uragano si era abbattuto su di me, di come il mio corpo era diventato il corpo dei pesci, la mia carne la carne vomitata dal Tibisco. Ero cosí pieno di dolore che non riuscivo a inghiottire la saliva. Non faceva particolarmente male, ero solo paralizzato dal mento in giú. Mi chiedevo come avrei potuto vivere in quel modo, sapendo che ormai nessuno moriva piú, che Gianna non era morta, che Maura non era morta, che Fiona non era morta e che neanch'io sarei morto ma che anzi avrei imparato l'ungherese insieme a mio figlio là in fondo, sotto il ciliegio selvatico.

– Dice che le cicogne portano bene, che in Ungheria sono un segno fortunato, dice che se hanno scelto la tua casa non ti conviene scacciarle, che a lui non costa niente pulire tutto, anche se è un peccato visto che

hanno quasi finito il nido. Dice che ti porteranno fortuna. A te e alla tua casa. Però se tu vuoi scacciarle…
– E tu, Agota, cosa pensi di questi sposi? E cosa pensi della parola noi? Si erano voltati tutti e due verso di me ora. Vedevo con la coda dell'occhio lo sguardo professionale di Agota e quello un po' perplesso dell'allevatore di maiali convergere sul mio mento, senza che fossi in grado di staccarmi dal silenzioso lavorio delle cicogne. Avevano volato per migliaia di chilometri con lo scopo di venire in Fürj Utca 21 a girare strette strette, coda contro coda, nelle paglie intrecciate della loro perfezione. Non avevano diritto di farmi questo.

– Allora, che dici? – Agota aspettava ingobbita nel suo spolverino antipancia. Ecco le cicogne di Szeged, Agota. Le cicogne vere. – Ehi, allora? Le tieni?

– No, di' che le scacci via.

68.

Le wonderbabies erano sedute in punta sui divanetti del bar, gli occhi bassi e la testa incassata nelle spalle. Anche senza l'aiuto di Agota capivo che il discorso di Csányi suonava piuttosto minaccioso.

Siamo arrivati ieri sera, alle undici. Per tutto il tragitto, dall'aeroporto all'albergo, le ragazze si sono indicate l'un l'altra i fari delle discoteche sparati in cielo come traccianti, i chioschi affollati del lungomare, la movida del venerdí triestino. Quando il pulmino ci ha scaricati davanti al Jolly Hotel, Csányi si è piazzato appena fuori il portellone con i cinque passaporti in mano, perché a nessuna di loro venisse in mente un'idea diversa dall'afferrare il proprio borsone Adidas e trascinarlo alla reception.

Questa mattina ci sarebbe stato il discorso della vigilia. Lo sapevano. Forse non se lo immaginavano cosí. Csányi aveva incrociato per una mezz'ora buona la hall dell'albergo con il suo blazer blu da spia internazionale, aspettando che le ragazze finissero di far colazione e concentrassero tutta la loro riconoscente attenzione sulle sentenze che aveva preparato. Si erano attardate piú del consentito e ciò non le avrebbe aiutate. Il fatto è che, accanto al buffet, Imréné aveva notato una copia del «Piccolo» girata sulla pagina sportiva e, anche se non capiva una parola di quello che c'era scritto, il tizio della foto lo conosceva eccome. Aveva portato il giornale al tavolo e la colazione si era prolungata a dismisura. Io sono sceso mentre Katalin stava chiaramente dicendo qualcosa sulla faccia del tizio, tanto che, alla mia vista, sono scoppiate tutte a ridere. Mónika ha cercato di giustificarsi, mi ha mostrato l'articolo – that's you! that's you! – con le chiazze rosse sul collo come dopo una serie di ripetute. Il titolo diceva: RENSICH, TORNO A VINCERE CON LE DONNE.

Csányi parlava camminando su e giú davanti ai divanetti con una perla di saliva incastonata nel labbro inferiore. Mi aveva promesso una sintesi a fine discorso, non senza aggiungere: «Tua interprete, a Szeged, dovrebbe insegnarti nostra lingua invece che altro». Agota ha preferito non venire a Trieste. Forse non ho insistito abbastanza, forse è prevalso il suo orgoglio di ex atleta, forse le caviglie gonfie e le piccole perdite degli ultimi giorni non erano scuse. L'ho chiamata subito dopo i moniti del federale.

– Stai bene?
– Sí, sto bene, tutto a posto. E voi?
– Be', qui abbiamo appena ricevuto un assaggio di ciò che ci aspetterebbe nel caso deludessimo Sir Csányi. Ma dimmi di te, come è andata la notte?, stai male?, cosa stai facendo?
– Ti ho detto. Tutto a posto. Guardo le hit di Mtv e poi esco a fare due passi.
– No, non ti affaticare, riposati.
– Smettila di preoccuparti, mi riposo. Vado solo fino al ponte.
– Brava. Ti richiamo stasera, cosí ci fai l'in bocca al lupo, okay?
– Sí, okay.

Però è tutta la sera che provo: il cellulare risulta *nem elérhető* e con la portinaia oltre il nome Agota non siamo riusciti ad andare. Non c'è da preoccuparsi. Avrà la batteria scarica. Cioè no, le si sarà rotto il caricatore. Magari sarà stata morta di sonno. Può capitare, no? Sapendo che Agota non si addormenta mai prima dell'una, devo solo spingere i miei tentativi fino all'una e un minuto, per poi convincermi che da quel momento è anche possibile che dorma e quindi rilassarmi. Perché il letto smetta le sue angherie e faccia prendere sonno anche a me, cerco di non pensare agli Sms, al loro regime torrentizio, alla colpevole assenza della letterina lampeggiante. Mi rassegno a spegnerlo. Riproverò ancora una volta, tra cinque minuti, e poi basta. In fondo le avrei solo raccontato il mio penultimo giorno a Trieste.

L'unica ad avere la forza di sostenere le occhiate di Csányi era Mónika. Teneva la testa nelle spalle e il culo in cima al divanetto come le altre, ma ogni tanto ricambiava lo sguardo del federale con una tale fermezza e, soprattutto, con una tale autostima da farmi temere che stesse esagerando. Anche dopo, quando siamo usciti per una sgambata di Lento sulle Rive, la stella di Debrecen non ha smesso di riverberare da ogni singolo elastichino arancione tutta la sua volontà di potenza. Mentre Magdolna, ad esempio, raccogliendo i suoi capelli da evidenziatore verde in una specie di scopino dissimulatore aveva di fatto innescato la nevrosi scaramantica dei rituali pregara, Mónika invece sfoggiava l'acconciatura di sempre con una leccatina aggiuntiva, palesemente ipercompetitiva. Non stava coperta, non si nascondeva come le sue compagne. Era facile immaginare cosa stessero dicendo Imréné e Mihályne, guardandola correre al mio fianco con indosso – quasi una bestemmia – il completino in poliestere di domani. C'è voluta l'etiope, che ci ha passati all'altezza dell'acquario con un Lento almeno venti secondi più veloce del nostro e chiacchierando fitta fitta all'auricolare del telefonino, ecco, c'è voluta lei perché Mónika abbassasse un po' le ginocchia.

Dopo l'acquario, è arrivata la pescheria comunale. Quante volte io e Maura avevamo parcheggiato lí davanti? Quante passeggiate erano partite da quel posto? Passeggiava ancora Maura? Parcheggiava ancora sul piazzale della pescheria? Ho cercato tra le macchine la sua Passat station-wagon. Canna di fucile metallizzato, insisteva, quando dicevo grigia. Mi sono figurato il suo braccio puntato in attesa che i lampeggianti si ac-

cendano e l'antifurto faccia uno dei versi del bruco.
Uouc! Passeggi ancora Maura? E con chi? E per aspettare cosa? Verrai domani?

Siamo rientrati dalla sgambata prima che molti atleti del nostro albergo la cominciassero. Erano le dieci e
la città era già sul punto di un crollo nervoso. Sulle Rive i visitatori del Marathon Expo si ammassavano agli
ingressi degli stand strozzando il flusso del traffico.
C'era un sacco di gente, il classico pubblico fieristico,
attirato dal rumore della manifestazione, non importa
quale, e venuto prontamente a ingrossarla a donarle la
frenesia indispensabile perché una maratona di seconda fascia senza diretta televisiva possa ambire alla definizione di *evento*. Aveva scelto bene Csányi, speden-
doci a lavorare di buon'ora: chissà come avrebbero fatto gli altri a sgambare in quel carnaio. L'unica sua
concessione all'urticante vitalismo delle wonderbabies
è stata una breve visita postprandiale, rigorosamente
in tuta Hungaria, allo stand della Adidas. Nessuna, dopo il discorso del mattino, ha osato protestare.

– Alle signorine principesse qui presenti ho detto
quelle seguenti cose, – ha iniziato cosí la sua sintesi
Csányi, parlando a me e aumentando, se possibile, la
pressione del suo sguardo sulle ragazze, perché non si
sognassero di alzarsi prima di vedermi ridotto come loro. – Ho detto che non siamo qui per divertire. Con
quelli sei mesi la Federazione ha dato a quelle principesse grande possibilità e ha dato anche da mangiare,
da dormire, e tutto che è servito per correre. Ha speso molti soldi per allenatore straniero. Ha sforato bud-
get. Allenatore Zsolnayné László non è qui a Trieste
perché la Federazione ha dovuto risparmiare anche su
biglietti aerei. Tutto west e tutti westali sono molto costosi. Giusto, Dario, sí? Bene, adesso qui signorine
principesse devono ricambiare sacrifici e dare anima
per la nostra Hungaria. Chi domani conclude sopra due
ore e quaranta commetterà grosso sbaglio. Meglio non
parlare di chi per caso si ritira, perché quello caso io,
Csányi Zoltán, lo prendo nemmeno in considerazione.

Crisi, crampi, cacca, infortuni, niente: se non si stacca una gamba nessuna può fermarsi. Bisogna onorare la maratona, bisogna onorare la Federazione. Okay, sì? Fino al traguardo, raccomando. Quella qui è occasione unica. Le principesse hanno grande futuro, ma il futuro comincia con l'adesso. Poi, cosa altro ho detto? Ah sí, ho detto che tutti qui si giocano tutto, anche allenatore straniero si gioca tutto. Ho detto che anche tu, Dario, hai cominciato con quelli sei mesi nuova carriera e che anche tu sai, sì?, che se sbagli tua carriera è già finita. Ma noi e tua Federazione siamo sicuri che non sbaglierai. Anche se tuoi metodi di allenamento, di allenamento e… ehm ehm… di altro, hanno creato qualche problemi, io e tuo capo abbiamo sempre avuto fiducia in te. E adesso tu non tradirai, sí? Insomma, ho detto che tuo futuro è in mani di quelle principesse, – ogni volta che diceva «quelle principesse» si voltava verso di me e le additava. La perla di saliva era ancora compatta al centro del labbro. Csányi continuava a parlare camminando. Quando si spostava nella direzione opposta, Mónika mi sorrideva. – Quindi oggi noi seguiremo quello seguente programma. Adesso faremo Slow finale, poi prenderemo pranzo, poi piccolo giro per digerire, poi riposo assoluto in costose camere di nostro bello hotel, poi alle otto pasta-party un'ora al massimo e poi, prima che principesse tornino cenerentole, via di corsa sotto coperte. Domani sarà giorno della verità, parola di Csányi.

Sistemo la sveglia alle cinque anche sul mio orologio, pur sapendo che il portiere chiamerà puntuale. Mi alzo, controllo la roba sulla sedia – la tuta per il riscaldamento, il completino giallo e nero Mizuno, la canottiera col pettorale già puntato, i ghost socks, il microchip nella scarpa sinistra, le Mizuno Phantom –, spengo l'aria condizionata, la riaccendo al minimo, scosto le tende e conto davanti alla finestra sigillata i centoventisei secondi che mi separano dalle due esatte. Ecco. Mancano tre ore al giorno della verità. Mi rimetto a letto, spengo l'abat-jour e provo per l'ultima volta.

Dopo un altro interminabile silenzio in cui vedo le onde radio che si sollevano dal mio orecchio, superano le Alpi Giulie, attraversano il Danubio, vagano per la Puszta fino a scovare l'antennina giusta dentro il mio vendéglakás, scatta la voce elettronica. *Nem elérhető*, oggi ho imparato a dire non raggiungibile. In teoria, il fatto che il cellulare di Agota risulti *nem elérhető* non dovrebbe preoccuparmi piú. Dormirà da almeno un'ora, mi dico, e prima di ripensarci spengo. Cerco di perdermi nella lucina rossa della Tv in stand-by come se fosse la fonte puntiforme del mio sonno. Quando mi pare di avercela fatta, fingo di dormire.

69

Alle cinque e venti le wonderbabies sono già accese come riflettori da stadio. Lavate, vestite, i capelli bagnati, le pupille a spillo, ingoiano l'ultimo pieno di carboidrati – centoventi grammi di spaghetti all'olio – prima che l'agitazione ingoi loro. Accanto al nostro tavolo ci sono tre keniani della Fila e uno della Nike, troppo giovani perché li conosca. Bevono maltodestrine e basta, ma il resto della sala mangia pastasciutta come noi. La prima impressione è quella di un ristorante venuto in soccorso a un'emergenza umanitaria. Deportati, profughi, uomini e donne con le facce da vecchi, in tute sportive mai abbastanza piccole: credo sia questo ciò che vedono le ragazze, a giudicare dal loro sgomento. Solo osservandoli attentamente si capisce che sono atleti non meno sani di noi, in prevalenza professionisti, qualcuno anche della categoria amatori, ma tipo Alberto: tirato come e piú dei quattro top-runner al tavolo vicino al nostro. Africani, penso. Ancora africani. Nessun europeo del ranking si è degnato di sporcarsi le mani per una borsa di seimila dollari. E poi, con quali possibilità? Bastano quattro ragazzini come questi per farti arrivare quinto. Sto pensando un po' a vanvera quando, religiosamente china sul suo piatto di spaghetti, sfila l'etiope.

– She's one of the favourite. Probably she'll win, – dico piano alle ragazze. Imréné e Mihályne, chissà perché, arrossiscono. Mónika invece la guarda accogliere i saluti e le strette di mano di alcuni ammiratori con l'aria di una che sta chiaramente studiando come e cosa deve fare per diventare cosí. Fuori, sugli scalini male illuminati dell'ingresso, la coreana, l'altra favorita, ha già iniziato un'interlocutoria seduta di stretching. Torniamo tutti in camera a scaricare.

Noi e gli altri ottanta concorrenti muniti di wild card veniamo portati in Passeggio Sant'Andrea molto piú tardi dei duemilaseicento maratoneti comuni, ma anche molto piú presto dei venti top- runner – quindici uomini, cinque donne – i quali raggiungeranno le gabbie di partenza già riscaldati, già oliati, con il loro pulmino riservato, dieci minuti prima dello sparo. Quello che Csányi ha chiamato il giorno della verità sarà piuttosto caldo. Attualmente la temperatura dell'aria è di 14° C e sono appena le otto e mezza. L'umidità è intorno al 70% ma, da come cresce il sole dietro i piloni della superstrada, di sicuro scenderà. Mentre la massa dei duemilaseicento viene stipata nelle gabbie e comincia un'attesa di almeno un'ora saltellando sul posto, battendosi le cosce, orinando in bottigliette di plastica, noi abbiamo ancora un po' di tempo prima di dover andare a consegnare la tuta nei camion-guardaroba e quindi possiamo fare il nostro bravo riscaldamento vestiti. Le ragazze non hanno mai gareggiato con cosí tanta gente. Il rumorio di fondo ci impedisce quasi di sentirci. All'estremità dell'area di partenza arrivano in continuazione moto con la sirena. Quando un elicottero ci sorvola, i transennati si mettono a salutare e fischiano e urlano, mentre Magdolna non alza neanche la testa. Spero solo che il terrore non se le mangi completamente. Dopo lo sparo l'effetto kolossal svanirà: devono resistere ancora un'ora. Corricchiamo sotto i piloni della superstrada come se l'eco familiare delle macchine potesse garantirci una specie di isolamento dal frastuono pregara. Dai tendoni ormai abbandonati dai maratoneti non smette di pulsare il ritmo tachicardico della house music. Parecchi dei wild card che incrociamo mi riconoscono e mi salutano con lo stesso identico movimento della testa. Ogni volta Mónika si gira a guardare che effetto mi fa il loro rispetto. Anche lei ha un'aria troppo frastornata: è come se uscendo dall'albergo si fosse dimenticata di indossare la spavalderia di ieri. Mi indica la fila azzurra dei gabinetti: c'è coda, conviene affrettarsi. Chiudersi nei WC chimici dopo che sono stati usati da centinaia di atleti in crisi intestinale non è facile, ma le wonderbabies hanno classe e mettono la loro diarrea sopra quella degli altri senza una smorfia. Fuori, gente che ha già consegnato la tuta si sta spalmando olio di canfora su quadricipiti e polpacci. Ovviamente a questo punto la puzza di canfora risulta gradita. Andiamo sotto un tendone per iniziare lo stretching. Anche qui ci sono alcuni slavi, cechi credo, che si spalmano come indemoniati. Le wonderbabies si stringono nell'angolo opposto e prendono a piegarsi sui tappetini fin quasi a scomparire. Cinque bambine in tuta Hungaria. Vorrei sentirle parlare, bisticciare. Che ci fanno qui cinque bambine? Perché gli sto facendo questo? L'altoparlante invita gli ultimi a consegnare la roba. Ci dirigiamo verso i camion camminando in piena psicosi di risparmio energetico.

Prima di separarmi dal cellulare provo a chiamare Agota. Sono le nove e un quarto. Le probabilità che sia sveglia sono piuttosto elevate. Mentre le altre sono indaffarate a mettere le proprie cose nei sacchi, Mónika è già svestita davanti a me con l'aria di una che sa benissimo cosa sta succedendo dentro il telefono. Eppure, forse per la confusione che mi circonda, con i volontari e le wonderbabies che etichettano, sbagliano, correggono a pennarello, sbagliano ancora, mi pare che il messaggio registrato sia diverso. Chissà, magari non è *nem elérhető*, magari mi sta dicendo qualcos'altro. E rendendomi perfettamente conto dell'umiliazione che sto per infliggermi, appoggio il telefono sull'orecchio di Mónika, la quale ripete sillabando ad alta voce le parole che ho sentito all'infinito ieri sera. Mi guarda e scandisce:

– A hivott szám pillanatnyilag nem elérhető. Kérjük, ismételje meg a hívást később!

Mónika non mi aveva mai parlato in ungherese. Alla scena stanno assistendo anche le altre. Anche i volontari, che mi hanno riconosciuto e ormai aspettano solo la mia roba, lassú nel camion. Dalla mia faccia credo sia evidente che so cosa vogliono dire quei suoni. Mónika però ci tiene a chiarirmi:

– She's not reachable.

Starà ancora dormendo, risponde qualcuno dentro di me. Metto nel sacco la tuta e il cellulare, etichetto, sigillo, consegno al volontario, come se fosse tutto a posto, come se avesse di fronte il campione che si aspetta di vedere, la persona piú serena della Terra. Magdolna mi spreme una noce di glicerina sulla mano e poi butta via il tubetto. Tra le gambe, sotto le ascelle. Stiamo qui a ungerci in silenzio, finché l'altoparlante non ci invita a entrare nelle gabbie. Imréné e Mihályne si sistemano l'un l'altra l'elastico del top dietro la schiena. Katalin si riallaccia per la terza volta la scarpa sinistra. Mano a mano che ci avviciniamo al fosco rumorio dei transennati, Magdolna affretta il passo. Scaliamo i settori verso quello riservato a noi wild card ed è una passerella di cui ora le ragazze farebbero volentieri a meno. Mónika si sente addosso la curiosità di tutti questi tizi ammassati dietro le sbarre, o forse è solo per scrollarsi un po' di terrore, fatto sta che non riesce a trattenersi dal saltellare. Quando passiamo la punzonatura del microchip e ci mescoliamo agli altri ottanta della nostra gabbia, le ragazze hanno tutte negli occhi la stessa ineluttabilità da mattatoio. Le tiro per le braccia vicino a me. Siamo già un po' sudaticci. Al contatto con la mia mano si scuotono come se avessero la pelle interamente ricoperta di fili elettrici male isolati. Pronuncio i loro nomi e i loro pettorali in italiano.

– Mihályne Kiss, ottantasei. Katalin Kovács, ottantasette. Mónika Tóthné, ottantanove. Magdolna Kiskocsma, ottantacinque. Imréné Seregélyes, ottantotto. Sentite la mia fiducia ragazze? La state sentendo? Forza. Attenzione ai cronometri, – indico il mio orologio, i loro, – mai sopra i 3´45″ al chilometro, never over three fortyfive, okay?

Le moto battistrada, la macchina della giuria, il camioncino con il cronometro, quello con i fotografi, tutto è pronto. Arriva il pulmino dei top-runner. Scendono e vengono subito allineati davanti agli omoni della sicurezza, dietro solo al tappeto magnetico del via. Ci sono i quattro keniani di stamattina. C'è la coreana, in completo blu Diadora. Un portoghese che conosco si è fatto il segno della croce. C'è l'etiope, che adesso mi pare talmente magra da non avere un'ombra. Una francese in completo oro della Puma, una slovena quasi in bikini e una polacca sono le altre ragazze del ranking, con personali decisamente modesti. Manca un minuto alla partenza. Mónika mi guarda con l'indice destro già sul pulsantino dello start. E la sua pelle di colpo diventa grigia. Alzo gli occhi e vedo che il sole si è perso in una minuscola nuvola nera, l'unica macchia in un cielo che sembra di cartone. Un'eclissi, dice qualcuno dentro di me. Sei tutta grigia, Mónika. Non guardarmi cosí. Qual è il segreto di László? E – Boom! – vengo sorpreso dallo sparo.

Vai vai vai vai vai! Eccoci partiti. Spintoni, insulti, urla. Magdolna che rischia di cadere, uno che bestemmia in friulano, il sole che si accende di nuovo e riversa tutta la sua energia nei mitocondri delle wonderbabies. L'accelerazione è violenta come al solito. Milioni di watt sparati nell'asfalto tutti in una volta, come per liberarsi dalla paura, come per scappar via dalla colata di carne umana che ci insegue. Dietro, il rumorio si è trasformato in un boato sismico, duemilaseicento maratoneti che cercano giusto lo spazio per mettersi in moto. Nella bolgia sento voci concitate di italiani che si passano cose, credo bustine di fruttosio. Ma noi stiamo andando. Quando le macchie di chewing-gum fanno una scia sulla retina vuol dire che stai andando.

Quando il tratteggio della mezzeria ti si scaglia sotto
le scarpe, quando cominci a sentirti uno scooter senza
parabrezza significa che stai andando. E noi stiamo andando. Tra un minuto quella gente sarà niente piú che
un ricordo. C'è solo un problema: Mónika. Le altre
quattro sono qui dietro, mi seguono ubbidienti come
una muta di husky, ma Mónika non si vede.
   – Mónika? – chiedo voltandomi. E Imréné con il
mento indica avanti. Cerco di scrutare tra i puntini colorati che ci stanno via via distanziando e, proprio mentre un gruppetto scompare dietro a una curva, piú o
meno duecento metri davanti a noi, ho l'impressione
che a chiuderlo sia una bionda con la canottiera verde
magiaro. Intanto passiamo al primo chilometro in
3′24″. Cristo santo, 3′24″! Che l'andatura sia un po'
piú veloce in partenza è normale, ma questa non è *un
po'* piú veloce, cazzo, questa è un'andatura suicida. Alle ragazze, spaventate a morte dalla mia improvvisa
inaffidabilità, dico di concentrarsi e rallentare. Io vado a salvare quella pazza lí davanti, prima che sia troppo tardi.

   Raggiungo Mónika all'altezza del Teatro Romano.
Dal modo in cui la gente applaude è come se fossimo
nel gruppo della prima donna. Cerco di riprendermi
dall'allungo. Sí, mi sembrano proprio applausi eccessi-
vi, poi mi insospettisco. Disseminate strategicamente
nel plotone scorgo cinque paia di gambe femminili. La
scarica di adrenalina mi fa esplodere i polpastrelli. Cristo, le top sono ancora tutte insieme e noi siamo con
loro. Se non ci sganciamo subito, Csányi strapperà mio
figlio dalla vagina di Agota e lo annegherà nel Tibisco
come un gattino, e non oso pensare a come utilizzerà
il corpo spompato di Mónika. Di sicuro la campioncina di Debrecen non tornerà a Debrecen. Prima che
Csányi ci veda passare ai tremila in 10′15″, le afferro
l'avambraccio sinistro e lo strizzo al punto da farla sus-
sultare.
   – Follow me, – le sibilo. – Slower.

Mónika mi indica col mento il mucchietto di ossa di colore marrone che vola all'estrema destra del plotone. Che cazzo ti sei messa in testa, stupida bambina presuntuosa? E sí che ieri le avevo spiegato tutto: dimentica le prime, non rincorrere nessuno, bada solo al tuo orologio. Adesso Mónika ha addentato l'etiope e non intende mollarla.

– Forget her, – le sibilo, ma lei manco mi risponde.

Devo escogitare in fretta un rimedio che non sia lo sgambetto. Intanto passiamo anche il cartello dei quattro chilometri in perfetta tabella per il suicidio – 13′40″ – e entriamo in galleria. Siamo circa una ventina. Le scarpette hanno cambiato effetto sonoro: all'aperto il ticchettio era secco, quasi una campionatura di musica elettronica, qui dentro invece l'eco l'ha trasformato in un rovescio torrenziale. I keniani della Fila saranno già al primo ristoro. Le altre wonderbabies dovrebbero essere dietro di noi di almeno un minuto, sperando che siano piú giudiziose di questa pazza con gli elastici arancioni. All'uscita della galleria ci accoglie una rock band. Piazza Sansovino è piena di gente. Alcuni sono voltati di spalle per seguire il concerto. Non vedo Csányi. Ma non vedo neanche Maura. Ci sei Maura? Ti sei messa piú avanti? Ti vedrò? Verrai? Sto cercando i capelli rossi di mia moglie non morta. Non morta? È da quasi un mese che non ho sue notizie. I ragazzi della band pensano di incitarci con le loro schitarrate ma io sento le trombe dell'apocalisse. La coreana corre senza muovere un capello: da dietro sembra che sia l'asfalto a sfilarlesi da sotto i piedi. Ci infiliamo nella seconda galleria.

Sulla salita che ci riporta al punto di partenza, l'etiope attacca, la coreana risponde e il plotone si spezza in due tronconi. Io mi metto davanti a Mónika nel caso le venisse in mente di provare a seguirle, ma lei chissà per quale indicatore interno – il pancreas, il surrene, l'ipofisi, le prime avvisaglie di lattato – accetta l'andatura comunque vertiginosa della slovena in bikini e lascia che le piú forti ci stacchino. Ecco di nuovo i tendoni, la lunga fila azzurra dei wc chimici, la superstrada. Il sole ha accorciato notevolmente l'ombra dei piloni. Saranno almeno 22° C. Calore metabolico + calore di irraggiamento, penso. 41,8 di temperatura inguinale: è cosí che sono scoppiato ad Atlanta. Si parla di malore ma è sbagliato, perché con 41,8° C non si sta male, non si sta *piú* male. Al ristoro dei cinquemila Mónika si versa addosso tutto il Gatorade e io, per offrirle il mio bicchiere, mi dimentico di prendere il passaggio.

In piazza dell'Unità c'è la maggior concentrazione di pubblico. Qui finiremo, qui torneremo tra un paio d'ore se andrà tutto bene o molto prima se Mónika avrà bisogno dell'ambulanza, qui c'è lo striscione aerostatico con la scritta FINISH. La banda dei bersaglieri intona la fanfara. Riusciamo a sentire lo speaker che annuncia trecento metri avanti a noi la testa della gara femminile. Non siamo ancora abbastanza lenti. I bambini ci applaudono nel solito modo: da lontano si entusiasmano, poi, quando arrivi all'altezza della loro transenna, si imbarazzano e smettono. Un tizio dal mucchio ha gridato «Figaa!» credo alla slovena in bikini. Un altro grida «Vai biondaa!» alla pazza che sto marcando. Nessuno può rendersi conto che per noi si tratta del giorno della verità. Continuo a non vedere Csányi. Immagino che disponga di rilevatori satellitari. Magari ci starà osservando dall'elicottero. E continuo a non vedere Maura. Mi rattrista associarli. Mi ricordo come se la mangiava con gli occhi, il bastardo, lí a Budapest: «Tu volevi tenere nascosto quello tesoro». Dove ti sei nascosta, Maura? Davvero non sei venuta? Certo che non è venuta, ha fatto la cosa giusta. E mentre qualcuno dentro di me cerca di convincermi che è ancora viva, io sento tutto un mese di silenzio avvolgersi ai miei stinchi come cavigliere di piombo. Ecco il secondo ristoro. Al passaggio sul tappeto magnetico del decimo chilometro conto una quindicina di bip. Bip-

bip-bip, bip, bip, bip-bip, bip-bip, b-bip-bi-bip, e poi
i due nostri in coda, bip-bip. Mónika mi guarda, sorpresa che questi cosi elettronici suonino. Io approfitto
per sibilarle ancora:

– Slower.

I passaggi continuano a essere supersonici. È un'andatura proibitiva per tutte le donne del gruppo e forse
anche per gli uomini. Sarà un'esplosione a catena.
L'inizio è solo questione di tempo. Uno a uno esplo-
deranno. Si tratta di una catastrofe annunciata. Non
mi so spiegare come delle professioniste possano commettere simili ingenuità. Sia la francese che la polacca
hanno corso decine di maratone, conoscono le proprie
possibilità. La slovena è una delle piú vecchie del
ranking. Perché ci trascinano in questa stronzata? Mónika, non è importante restare con loro. Sono solo tre
maratonete senza cervello, tre non-maratonete. Ascol-
ta il tuo corpo, fallo pensare. Ti stanno bruciando il
grande sogno sotto il naso e tu non te ne vuoi accorge-
re. Dovrei parlarle cosí. Ma Mónika si è portata a fianco della slovena, che indossa davvero un costume Speedo e che adesso sprizza feronomi vedendoci praticamente guidare il gruppo al posto suo. È cosí che ci
fotografano gli occhi di Csányi, dalla terrazza panoramica del California Inn, al quattordicesimo chilometro:

– Dariooo, quello è 3´30˝! Guarda quello cazzo di
cronometrooo! Quello è morte di cavallooo! – mi urla, e poi lancia alcune frasi in ungherese che rimbalza-
no lontano dalle orecchie di Mónika.

In effetti, la cavalla qui presente non sente ragione.
L'adrenalina sta aumentando a dismisura le sue capacità di assorbimento glicemico. I suoi neurotrasmetti-
tori stanno attuando una campagna di disinformazio-
ne all'insegna dell'ebbrezza ma l'insulinoresistenza
verrà, non può non venire, nessun essere umano sa am-
mazzarsi correndo. Era il rammarico di Alberto, in una
delle ultime lettere: «Mi dispiace che il mio cuore non

possa scoppiare correndo su Shattuck». Era la lettera sulle foche: «Che cos'è per te quella ragazza. E importante che lo sappia anch'io». Agota è una cicogna, non una foca, Alberto. Ma dimmi, perché è importante che lo sappia anche tu? I grembiuloni impermeabili dei volontari sono un'unica macchia rossa da cui spuntano braccia e bicchieri. Ristoro del quindicesimo chilometro, 52′29″. Con la classica scusa di bere piú lentamente, cinque sei del nostro gruppo hanno trovato quel pizzico di saggezza sufficiente per privarci della loro compagnia. La francese e la polacca si sono portate alle nostre spalle. Hanno entrambe un respiro ancora abbastanza aerobico, 2 massimo 3% sotto la soglia. I bronchi della slovena invece hanno cominciato a fischiare.

La gente a Barcola ci guarda passeggiando. Si gode il sole ai chioschi bar. Qualcuno ha girato le sedie verso la strada, anziché verso gli scogli. Qua e là c'è chi scende dal marciapiedi per batterci le mani da piú vicino. Ai Bagni del Bivio una cinquantina di persone nude è già piazzata in doppia fila con brandina, olio abbronzante e nebulizzatore da stiro. Il profumo del mare, ignaro di tutto, prova a rendermi felice. Hai visto il mare, Mónika? Guardalo. Rallenta. Ma Mónika tira dritto. Ci sono solo i sassolini incatramati dell'asfalto, solo la fuga alberata della strada, solo il cartello viola con il logo delle Assicurazioni Generali e la scritta KM 16 alta un metro: non passa altro in mezzo ai paraocchi di Mónika. Difficile immaginare una solitudine piú profonda di quella in cui si è tuffata.

La costiera prende a salire gradualmente uscendo dalla città come una cengia a doppia corsia, sospesa a metà parete tra le rocce del Carso e quelle della scogliera. Adesso l'ombra dei pini ci darà un mano. Abbiamo otto chilometri di leggera salita, che dopo il giro di boa diventeranno otto chilometri di leggera discesa.

– It's a long slope. Go slower, – sibilo ancora. Ma

ormai è chiaro che se le tre superesperte vanno al massacro, non sarà certo Mónika a tirarsi indietro. I primi elastici le sguscian via dalle treccine, il che mi sembra un terribile presagio. Gli occhi però reagiscono ancora ai flash del sole. Dentro la solitudine Mónika è piú che presente.

Provo a rallentare, vengo ingoiato e subito espulso dal gruppo. Un paio di ragazzi delle Fiamme Oro si aggregano, felici che qualcuno e non loro abbia moderato l'andatura, ma Mónika prosegue imperturbabile, incollata alla troica di professioniste. Sicché devo abbandonare i due finanzieri, riguadagnare la testa di ciò che è rimasto – conto uno due cinque otto, con me nove elementi – e rassegnarmi ad assistere alla roulette russa organizzata dalle ragazze.

Facciamo in questa formazione il diciottesimo, il diciannovesimo, il ventesimo, il ventunesimo chilometro. Incrociamo, sull'altro lato delle transenne, le moto, la giuria, i fotografi, il cronometro gigante, i quattro masai che tornano verso Trieste come se rincorressero la leonessa che ha razziato il loro bestiame. Passiamo il tappeto magnetico della mezza maratona in 1:14′30″ e dopo qualche metro mi accorgo di aver contato solo sei bip. Mi volto e vedo a una sessantina di metri il costume Speedo della slovena insieme agli unici due che fino a un minuto fa mi erano parsi in grado di concludere con questo passo. Quand'è che si sono staccati? La slovena rantolava proprio accanto a Mónika. Come ho potuto non accorgermi? E quei due, come ho potuto sbagliarmi su quei due? Sono ancora io questo? Dario Rensich. Già, Dario Rensich, che fine ha fatto il maratoneta che si chiamava cosí?

Dopo la galleria nella roccia, spunta l'insegna arrugginita dei Bagni alla Canovella. C'è sempre stata, sapevo che l'avrei trovata. Eppure sento un improvviso svuotamento, come se l'aorta penzolasse da una parte all'altra del torace senza niente sotto. Mi vedo scendere i duecento scalini che portano alla spiaggia dietro i polpacci abbronzati di Maura, un pomeriggio della

scorsa estate. Vedo Maura che legge sotto la pergola
della trattoria. Vedo mia moglie mangiare calamari e
ridere di Gianna insieme a uno che mi somiglia in tutto. Tra un istante mi cederanno le ginocchia, ne sono
sicuro. E proprio mentre me lo sto dicendo, noto l'etiope, sí l'etiope!, a quattro zampe sul bordo strada, che
vomita a getto continuo secchiate di pasta e Gatorade.
Nelle ragazze scorre un fremito di gioia. Ovviamente
le passano accanto tenendo lo sguardo dritto avanti,
ma la scossa ha attraversato i loro corpi ed è arrivata
fino a me. Mónika ha la pelle d'oca sugli avambracci.
    – Do you see? Slower, – le sibilo, sperando che il
crollo di una campionessa l'aiuti a darsi una calmata.
Lei mi sorride e senza sprecare un solo millilitro di ossigeno mi fa okay con il pollice, come a dire non ti
preoccupare, i parametri sono okay, io sono okay, abbiamo ammazzato l'etiope, adesso scordati che rallen-
to. Dovrei chiederle quanto lontano crede di andare a
3´30″, dovrei chiederle se intende rientrare distesa in
un'ambulanza. Ma ecco che a complicare le cose ci si
mette anche la francese, la quale, girandosi brusca-
mente verso la corsia opposta, fa girare tutti noi proprio nel momento in cui stiamo incrociando la coreana. Essendo dall'altra parte del gruppo, io e Mónika
non ce ne saremmo accorti da soli e forse, chissà, ci saremmo ancora salvati. Invece adesso stiamo tutti osservando la crisi nera della coreana che avanza a non
piú di 3´50″ piegata sul fianco sinistro come se una fucilata le avesse appena spappolato la milza. Un altro
fremito di gioia percorre il gruppo. Questa volta la polacca e la francese si studiano, anche. Un'occhiata una,
un'occhiata l'altra. Mónika dà mezza testa a tutte e
due. Non controlla e non è controllata. Le treccine le
si stanno sfilacciando, ha perso parecchi elastici. Gli
alberi sono finiti da almeno un chilometro e il sole ci
sta letteralmente squagliando. Nessuno direbbe che è
primavera. La canottiera di Mónika è cosí bagnata che
si notano, in rilievo dentro il reggiseno, i cerotti pro-
tettivi sui capezzoli. No, non mi sto sbagliando, la paz-

za sta allungando. Che cazzo ti sei messa in testa, brutta scema! E io che credevo in te. Dovrei farle sgambetto, prenderla a schiaffi, ma, Cristo, la mia pupilla sta attaccando e io mi sento solo di rincorrerla, di entrare nella sua falcata, nel suo fiato, di esserle, ormai incondizionatamente, complice. La polacca e suoi due accompagnatori si lasciano sfilare, mentre la macchia oro della Puma rientra nel nostro campo visivo con dentro una francese ansimante e piú furiosa che mai. Io so perfettamente cosa sta pensando di Mónika, e non sono complimenti. Intanto però la campioncina di Debrecen va, e passiamo il giro di boa quasi derapando, e quando comincia la discesa picchiamo verso Trieste con una spinta di avampiede e un'incoscienza che neppure la francese può permettersi.

Incrociamo le wonderbabies. Mihályne mi fa segno che sono in tabella. Le altre mi guardano e basta. Tre husky abbandonati dal capomuta.

– It's fine! Go go! – urlo, tra i vaffanculo dei ragazzi che le stanno scortando. Machissenefrega, là dove riprende l'ombra, si intuisce la sagoma arrancante della coreana fucilata a morte dalla sua stessa andatura. Non ho neanche il tempo di pensarlo che già la stiamo superando e Mónika mi sorride perché vede che abbiamo entrambi la pelle d'oca sugli avambracci e a me dispiace solo che quassú in costiera non ci sia pubblico perché questo sorpasso fa quasi sventolare i capelli della coreana e un applauso se lo sarebbe meritato.

– I think you are the first. Go slower now.

Mónika mi sorride, badando bene a non rallentare, ovviamente.

– How do you feel?

Senza sprecare millilitri di ossigeno porta il pollice dell'okay alla bocca: la mia pupilla ha sete. L'affanno mi pare di un 2% sopra la soglia. Coperti dagli alberi si respira meglio, però ha sudato tantissimo: ci mancherebbero solo i crampi. Riprendo a darmi del coglione, a dirmi che non si può essere complici di una pazza, che se prima si trattava di una roulette russa ora si trat-

ta di eutanasia attiva. Ma è questione di un attimo, perché all'orizzonte compaiono i grembiuloni pieni di
braccia e bicchieri dei volontari. Ristoro del venticin-
quesimo chilometro, 1:27'33".

A Barcola la gente è aumentata. Sia sulla passeggiata che ai chioschi. Molti di quelli che si stanno allontanando dal bordo strada appena ci vedono tornano sui
loro passi per applaudirci. I keniani sono passati da almeno dieci minuti. Due tizie con un dalmata ci corrono accanto per qualche metro. Una grida: «Vai Un-
gheriaa! Sei fortee! Viva le donnee!» finché il cane
non si mette ad abbaiare. Mónika ha bevuto poco questa volta. Discesa e ombra sono finite, ma è ben altro
a spaventarla ora – attraversiamo il tappeto magnetico, bip bip –, basta vedere come spara gli occhi sul cartello KM 30. Esatto, sí Mónika, il muro del maratoneta. È qua che comincia la corsa. Il muro del maratoneta non si affronta a uovo come un discesista, non lo si
infrange come un jet, non ci si passa né sopra né attraverso. Ce lo si porta addosso. Quante volte te l'ho detto, Mónika? Ecco cos'è il peso che ti senti sulle spalle.
Ma ormai non possiamo piú tirarci indietro, ormai
neanche rallentare servirebbe. A questa velocità hai
bruciato molti piú zuccheri del previsto, spera solo che
il fegato scovi ancora un po' di glucosio. Ovviamente,
alla mia pupilla non dico simili stronzate e scelgo piuttosto un bel:
   «Relax». La paura l'ha irrigidita sul collo e sulle
braccia, e il passaggio al trentunesimo è stato piú lento di cinque secondi.
   Con un'andatura non ancora critica ma decisamente meno sciolta di prima, facciamo il trentaduesimo, il
trentatreesimo e il trentaquattresimo chilometro. Adesso incrociamo parecchi grupponi di amatori. Molti in-
citano la prima donna. Alcuni trovano la forza di bat-
terle le mani. A uno che ha gridato: «Chi sei?» io ho
risposto: «È Mónika Tóthné!» Tutti comunque, anche osservandoci in silenzio, ci offrono la loro invidia

e la loro ammirazione. Solo che Mónika non se ne fa nulla. E come se corresse con cuffie e paraocchi. Lí dov'è finita, ha un chiaro problema di interazione. Non reagisce neanche quando ripassiamo davanti alla terrazza del California Inn e un Csányi in maniche di camicia le urla tutto il suo sconvolto entusiasmo.

A me la spia Csányi dice:

– Dariooo, siete primoooo! Calma cavallooo! Non può chiudere in quello modooo! Dietro c'è franceseee!

Alzo la mano per segnalare che almeno io ho ricevuto. Mónika resta dritta, a puntare l'infinito. Mi giro e scorgo nei bagliori sahariani della Marinella la macchiolina oro della francese. Mi rigiro e scorgo all'altezza del Porticciolo la macchia rossa dei grembiuloni dei volontari. Ristoro KM 35, 2:02′58″. Mónika fatica a bere. Prende qualche sorso di Gatorade e butta via il resto. Devi bere, Mónika. Le do la mia acqua. L'assaggia e se la rovescia sulla fronte. Mancano ancora sette lunghissimi chilometri e centonovantacinque metri.

Il trentaseiesimo lo chiudiamo in 3′36″. Vedo che controlla l'orologio per troppo tempo: o non riesce piú a distinguere i numeretti o è terrorizzata dal peggioramento. Le afferro il polso e le ordino di darmi l'orologio. Stranamente ubbidisce. Glielo prendo e lo indosso io.

– It's a good lap time, don't worry. Relax, – le dico, facendole segno di sciogliere le braccia. Siamo in vista della Pineta. Cercando di passare inosservato do un'occhiata dietro. La macchiolina oro della francese si è leggermente ingrandita.

Il trentasettesimo lo chiudiamo in 3′40″ e siamo alla fine della Pineta. In attesa che venga sbloccato il traffico, al capolinea del 6 c'è una vera e propria folla. Adesso sí che ci vorrebbe qualche incitamento, ma nessuno guarda piú dalla nostra parte. La gente si è stufata di veder correre. Mangia il gelato sui moli aspettando che gli autobus ripartano.

Il trentottesimo lo chiudiamo in 3′45″. Era il nostro obiettivo, no? Correre in 3′45″. Segnalarsi, non vincere. Già, tutto vero, ma adesso a perdere non ci sto neanch'io, neanch'io sopporto che il sogno finisca, neanch'io accetto l'ingrandirsi costante della macchiolina oro alle nostre spalle. Adesso si comincia a notare anche il marchio Puma sui pantaloncini e una bocca slargata, rabbiosa. Sicché, pur sapendo che potrei compiere danni irreparabili, pur figurandomi il crollo che potrei provocare e il fallimento e le fauci già aperte di Csányi, improvvisamente mi metto a incitarla:

– Vai Mónika! Vai Mónika! Vai tesoro! – cosí, di colpo, in italiano. – Vai Mónika! Vai bella! Non mollare adesso! Manca pochissimo! Non lasciare che ci prenda! Forza bella! Forza! Devi resistere! Resistere! Dai Mónika! Forza!

E Mónika va! Resiste! Non capisce niente di ciò che le dico, ma finalmente mi sente! Ci sente! Reagisce! Piega la bocca in giú, spalanca gli occhi, rimedia chissà dove nuova adrenalina da sparare nel cuore e va! Le ginocchia girano basse, i piedi sbattono sull'asfalto quasi fossero scalzi, le guance smottano a ogni impatto, ma Mónika va! Non riesce a guardarmi, non riesce a fare nient'altro che resistere e andare. 38, questo è il limite dei nostri Lunghissimi, Mónika. Da qui in poi si tratta di improvvisare. Lascia lavorare il tuo corpo, tu pensa solo a non mollare.

– Don't give up, Mónika. Don't give up. Vai bella! Non mollare! Non adesso!

Allo spugnaggio gliene prendo due, di spugne, e la costringo a spremersele in bocca. Mónika ubbidisce. Con quella che ha succhiato meno si pulisce le incrostazioni di saliva mista Gatorade agli angoli della bocca e sotto il naso. Dietro i loro secchi, i volontari la osservano come se fosse una paraplegica emancipatasi dalla sedia a rotelle: è un silenzio pieno di soggezione, ma anche un po' morboso. Non sanno loro che dentro quelle gambe i muscoli si stanno cannibalizzando. Non sanno loro che il corpo di Mónika si sta letteralmente mangiando vivo. Vedono solo una ragazza ungherese con le treccine tutte sfilacciate che si è messa in testa di

vincere la quarta edizione della Bavisela nonostante
stia in piedi per miracolo.

Il trentanovesimo lo chiudiamo in 3′40″ e ci infiliamo nel set postatomico del Porto Vecchio. Non c'è piú
nessuno qui. Solo transenne e magazzini coi vetri rot-
ti. La francese entra adesso. Non ha recuperato quasi
niente nell'ultimo chilometro. Ci vede a cento metri
come noi vediamo lei, ma non basta una bocca rabbiosa per venirci a prendere, giusto Mónika?

– Su bella! Dai Mónika! Stringi i denti che siamo
quasi arrivati! You're wonderful! – e lei con uno sforzo che non avrei mai voluto farle fare, non adesso cazzo!, spinge in su gli angoli della bocca per sorridermi.

Ristoro KM 40, 2:21′03″ – Mónika non riesce a mandar giú neanche una goccia d'acqua.

– You must drink, Mónika. Please, drink, – le dico,
ma lei scuote la testa e si rovescia anche il mio bicchiere
sulla nuca. Chissenefrega, ormai siamo fuori dal Porto! Ecco la gente. C'è ancora parecchia gente sulle Rive, con tutto uno sfarfallio di fronti, braccia e pelate
luccicanti sotto il sole di mezzogiorno. I keniani non
possono essere arrivati da tanto perché questo è un
tempo da vertici mondiali, quindi un sacco di persone
non si sono ancora staccate dalle transenne e se ne stanno lí a farci gli scherzi ognuno con la propria scaglia di
luce. Sono lí per noi. Per la prima donna. Lo speaker
l'avrà già annunciata. Grande sorpresa, gentili spettatori, al quarantesimo chilometro è stata segnalata ancora in testa la giovanissima ungherese Mónika Tóthné.
Sí, laggiú, stanno aspettando noi, Mónika. Chissà, magari c'è anche Maura. Magari un pezzettino di quella
luce è il suo viso. Ho una moglie, sai Mónika? Sí, sarà
senz'altro lí in mezzo a tifare per noi.

Chiudiamo il quarantunesimo chilometro in… no,
non guardo piú il cronometro, basta. Il marchio Puma
della francese è diventato solo un po' piú grande. Non
mollare adesso.

– Non mollare adesso! Don't give up now! You're
wonderful! Guardali, sono tutti per te! – In effetti il

pubblico è rimasto. Non saranno ali di folla, ma, insomma, siamo alla maratona di Trieste, e ci sono centinaia di persone incollate alle transenne che ci applaudono e magari io non la vedo però Maura vede noi. Ci sei Maura? Ecco la nostra galoppata trionfale. Mancano al massimo settecento metri. Altro che segnalarsi, il ranking ha trovato una stella! Mi piacerebbe che lo speaker dicesse questo, ma qui i suoni degli altoparlanti arrivano ancora distorti.

– Sei una stella Mónika! Sei meravigliosa! Vai bella! Non mollare! – sentendomi gridare, tre ragazzi seduti su una campana per la raccolta del vetro si aggiungono:

– Non mollare! Brava ottantanoveee! Dai che è finita!

E Mónika… cazzo, mancano cinquecento metri e Mónika molla. Cristo, no! Non è possibile. Non mollare adesso! Mi afferra un braccio, fa ancora qualche passo di corsa, riesce a dirmi solo «Wait» e poi si china a vomitare.

– Don't give up now, – le urlo, tenendole la fronte. La gente piú vicina si sposta per evitare gli schizzi.

– Occazzo, che schifo, – dice uno dei ragazzi sulla campana.

La bocca rabbiosa della francese è a ottanta, settanta, sessanta metri. Tiro su Mónika per l'ascella mentre sta ancora vomitando.

– Don't give up! – le urlo e riprendiamo a correre quando la bastarda in completino oro è a cinquanta, quaranta metri da noi. Sto piangendo, singhiozzando, ansimando, urlando, tutto insieme. Non oso immaginare cosa stia vedendo passare la gente. Mónika corre praticamente ormai solo con le ossa e i neuroni. Corre e ogni venti trenta metri esplode Gatorade da sopra la spalla sinistra. Ma corre! Cazzo se corre! Starà pure morendo, ma questo è il Molo Audace e quella lí dietro è piazza Unità e lí sopra c'è scritto FINISH e siamo già sul tappeto rosso degli ultimi trecento metri e anche se lo speaker non sta dicendo altro che «Un bell'ap-

plauso alle ragazze, signori» qui abbiamo una stella
bionda che alza le ginocchia come la mezzofondista che
è stata e sprinta con le treccine spiaccicate sulla fronte lasciando alla francese, ancora, nonostante tutto, solo chiazze di vomito da calpestare. Bip bip. 2:29´42˝
Evvaaaii!

Mónika si inginocchia a vomitare finché si svuota
completamente. Poi si alza e si mette a piangere anche
lei. Mi abbraccia.
– You won! You won! – le dico sul collo.
– Yes, thank you, – e mi stringe piú forte.
Arriva la francese e le dà giusto una pacchetta sul sedere. I volontari ci coprono le spalle con gli asciugamani, ci danno una bottiglietta di Gatorade che Mónika restituisce all'istante. Non riesco ancora a crederci. Sta succedendo tutto senza che abbia il tempo
di afferrarlo, di capirlo. Guarda com'è contenta Mónika che piangiamo insieme, mi dico. Chissà cosa pen-
serebbe Maura. Mi guardo attorno. Niente. Non ho
sue notizie da quasi un mese.
Mentre la francese si smaterializza dietro i tendoni
dei massaggiatori, arriva Csányi, faticosamente ricom-
postosi nel suo, blazer da spia internazionale. Sorride,
ma non è raggiante. È come se stesse tentando di darci una valanga di notizie, lui a noi, tutte in una volta,
solo inclinando di poco il capoccione ora verso una spalla, ora verso l'altra. Che gli dia fastidio la cravatta?
Mah, strano. Le notizie però sembrano proprio tante.
Alcune non buonissime. Ci stringe la mano, dice un
paio di cose a Mónika che le fanno abbassare gli occhi.
Poi a me, in un orecchio:
– Complimento, Dario. Quello è ottimo lavoro.
Adesso io aspetto altre principesse, voi andate a prendere sacco e dopo tu fai sparire Tóthné in albergo prima che piombino vampiri Iaaf[1] –. Sangue, urine, con-

---

[1] International Association of Athletics Federations.

trolli incrociati, ispettori Iaaf mi sfreccia nel cervello
una concatenazione che non vedevo da cosí tanto tempo da smettere di considerarla attiva. – C'è anche altra faccenda, ma non adesso. Bisogna calma. Andate,
andate.

Cristo, la Iaaf. Come ho potuto dimenticarmene?
Segnalarsi è un conto, vincere è un altro. Cingo Mónika al fianco e provo a smaterializzarci com'è riuscito alla francese. Ai microfoni puntati spiego a gesti che
torniamo tra un attimo. Intercetto uno sguardo di Mónika verso i giornalisti. Le dispiace togliersi da qui. Ci
sono anche due telecamere, i riflettori. Teme che dopo non la intervistino piú, ma sente la mia stretta da
fidanzato dietro la schiena e mi segue docilmente. Non
sono il tuo fidanzato, Mónika. Non so chi sono. So solo che voglio raggiungere il piú presto possibile il mio
sacco, aprirlo, accendere il cellulare e verificare se ci
sono messaggi. Quale altra faccenda abbia in mente
Csányi, cosa fosse di cosí importante da dovermene
parlare sul traguardo, ora non mi interessa.

Intanto che Mónika si spoglia sotto l'asciugamano
della Bavisela e indossa a pelle la divisa Hungaria, io
ho il tempo di telefonare ad Agota e trovarla *nem
elérhető*. Sono le dodici e un quarto. Sto inondando il
telefonino di sudore. Mi bruciano gli occhi. Dovrei
cambiarmi anch'io e soprattutto spostarmi da qui,
smettere di offrire ai volontari sul camion la gag dell'ex
campione dimenticato. Invece io riprovo ancora, proprio davanti a loro e allo sguardo pietoso di Mónika.
Nem elérhető, ovviamente. Sto per perdere il controllo. Ho troppi pochi zuccheri in corpo per poter essere
padrone di me stesso.

– Dario, change the clothes, – mi dice Mónika, mettendo dio solo sa quanta cura per pronunciare il mio
nome.

Mi tiro il sacco in spalla e inizio a camminare. Lei
mi segue. Non si accorge che ci stiamo dirigendo al Jolly Hotel invece che al parterre delle interviste, o forse
preferisce non protestare. Avanziamo tra le vetrine di

piazza della Borsa – lei, bella asciutta, nella sua tuta Adidas, io, ancora in canottiera, bagnato come dopo una battaglia di gavettoni.

Trilla, sí, finalmente trilla il mio cellulare.

– Pronto.

– Pronto?, sto cercando il signor Dario Rensich, – dice una voce maschile in italiano, con una fonetica cosí perfetta, cosí perfettamente agotiana, da farmi rabbrividire.

– Sono io, chi parla?

– Ecco, bene, parla il dottor Márton Antal. Mi ha chiesto di chiamarla la signorina Bánóczki Agota. La sua amica sta bene, non si preoccupi. Solo che non può venire al telefono. Ha appena partorito due maschietti, due gemelli –. La mia amica, due maschietti, due gemelli, la pancia sgonfiata di Agota, Agota mamma, non uno, due bambini. Le cose arrivano senza che riesca ad afferrarle, a colpirle. Sono completamente fuori tempo. Sto cercando le parole ma ho una specie di collasso glicemico. Mónika mi guarda annaspare. – Signor Rensich?

– Sí...

– Non si preoccupi, anche i bambini stanno bene. Sono un poco prematuri. Hanno trentaquattro settimane, ma stanno bene e sono sani –. Mónika vorrebbe aiutarmi a parlare. Mi sono appoggiato a un muro. Se non mi raddrizzo, tra poco qualche passante deciderà di chiamare il 118. – Signor Rensich, mi sente?

– Sí, la sento.

– Ecco, i bambini pesano entrambi due chili e ottocento circa. Non posso essere preciso al grammo perché ho usato la bilancia che avete qui al Kollégiuma –. Al Kollégiuma? Agota mamma, al Kollégiuma. Non uno, due bambini. Mónika mi copre agli sguardi della gente. – Mi sente, signor Rensich?»

– Sí.

– Ecco, come le dicevo, la sua amica sta bene. Solo che per il momento meglio non muoversi dal letto. Qui, sa, dobbiamo prendere molte piú precauzioni che in

ospedale ma, come saprà, il signor Csányi mi ha chiesto... – Come saprò cosa? Il signor Csányi cosa? Non
ci vorrebbe niente a fare domande simili, in teoria. –
... la cortesia di ar...rangiarmi, si dice cosí sí?, nel suo
vendéglakás. Ha parlato con il signor Csányi, sí? – Rivedo il capoccione della spia internazionale Zoltan
Csányi che piega da una spalla all'altra: era questa la
faccenda? – Ehm ehm... signor Rensich... forse io non
dovevo chiamarla, ma... la sua amica signorina
Bánóczki ha insistito... Forse non dovevo, ma come si
può non accontentare una... Ho sbagliato?

– Ma no, ha fatto benissimo. È fantastico, – mi sono raddrizzato. Fantastico lo capisce anche Mónika.
Vede che ho racimolato qualche parola ma non si è per
niente tranquillizzata. Se potesse mi porterebbe in
braccio fino all'hotel. Perché non mi stai chiamando
tu, Agota? Fino a dove può arrivare Csányi? Il dottore ha detto *la sua amica*. E non si è congratulato. – Fantastico dottore, la ringrazio. Dica ad Agota... che vengo domani.

Guardo Mónika con il miglior sorriso di neopapà che
mi possa permettere e le dico:

– Agota gave birth to twins! Two children! I've just
become daddy!

– Do you remember László's secret? – mi dice Mónika, tenendo con tutte le piú buone intenzioni del
mondo i suoi occhi nei miei. Okay, il segreto di László,
non credo che manchi altro, sentiamo. Faccio sí con le
palpebre. E lei:

– Those children are not your sons. Those children
are of László. She made them with him.

70

Le wonderbabies stanno ancora rincuorando Mónika. Magdolna le accarezza la mano. Katalin le passa i kleenex seduta sul bracciolo della fila opposta, dandole le spalle a un Csányi apatico, lobotomizzato, in cui si riversano le nuvole del finestrino. Imréné e Mihályne, dalla fila dietro, continuano a miagolare consolazioni, restando aggrappate agli schienali con non so quali forze. Quando sono andato alla toilette, Katalin si è schiacciata al bracciolo per lasciarmi tutto il corridoio. È stato un movimento talmente brusco che l'avrei toccata apposta. Nessuna di loro ha alzato la testa per guardarmi. Il bastardo straniero ha guadagnato la coda, ha pisciato, è tornato al suo posto, senza che nemmeno una delle ragazze gli riconoscesse di esistere. In effetti, in aereo io non esisto, ma non è per questo che loro si comportano cosí. Penso alla scena che ho alle spalle come a una rappresentazione sacra, tipo morte della vergine, uscita dalle bombolette di un pittore pop, con le wonderbabies chine attorno alla neocampionessa già finita, già fallita. Riprendo in mano il laconico comunicato della Iaaf, riconsidero i valori di ferritina, ematocrito, stimolazione midollare, l'emocromo, quello sí stellare, della vincitrice immediatamente squalificata della *Bavisela. 4ª Maratona d'Europa* Mónika Tóthné. I caratteri puntinati, arcaici, di una stampante ad aghi. Il Sant'Uffizio Iaaf. Due anni di squalifica possono non essere letali per una diciottenne, ma l'ammonizione ufficiale alla nazionale ungherese che rappresentava indurrà

Csányi a indirizzare il destino di Mónika in un campo professionale credo sempre fondato sull'attività fisica ma ben lontano dall'atletica leggera.

Eccola lí, la spia in blazer, che inghiotte nuvole con la testa. E io che credevo di averlo messo con le spalle al muro.

– Allora era questa l'altra faccenda? – gli ho detto a muso duro, appena mi sono trovato solo con lui nell'ascensore del Jolly. E ho aggiunto: – So tutto.

– Tu non sai niente, Dario, – mi ha risposto lui, nel modo piú apatico di cui sia capace una persona ancora viva. – A Szeged capirai, forse. Quello qui non è momento. A Szeged ti spiegheranno. Io dico solo che se un giorno ci incontreremo di nuovo, tu non mi guarderai cosí, quello dico. Comunque non ci incontreremo di nuovo.

Carlo al telefono mi ha confidato che anche Csányi rischia grosso. Lo ha fatto per consolarmi, subito dopo avermi detto che la nostra Federazione invece non rischia niente: io non ero altro che un semplice prestatore d'opera e lei, «Mamma Fidal», rescindendo il mio contratto in modo piú che tempestivo, dimostrava la propria estraneità alla vicenda. Parlava gentilmente, Carlo. Mónika non era ancora rientrata dalle analisi e lui già mi stava licenziando: – Non te la prendere, caro Fil, sai come funzionano le cose. Con noi hai chiuso per sempre, ma anche all'estero dubito che qualcuno potrà offrirti uno straccio di lavoro. Tu bello, ormai sei veleno, sei l'untore –. Io sono il veleno e sono l'untore. Mi vedo entrare nelle vene di Mónika e *contemporaneamente* spingere il pistoncino. Mi vedo entrare nel collo teso del contorsionista, nel fiume che stiamo sorvolando, e *contemporaneamente* ficcargli dentro l'enorme siringa di cianuro apparsami sei mesi fa, nel primo volo sopra la Puszta. Quindi ero davvero io l'autore dell'iniezione. Era davvero colpa mia. Sembrava un'overdose proveniente dallo spazio, un cartoon di Hanna e Barbera, invece ero io. Ecco il veleno e l'untore. Il fatto che le altre quattro wonderbabies si siano segnalate concludendo compatte in 2:39´40˝ non cambia nulla. Il fatto che verranno cullate ancora dalla loro Federazione, e poi un giorno, chissà, conquisteranno il ranking, non cambia nulla. Il fatto che per sei mesi si siano scambiate Sms su László, Agota e il mio rincoglionimento, questo fatto, per me piuttosto significativo, non significa che io non sia *contemporaneamente* il veleno e l'untore, non significa che non sia diventato il bastardo straniero che sono. Mentre le sento ancora piagnucolare attorno alla madonna, ripenso a come la guardavano durante le Ripetute, a come si parlavano quando faceva sballare il ritmo dei Lunghi, a quanto devono essere felici per la sua squalifica. Chiunque lo sarebbe al posto loro: morta la madonna c'è speranza per tutte.

E per me, c'è speranza?

László ha fatto i miei figli. I miei spermatozoi sono storpi. L'andrologia è una scienza affidabile. Anche l'ostetricia lo è. Trentaquattro settimane, ha detto il dottore, con la sua fonetica da brividi. Calcolando nove settimane ogni due mesi, il concepimento è avvenuto sette mesi e mezzo fa. I calcoli sono sempre stati il mio forte. Sancho László Panza, Gambadilegno, il portaacque è entrato con il suo cazzo dentro Agota neanche due mesi prima che la conoscessi e ha fatto i miei figli. Ma perché pensare che sia stata l'ultima volta? Magari Agota ha nuotato sulla pancia di quello stronzo fino all'attimo prima che lui e Csányi salissero sulla Mercedes per venire a prendermi all'aeroporto di Budapest. Vedo Agota, il movimento delfinato del suo bacino, il letto rumoroso della sua stanza – ecco perché era l'unica ad avere una stanza tutta per sé –, László che si svuota dentro di lei e poi si veste in fretta per non far aspettare Csányi, László che scende con l'odore di Agota ancora nelle mutande. Ma perché pensare che dopo il mio arrivo abbiano smesso? Rivedo Agota che s'improvvisa crocerossina il giorno dello sbranamento di László. Cerco di non badare al fatto che sono stato proprio io a scacciare il maremmano. Ri-

vedo Agota che scappa dalla pista il suo ultimo giorno
di allenamento, László che arriva in bicicletta, la incrocia rallenta scende le appoggia una mano sulla spalla le parla e insieme scompaiono dietro le siepi di re-
cinzione. Rivedo l'incontro al multisala Plaza il giorno
di *Matrix*: io, Magdolna e Katalin impalati con le mani
in tasca ad aspettare che i due terminino un dialogo
non strettamente riconducibile – lo sospettavo, ora lo
so – alla critica cinematografica. Chissà cosa rinfaccia-
va Agota al portaacque con quella voce cosí contraf-
fatta, quasi sintetica? Chissà cosa pensavano di me le
ragazze mentre aspettavamo che la loro peggior nemica finisse? Be', ora non è tanto difficile da capire.

Provo a restare disincarnato dal tizio seduto in 6A
– corridoio – di questo semideserto Super80, anche se
gli spasmi al colon stanno rendendo l'operazione sempre piú complessa. Esco dall'aereo, lo affianco e guardo le ragazze da fuori i finestrini. Una bella morte della vergine, non c'è che dire. Un'opera di Kenny Scharf,
o qualcosa del genere. Le vedo in mensa quando io non
c'ero. Le sbaccanate, le imitazioni. Le vedo nella stanza di Imréné e Mihályne, un mese due prima che arri-
vassi, tutte zitte ad ascoltare il cigolio del letto al di là
del muro. Le vedo nei tempi piú distesi del ritiro estivo, i bagni nel fiume, le serate techno sulle chiatte, la
contesa dell'allenatore obeso (ma sempre allenatore), i
partiti, gli schieramenti, l'attesa dell'allenatore straniero. L'unica cosa che non riesco a vedere, neanche
avvicinandomi fino a un metro da terra, è la faccia di
Agota. Aveva già gli occhi troppo neri e troppo distanti? Gli zigomi erano già rosso Ferrari? E adesso
Agota è ancora cosí? Perché, dalla mia aerea non esistenza, sono capace di immaginare tutto il mondo, di
immaginarlo e metterlo a fuoco in ogni suo piccolo pezzo di vita, e non riesco a figurarmi la faccia che ha Agota quando non sono con lei? Com'era, com'è, cos'è
quando non sta con me? La vedo chiamare un taxi in
Kárász Utca, piegarsi nello spolverino per le contrazioni, tornare di corsa al Kollégiuma insieme a László.

Vedo la sua nuca oltre il lunotto della macchina filare per Belvárosi Híd, Attila Utca, Párizsi Körut, Kossuth Lajos Sugárút. Posso seguire i suoi capelli sformati dai riflessi del vetro strada per strada, senza farmi seminare. Eppure non sono in grado di vederle la faccia, di fatto non sono in grado di dire con certezza che è lei, che è l'Agota che conosco. Devo rinunciare, la responsabile di volo sta annunciando che il comandante ha iniziato la manovra di atterraggio. Prima di rientrare in aereo però, non resisto alla tentazione di andare in Fürj Utca 21. Mancano sedici giorni e l'allevatore di maiali non ha ancora ultimato i lavori. Eccolo lí, aggrappato sul bordo del camino. Le cicogne sono sparite, ma Szőgy sta osservando l'interno del nido come se dentro fosse rimasto qualcosa. Mi abbasso per guardare anch'io e, quando vedo... Fiona! oh Cristo, Fiona! – Fiona che mi fissa rannicchiata tra le paglie senza battere le palpebre! Fiona con il vestitino giallo della festa e gli occhi umidi! Fiona che non è stata covata e non è uscita da nessun uovo e che è qui apposta per fissare me in questo modo! – vengo risucchiato sul sedile da spasmi cosí violenti da temere che in qualche punto le pareti intestinali si siano lacerate. Un'emorragia, penso, e porto istintivamente la mano alla bocca in cerca di sangue.

– Can I help you, sir? Are you okay? – Non è una wonderbaby, è un'hostess. Mi guardo la mano. Niente sangue, ovviamente. Mi giro. Csányi continua a farsi riempire dal cielo. Nel quadro pop sono ancora tutte intente a passarsi kleenex. Tre file dietro di me sento i singhiozzi di Mónika, la madonna dopata. Magdolna le starà senz'altro accarezzando la mano. Il caso vuole che Magdolna significhi Maddalena. Nessuna di loro si è accorta di niente. – Are you okay, sir? Are you fine?

– No problem. I'm fine, thank you, – dico all'hostess.

Non era mai successo che riprendessi ad esistere prima dell'apertura del carrello.

71

È l'E70? Sí, ecco Novo Mesto, è ancora l'E70, bene. La strada piega dolcemente verso sud, assecondando la calma determinazione della vallata di uscire dal bosco. Sono proprio belli i boschi della Slovenia, non sono cupi come le conifere che ricoprono l'Austria. Qui ci si passa in mezzo insieme alla luce. Radi alberi di alto fusto che si aprono come adesso su questi puzzle prestati alla natura. Niente trattori, niente campi arati, niente concime. Ampi prati scoscesi con enormi spalliere simili a quelle delle palestre di scuola, palizzate erette contro l'aria per far asciugare il fieno. Tolgo gli occhiali Mizuno Feather per non aggiungere filtri all'arancione del tramonto. Forse è colpa sua: a quest'ora sembra tutto piú bello, tutto possibile. Peccato solo non poter aprire il finestrino e tirare dentro l'odore dell'erba. Il climatizzatore segna 20° C, con ricircolo inserito. La macchina fluttua perfettamente insonorizzata, creando su tutto ciò che sta al di là del vetro il solito effetto da simulatore digitale. Sto guidando già da sette ore e non sono affatto stanco. Ho solo il piede destro un po' indolenzito. Forse sto controllando troppo spesso i cartelli delle località – ecco Trebnje, è sempre l'E70 allora, bene – ma non riesco ancora a credere che mi sto spostando sul serio verso l'Italia. Eppure è cosí, tenendo i centoventi tra un'ora al massimo saremo al valico.

Siamo partiti a mezzogiorno in punto. Togliendo i trasferimenti dall'aeroporto alla Keleti di Budapest, da quella alla stazione di Szeged e da lí al Kollégiuma, sono rimasto sul suolo ungherese per dieci ore scarse. Erano le due di notte quando dalla panchina della portineria si è staccata la sagoma verdognola di Maura e mi è venuta incontro prima che potessi svenire o gridare aiuto o piú semplicemente perdere l'uso della parola.

– Non dire niente –. Era Maura, era lei, non era morta, dovevo essere verdognolo anch'io sotto quel neon.

– Che ci fai qui?

– Non dire niente.

– Come non dire niente? Che ci fai qui? – Anche il portinaio si era svegliato ed era uscito dalla guardiola.

– Non ti preoccupare. Me l'ha detto lei. Adesso ti spiegherà. Adesso vi parlerete, ti aspetta.

– Sí, ma tu? – E intanto il portinaio ciondolava davanti a noi, indeciso se farmi le congratulazioni o dirmi che non dovevo piú mettere piede in quel posto. Ripeteva nel sonno la parola Agota e ci guardava spostandosi da un piede all'altro. – Tu?

– Io cosa? Ti aspettavo anch'io –. E poi rivolta al portinaio: – Yes, Agota, yes, Bánóczki Agota, Bánóczki Agota, – sillabando il nome con tutti gli accenti in ordine, come per convincere, sia me che lui, che eravamo nel posto giusto. Il Kollègiuma non era il set di *Shining*, era la realtà. E prima che il portinaio prendesse la sua decisione e io mi convincessi della presenza di mia moglie viva accanto a me, lei ha aggiunto: – He is the father, – lui è il father, e il father lo capiscono tutti. Solo io l'ho guardata come se avesse detto la piú grande bugia del mondo. Il portinaio ha cominciato a ripetere father invece di Agota. Mi sorrideva, sollevato: adesso congratularsi era il modo piú rapido per tornare in branda. Maura mi ha tirato per il braccio verso il vendéglakás. La mano sudata di Maura sul mio braccio. Sono riuscito a pensare solo: Sta succedendo realmente. Nient'altro.

Rientriamo nel bosco e la luce si frantuma sul parabrezza in un'infinità di piccoli schizzi, gocce abba-

glianti schizzate con forza dalla pressione degli alberi.
Il marrone e il nero delle ramificazioni piú alte ripri-
stinano, non so perché, il biancore di un sole meridia-
no, di raggi meno caldi, meno arresi. Rimetto gli occhiali Mizuno Feather. Dalla Mizuno non hanno ancora telefonato. Ecco Grosuplije, non sto sbagliando,
è l'E70, direzione I di Italia.

Maura si muoveva per il Kollégiuma come se ci avesse lavorato per anni. Camminava per i corridoi mezzo
metro davanti a me. Si sentiva che non c'era piú nessuno lí dentro. Non era il silenzio delle wonderbabies
addormentate, era il silenzio di un quartier generale
evacuato. Maura ha aperto la porta dei bagni dirimpetto al vendéglakás. Le due culle erano nell'antiba-
gno, sul banco dove fino al giorno prima stavano im-
pilati i barattoli di aminoacidi a catena ramificata.

– Eccoli, – mi ha detto con un filo di voce. Nelle culle, con i pugnetti alzati e i musi meno da vecchi di come mi aspettassi, dormivano due ladsli. Avevano già la
stessa fronte, la stessa curvatura di sopracciglia, gli stessi lobi del bastardo che li aveva fatti al posto mio. Stavo per chiederle se aveva visto il padre, e Maura, senza neanche bisogno di guardarmi, mi ha anticipato:

– Anche lei ha detto che gli assomigliano molto.

– È venuto?

– Ha telefonato. Lei gli ha proibito di venire. Non
lo vuole vedere. Neanche loro, li vuole vedere. Adesso ti dirà –. Mi dirà cosa? La luce livida del corridoio
filtrava dalla porta, metteva i brividi. Avrei voluto
un'alogena da 500 Watt che ci togliesse di dosso tutto
quel verde.

– Senti Maura, io non so…

– Non dire niente. Parleremo dopo. Prima va' da lei.
Io ti aspetto qua, – e mi ha spinto dietro il gomito come per convincermi che non erano solo parole le sue,
che lei era davvero lí accanto a me, con la mano sudata e tutto il resto del suo corpo piantato sul linoleum
dei bagni al piano terra del Kollégiuma di Szeged, insomma come per dimostrarmi che non dovevo sve-

gliarmi da niente, che il verdognolo non era altro che una questione ottica.

– Non sparire, – le ho detto, stupendomi di non desiderarlo.

– No. Vai.

E io sono andato. Ho raggiunto la porta del mio vendéglakás, mi sono concentrato sulla maniglia come se non ne avessi mai girata una e sono entrato.

Agota beveva un succo di frutta appoggiata alla testiera. Non le avevo mai visto indosso una camicia da notte. Sembrava dieci anni piú vecchia. Sulla sedia accanto al letto c'era una specie di macchina per aerosol, con due cannule indipendenti, che immagino andassero attaccate a entrambe le tette. Lei si è girata a guardarmi.

– Me l'ha portato il dottore. Ma niente latte –. Vedi Alberto, non è una foca, è una cicogna, ecco la mia cicogna, mi sono detto. Sono riuscito anche a pensare che fosse presto per la montata lattea. Di colpo spezzarle il collo non mi è piú parsa una buona idea. – Vieni qui, – mi ha detto, facendomi segno di sedermi sull'altro lato del letto.

– Sicché lo stronzo sarei io?!

– Dario, lascia che ti spieghi, siediti.

– Sicché il bastardo sarei io, eh?! – Vedevo la mano aperta sul lenzuolo dove mi sarei dovuto sedere, i resti dello smalto sulle unghie corte. Sono rimasto in piedi.

– Dario…

– Sarei io il maiale, è cosí?! – Gli occhi erano i suoi, quelli che aveva quando stava con me. Nel destro c'era un capillare rotto.

– Va bene, Dario, sfogati, hai ragione, ma non gridare. Se gridi svegli…

– Non me ne frega un cazzo. Mi sfogo? Certo, che mi sfogo. Cos'è, mi dai tu ora il permesso di sfogarmi? Brutta stronza. Mi sa che sono altri i maiali che girano per di qua. Io tutt'al piú sono un coglione, un grandissimo coglione.

– No, tu non sei un coglione.

– Ah no? E cos'è uno che si fa prendere per il culo per sei mesi da un'intera squadra di atletica leggera, che si fa fregare dall'ultima puttana di Budapest, che si rovina la vita pensando che lei gliene stia dando una nuova fiammante?

– Tu non ti sei fatto fregare. Io non ti ho fregato –. Anche la bocca era la sua. Quando la tirava, le spaccature sul labbro inferiore tornavano rosse.

– No? Vogliamo parlare dell'assassino di embrioni?

– Io credevo che sarebbe stato davvero possibile. Per noi due, intendo. È successo tutto cosí in fretta. Con László…

– Non nominare quel bastardo!

– Va bene, – ha preso un respiro e ha abbassato lo sguardo.

– Con lui è stata solo una stupidaggine. Due settimane. La sera stessa che ti ho visto ho pensato che con te, sí insomma… Non sapevo ancora di essere incinta.

– Ti ha detto lui di buttarti su di me, eh? Di' la verità.

– No, quando ha saputo… sí insomma… di aver combinato un casino mi ha detto che cosí ne avrei combinato uno ancora piú grosso.

– Lo difendi, anche!

– Sí, lo difendo, lui è un problema mio, lui dimenticalo. Non c'entra con noi due, te l'assicuro.

– Cos'è che mi assicuri? «Sí che ti amo. Voglio stare con te per sempre. Sono pronta a rinunciare a tutto pur di stare con te e crescere nostro figlio». Chi me le diceva queste cose, eh?

– Io le dicevo, io.

– E adesso che mi dici? – E adesso che mi dici? Non era una domanda. Ecco, stavo già cominciando a far domande non domande. Non era facile concentrarsi, con quella camicia da notte. E il mungitore pronto all'uso, lí accanto.

– Credevo che saremmo potuti stare bene insieme. Che eri quello con cui sarei andata via da qui, quello che avrebbe resistito a questa cosa, quello di cui mi sarei innamorata.

– E adesso la polizza vita non ti interessa piú, mi pare di capire.

– Non dire cosí. Io ci credevo sul serio. Un po' alla volta anche tu sei cambiato. Facevi quelle strane telefonate in bagno. Sentivo che avevi paura di tornare a casa, che qualcosa ti spaventava. Anche tu mi hai nascosto delle cose.

– Che cazzo c'entra! Lascia in pace le mie cose. Lascia in pace Maura. Non tirare in ballo Maura. A proposito, com'è arrivata qui? Perché gliel'hai detto?

– Un pomeriggio ti sei dimenticato il cellulare. È andato avanti a suonare per ore. A non so piú quale chiamata ho ceduto.

– Quando è stato?

– Un paio di giorni prima che partiste per… per Haiti. Quando sei tornato l'ho cercata io. Poi ci siamo sentite ancora. Maura non è pazza.

– Già, non è pazza. Ma tu dovevi lasciarla in pace. Come hai potuto trascinarla qui? Chi ti dà il diritto di farmi questo?

– Dario, non l'ho trascinata qui, cioè… aspetta, io non ti ho ancora detto niente.

– Oh bella, non mi hai ancora detto niente. Hai saputo che avevo una moglie non pazza e che aspettavo una figlia non figlia, al che incastrarmi con due gemelli fatti da uno stronzo al posto mio ti è sembrato troppo? Sarebbe questo? È questo che vuoi dirmi? Non voglio pietà da te, hai capito? Neanche lei la vuole, okay?

– Non è pietà, Dario, aspetta, – ha preso un respiro. – No, da sola non ci riesco… Senti, fammi un favore, vai a chiamare Maura.

E prima che dicessi non se ne parla neanche, scordati che io torni in quel corridoio livido a cercare un fantasma, uno spettro, un'allucinazione di mia moglie, Maura ha aperto la porta.

– Sono qua, – ha detto, avvicinandosi sul lato del

mungitore. – Fate piano, si sono appena riaddormentati.

– Maura, no. Da questa storia è meglio se te ne stai fuori. Lo dico per te –. E avrei voluto anche allungare la mano per toccarla, per assicurarmi che fosse intatta, illesa come appariva, ma non ci sono riuscito.

– Questa storia è anche mia, Dario. Non sono qui per una vacanza. Sono qui per vedere se... – E, guardando Agota: – Non gliel'hai ancora detto?

– No.

– Detto cosa? – ho chiesto a Maura.

– Be', che aspetti? Diglielo, – ha continuato lei, verso Agota.

– Okay, d'accordo, senti Dario, ho sbagliato, è vero. Ho creduto che avrebbe potuto funzionare e invece ho sbagliato. L'ho capito tardi ma... – Agota sperava che leggessi i suoi occhi ma io non leggevo niente. Mi guardavano tutte e due adesso. – Non so come dire... forse siamo ancora in tempo.

– Cioè?

– Prenditi i bambini! Prendetevi i bambini!

– Cosa cosa cosa? Che cazzo vuol dire prendetevi i bambini?

– Vuol dire che io i bambini non li posso tenere. Non li voglio, okay?! Va meglio cosí?! Se non li prendete voi, li lascerò qua. Con te forse ce l'avrei fatta, da sola no. Se io ho ancora qualche possibilità, ce l'ho senza i bambini. Csányi ha promesso che mi aiuterà, che mi farà rientrare.

– Csányi?

– Sí, Csányi. László lo ha convinto che posso farcela.

– Non nominare quel bastardo! Che cazzo di storia ti sei messa in testa? Che significa prendetevi i bambini? Chi ti dice che io li voglio? – Chi glielo diceva? Mi sono voltato verso mia moglie: – E tu non dici niente? Chi le dice che noi li vogliamo i suoi bambini? – Stavo usando la parola noi, la stavo proprio usando. – Se volevamo ci prendevamo un utero in affitto! Giusto, Maura? Maura, perché non dici niente?

– Perché voglio sentire cosa dici tu.

– Cosa dico io cosa? Se voglio quei bambini?

– Se vuoi che ci prendiamo i nostri figli. Sí, se vuoi che li portiamo a casa con noi.

Anche Lubjana ormai è alle spalle. Riabbandoniamo la tangenziale e il traffico scompare. Pare che l'E70 l'abbiano costruita apposta per noi. Sulla corsia d'emergenza ci sono vecchie col fazzoletto in testa, stracariche di sacchi di nylon. Sono troppo sgranate per aspettare una corriera. Probabilmente l'hanno appena persa. Camminano molto distanti l'una dall'altra, ignorandosi. Mi ricordano le wonderbabies nei recuperi delle Ripetute. Quando passa una macchina si fermano, ma non tirano fuori il pollice, non chiedono nulla. Guardano passare anche me finché esco dal loro rancore. Alla prossima area di servizio farò il pieno e la pipí. Ho smesso di pisciare, adesso faccio pipí, penso guardando nello specchietto retrovisore. Mi secca interrompere il viaggio, lí dietro si sveglieranno, ma non posso proprio rimandare.

Agota aveva preparato tutto. A quel punto si trattava solo di farmi riprendere, di restituire presenza alla mia faccia. Anche accogliermi con la camicia da notte e il tiralatte a portata di mano doveva avere un significato nella sua testa. Mi spiegava il piano con l'aria di chi è già uscita dal tunnel, e senza l'aiuto di nessuno. Non mi offriva niente su cui piangere insieme, su cui consolarla. Aveva già fatto da sola, grazie. La maternità era uno stato che non la riguardava piú. La scelta si era già cicatrizzata, aveva smesso di dare noia. Avrebbe potuto anche lasciarsi poppare da una macchina adesso, soffrendola né piú né meno di un elettrostimolatore per la riabilitazione. Non sembravano esserci margini di contrattazione nel suo tono. Magari qualcuno avrebbe potuto provare a dissuaderla, a mostrarle che non era ancora uscita da un bel niente, ma io l'ascoltavo con la stessa fame di futuro che doveva esserci negli occhi di Maura, l'altroieri.

– Domattina verrà il dottor Márton, quello che ti ha telefonato.

– Sí, e allora?

– È un amico di Csányi. Mi ha seguito lui in tutti questi mesi.

– E allora?

– E allora gli ho detto che io i bambini non li volevo, che non li voglio, gliel'ho detto all'ultima visita, e lui mi ha detto che ci dovevo pensare bene perché sarebbero finiti in orfanotrofio e io gli ho detto che ci ho già pensato bene e che vorrei... avevo già telefonato a Maura, c'eravamo già parlate... insomma gli ho spiegato cosa volevo. È un dottore molto buono, – mi figuravo il dottor Márton davanti agli zigomi, agli occhi, alla bocca di Agota: aveva proprio l'espressione che mi ero sentito addosso anch'io la prima volta che l'ho vista da vicino, lí sulla pista del Kollégiuma. «Ha accettato di scrivere che io sono lei... che lei è me... cioè che lei è stata assistita qui e che ha partorito. Domani verrà dimessa.

– Assistita? Dimessa? Ti sembra un ospedale questo? Che cazzo stai dicendo? Che sta dicendo, Maura? – e Maura si è seduta sul bracciolo della poltrona con il terrore evidente che la mia fame di futuro si fosse esaurita.

– Ma sí, Maura è venuta a trovarti e ha partorito prima del tempo. Lui è intervenuto e l'ha aiutata, punto. Lei era già qui stamattina, si sono visti. Ti ho detto, Márton è molto buono.

– Sí sí, molto buono. E perché dovrebbe essere cosí buono?

– Perché lo è. E poi perché è amico di Csányi e Csányi gli sarà grato se io rientro. E poi perché... e poi perché a lei l'assistenza di Márton per il mio... per il suo parto è costata cinquemila euro –. Agota ha guardato mia moglie ed è stata ricambiata con lo stesso sguardo. Ha preso un respiro. Si è voltata verso la porta: – Dario, io quelli non li voglio. Ho sbagliato, d'accordo. Abbiamo sbagliato... Ma possiamo rimediare, non è troppo tardi. Domani il dottore verrà con il certificato e Maura potrà andarsene. Potrà andarsene insieme ai suoi bambini.

E70. Agip di Vrhnika. Apro i compartimenti stagni della navicella spaziale Passat 2.0 station-wagon. Maura schiude appena l'occhio sinistro.

– Hai bisogno di qualcosa? – le sussurro.

Mi fa no col dito e poi rimette il braccio sulla copertura incerata dei lettini. Il sole le incendia i capelli in modo cosí stupefacente da credere che la luce provenga proprio da lei. Mentre mi allontano vedo il benzinaio che la guarda come se stesse studiando il trucco. Non c'è trucco, vorrei dirgli, quella è mia moglie, la testa rossa di mia moglie appoggiata al finestrino, tutto qui.

Agota ci ha chiesto di andarcene. Di prendere i due ladsli e salire al piano di sopra.

– Anche domattina, vi prego, aspettate Márton nella sala mensa o dove vi pare, ma non venite a cercarmi.

Stavo uscendo da qualcosa di piú di una semplice stanza. Quello era il mio vendéglakás, quella era l'Ungheria, quella era la Felicità Pura. Maura mi ha anticipato, immagino perché restassimo soli, ma lí dentro ormai era come se non ci fosse piú nessuno.

– Ciao, – mi ha detto lei.

– Ciao, – le ho detto io. Proprio cosí, ciao, senza neanche staccare la mano dal giubbotto, senza poter credere ancora che stessi davvero salutando Agota.

I bambini dormivano come sotto anestesia. Li abbiamo portati con noi nelle stanze disabitate delle wonderbabies, insieme ai biberon, al latte artificiale, al termos e a tutto il resto dell'armamentario fornitoci dal buonissimo dottor Márton. Ci siamo chiusi dentro l'ex residenza delle principesse Imréné e Mihályne. È stato lí che Maura non ha piú retto al proprio orgoglio e mi ha raccontato di Alberto. Alberto e i suoi allunghi nel Tilden. Alberto e il suo dito medio. Alberto e la sua anoressia. Alberto e le sue telefonate a mia moglie. Alberto e l'umiliazione delle stelle. Il mio maestro di vi-

ta. Il mio maestro stoico. Maura parlava con il collo teso e la vena sulla fronte. Insisteva a bruciarmi con frammenti di conversazione tenuti sul fuoco chissà per quanto. Io cercavo di mostrarle che mi stava facendo male
abbastanza. Chiudevo gli occhi, stringevo i denti, scroc-
cavo la mandibola, sforzandomi di cancellare dalla faccia l'idea che quello fosse un nuovo rito di iniziazione,
camuffando meglio che potevo la mia riconoscenza. Seduti in punta del letto, abbiamo lavorato tutta la notte. Soprattutto lei, con i suoi ferri arroventati. All'alba
ho notato che dalle finestre del primo piano si vedeva
il Tibisco. Non era un mio privilegio, come ho sempre
creduto. Il Tibisco puzza di fiume e nient'altro. Dal-
l'aspetto pare abbia smaltito l'overdose.

Stamattina il mio vendéglakás aveva la porta spa-
lancata. Sulla soglia c'era il tiralatte. Sopra, una confezione di latte Nestlè e un biglietto: «È tutto quello che
ho trovato, A.».

Il dottore è arrivato alle undici e dieci. Ha dato
un'occhiata ai ladsli senza nemmeno scoprirli. Poi ci
siamo trasferiti in mensa e si è messo subito a scrivere. Quando ha sollevato i suoi occhialoni dal foglio per
chiederci quali erano i nomi dei bambini, io mi sono ricordato del bruco coi rumori, di Maura al Giulia, in
piena spirale compensativa, della sua caduta a precipizio di fronte a un padre che non sceglie i giocattoli.
L'ho guardata. Ho guardato i bambini tra i manici dei
lettini: due ladsli, le stesse unghie lunghe, la stessa riga di latte all'angolo della bocca. Ho guardato il dottor Márton, il dottore della signorina Bánóczki. «Pronto, signor Rensich?, la sua amica ha partorito». Era diventato anche lui amico di Agota? Aspettava con la
penna a un centimetro dalla carta, era il mio specchio
sei mesi fa. Tocca a me, mi sono detto, e senza nessuna difficoltà ho trovato, mentre mi venivano incontro,
gli unici due nomi possibili per i miei figli:

– László e Alberto.

Il certificato mi fa compagnia sul sedile accanto alla guida, insieme alle carte d'identità e al bruco. Non

assomiglia per niente a quello puntinato della stampante ad aghi che ha rispedito Mónika lontano dal successo, eppure, per contrasto, me lo ricorda. Ogni tanto sfioro la bordatura scollata dei bolli. Lo piego e lo dispiego con una mano sola. Lo metto sul volante come se non fosse un falso, come se non fosse il certificato di un furto, ma una cartina da seguire.

> *Alulírott, Dr. Márton Antal, a Szegedi Városi Kórház Szüleszeti Osztályának orvosa, igazolom, hogy Maura Rensich, olasz állampolgár, Triest, Via Biasoletto 26. sz. alatti lakos, akit elsődleges ellátásban részesítettem a Horváth József Atlétikai Klub Kollégiumában, tegnap, 9.30-kor egypetéjű fiúikreket szült: mindkét gyermek, László Rensich és Alberto Rensich súlya 2800 gramm. A szülés komplikáció nélkül zajlott le. Az újszülöttek és az anya jól vannak és nem igényelnek különleges ellátást. Rensich asszony kérésére hozzájárulok ahloz, hogy a mai napon elutazzanak Olaszországba, amennyiben betartják az újszülöttek higénés és táplálási igényeit.*
>
> *Dr Márton Antal*[1]
>
> *április 14*

Il che dovrebbe significare che mia moglie è diventata mamma nel Kollégiuma di Szeged e che oggi può tornarsene a casa insieme ai suoi gemelli monozigoti eccetera. Márton al momento ce l'aveva tradotta parola per parola, ma sul collo di Maura erano già comparse le prime macchie rosse e neanch'io mi sentivo cosí a mio agio da mettere a memoria il testo completo. Finora non ci è servito. Sia i doganieri ungheresi che i croati hanno lasciato sfilare la nostra navicella spazia-

---

[1] «Io sottoscritto, dottor Márton Antal, primario della Divisione di Ostetricia dell'Ospedale di Szeged, dichiaro che la signora Maura Rensich, cittadina italiana, residente a Trieste, in via Biasoletto 26, da me soccorsa fortunosamente presso lo József Horváth Kollégiuma Atlétika di Szeged, ha partorito alle ore 9.30 di ieri, due gemelli monozigoti: László Rensich e Alberto Rensich, entrambi del peso di 2800 grammi. Il parto è avvenuto senza complicazioni. I bambini e la mamma stanno bene e non richiedono cure specifiche. Acconsento pertanto alla volontà espressa dalla signora Rensich di rientrare in Italia in data odierna, purché siano rispettate le condizioni igieniche e alimentari necessarie ai neonati.

14 aprile   Dr Márton Antal».

le davanti ai loro gabbiotti senza muovere un solo muscolo della faccia. Una Passat station-wagon grigia, anzi, canna di fucile metallizzato. La famiglia Rensich che rientra dalla gita. Ecco l'ultimo valico. Dogana di Pesek. L'E70 scende in mezzo alle pareti di roccia come dopo una cascata e si allarga nel delta dei caselli. I lampeggianti d'emergenza di tre Tir incolonnati alla pesatura, gli stop delle macchine in uscita, gli anabbaglianti di quelle in entrata, i verdi e i rossi delle cabine, i catarifrangenti sulle sbarre di confine, le insegne a bandiera della Petrol, i neon dei market e del self-service, i lampioni del parcheggio: sono trentacinque i punti luce che riesco a contare. Insieme, con quel tipo di devozione che solo gli oggetti sanno esprimere, arredano la morte del sole. Verso il mare è nuvoloso. Il crepuscolo si sta stingendo in un malva sempre piú lilla e meno rosa. I due ladsli piangono. Non so chi dei due abbia svegliato l'altro, ma adesso piangono entrambi in un modo che mi fa pensare subito a Fiona proprio perché è un modo quasi riflesso, inespressivo, che non la ricorda per niente. Maura estrae dalla borsa i due biberon, il latte artificiale dal termos. Versa, prepara, scuote. Si tira in braccio i due ladsli e comincia ad allattarli con una calma assoluta. Tiene i biberon tra il pollice e l'indice e l'indice e il medio della destra. I bambini succhiano con le teste praticamente appiccicate l'una all'altra. Ci vorrà un po' prima che sappia riconoscerli. Chissà se Maura… – Maura non ha detto una parola da quando siamo partiti. Ha dormito e allattato, allattato e dormito, con una calma assoluta. Mi giro di nuovo a guardarla – sí, Maura sí. Il tizio con la Bmw di Lubjana ci lascia il posto. È il nostro turno. Sento le pulsazioni spingersi a un ritmo di Medio, forse anche di Veloce. Afferro le carte d'identità, sto per abbassare il finestrino, ma il doganiere fa dobro con la testa.

In terra di nessuno, accanto al Duty-Free Shop, sviluppati per tutta la lunghezza del parcheggio, ci sono tre giganteschi tabelloni pubblicitari della Diesel, dove un modello e una modella piú magri di me indossano maschere di gomma con la stessa identica faccia evergreen. Sembra una specie di propaganda postumana. Nel primo lei sorseggia un calice colmo di qualcosa di simile alla cedrata. Lo slogan dice BEVI URINA. Nel secondo lui solleva sopra la bocca un ciuffo di qualcosa di simile agli spinaci. Lo slogan dice MANGIA ALGHE. Nel terzo lui e lei sono distesi supini. Lo slogan dice DORMI, NON FARE SESSO. Guardo Maura nello specchietto. Mi sorride.

Di nuovo il tizio con la Bmw di Lubjana. Il carabiniere gli controlla i timbri sul passaporto. Il finanziere gli chiede di scendere, gli fa aprire il bagagliaio, il cofano, dà un'occhiata anche ai numeri del telaio. Che non siano ribattuti, non si sa mai. E finalmente, eccoci. Le pulsazioni tornano a picchiettare dietro le orecchie. Afferro le carte d'identità, apro il finestrino.

– Buonasera, – dico al carabiniere.

Lui ricambia socchiudendo appena le palpebre. Osserva le copertine delle nostre carte d'identità come se fossero i documenti di milioni e milioni di persone ammonticchiati tutti insieme lí sul suo banco, come se fosse un'impresa immane anche solo aprirne il primo.

– Vada, – mi dice.

Il finanziere invece è uno di quelli zelanti, con le basette e il pizzetto rifiniti alla perfezione. Si vede subito che non farà lo stesso.

– Buonasera, – gli dico, con il sangue che picchia sotto la gola.

– Buonasera, – mi dice, prendendomi dalle mani i documenti e studiandoli con la massima attenzione, – ha qualcosa da dichiarare?

Mi volto d'istinto verso il certificato piegato in quattro sopra il bruco. Allungo la mano. Ho qualcosa da dichiarare? Penso alla casa in Fürj Utca, al ciliegio selvatico sotto il quale nessuno mi insegnerà mai l'ungherese. Penso ai tizi coi forconi e gli impermeabili gialli, al pesce che non ho salvato, al piccolissimo bastoncino che aveva sull'occhio, all'olio di mandorle bru-

ciato. Penso alle wonderbabies che sgambano sulla costola del pianeta in attesa che il ranking le venga a salvare. Penso al loro allenatore, alla citybike tappezzata
di adesivi Adidas, alla plica soprailiaca di Sancho László Panza, ai suoi spermatozoi non storpi, al suo ob-
bligo deontologico di far rinascere Agota dalle ceneri
di Mónika. Penso agli elastici arancioni della campioncina di Debrecen, ai capelli da evidenziatore verde di Magdolna, ai dreadlocks di Fiona. Penso a suor
Diabol. E di nuovo a Fiona, che se avrà fortuna, molta fortuna, venderà banane sulla strada per Jacmel. Ci
sono ancora gli scoiattoli del Campus, il Tilden, Alberto che fa skip tra le forsythiae di Marine, ci sono
ancora un sacco di altre cose che mi sfrecciano nel cervello quando il finanziere dice:
  – Scusi, allora? Cos'ha da dichiarare?
  Maura mi sta guardando nello specchietto con una
calma assoluta. Ha già rimesso i ladsli nei lettini. Li
sento mugugnare sommessamente, come cuccioli di cane. Tolgo la mano dal certificato.
  – Niente, – rispondo.
  E il finanziere, con l'aria di uno a cui non scappa
neanche mezzo grammo di hascisc, mi scruta per almeno un secondo e poi dice:
  – Va bene, può andare.
  Ingrano la prima e la nostra navicella scivola quasi
da sola dentro l'Italia. Sono le otto meno dieci. Nessuno ha letto il certificato del dottor Márton. È lí sul
sedile, che fa da tetto al bruco. Il tettuccio, la tana, la
casetta del bruco coi rumori. Mi sto esercitando.
  Passiamo il bivio di Draga Sant'Elia, l'incrocio della Foiba, attraversiamo Basovizza. Un tizio in canottiera sta scaricando una damigiana da un furgone ficcato di sbieco in seconda fila. Già in canottiera, penso. Dall'altra parte della strettoia mi lampeggiano con
i fari per darmi la precedenza. Mi allargo e ringrazio.
La tizia al volante annuisce. Immagino che ogni cosa
stia accadendo a velocità normale, non al rallentatore
come la percepisco io. Appena fuori dall'abitato l'odo-

re dei glicini viene sopraffatto da dense folate di resina. Sembrano nubi di atomi scollatesi dai tronchi e naufragate sulla strada, mucillagini di essenza di pino, meduse di resina rarefatta. Annusare è troppo poco. Sporgo tutto il braccio come se il prossimo banco potessi toccarlo.

– Il finestrino, – sussurra Maura, e riabbottona la copertura incerata dei ladsli.

Chiudo il finestrino e la Passat si ricompatta nella sua discesa spaziale verso la città. Il mare è laggiú, dietro quell'ultima curva, quell'ultimo dente di Carso. Ecco il boschetto di Basovizza, il mio boschetto. Sul muro dello stretching si intravedono le figure allineate di tre runner in cerca della massima estensione. Le mani sulla punta della scarpetta, il piede a martello, la fronte sul ginocchio, le spalle parallele. Niente può dissuadermi dall'idea che stiano tenendo la posizione in mio onore. Guardo nello specchietto. Maura mi sorride. Basta corsa. Da domani inizierò a camminare.

Nota.

A Szeged, nel gennaio del 2000, è capitato qualcosa di molto simile a ciò che ho raccontato qui. Ora la città è guarita. D'estate la gente fa i bagni nel fiume. József Pál, Gabriella Balogh, Tibor Zilay, Zsuzsanna Tolnai, Orsolina Papp, gli studenti di Italianistica della Szegedi Tudományegyetem, le loro lettrici e il grande Ezio Bernardelli sono le luci che hanno riscaldato il mio inverno sulle rive del Tibisco. Se a questo aggiungo che l'Abraham Woursell Prize mi ha regalato tre anni da favola, be', non posso che considerarmi un uomo fortunato.

L'umiliazione delle stelle è una teoria più complessa di come appaia nel romanzo. A parlarmene è stato Andrea Falcon in uno dei nostri Lunghi. Il suo saggio sulla cosmologia aristotelica (*Corpi e movimenti*, Bibliopolis 2001) spiega tutto molto meglio. Comunque, quella delle stelle non è certo l'unica cosa che gli devo. È lui, tanto per dire, che mi ha fatto conoscere Carol Price, tifosa sfegatata dei Kings di Sacramento, splendida ospite dei miei brevi soggiorni berkeleyani.

Le navi dei pescatori dello Jutland e l'allevamento di polli dell'Indiana sono invece suggestioni di Paolo Kervischer.

Tutto quello che ho appreso sulle adozioni lo devo alla testimonianza di due amici. Chi li ha riconosciuti sa che la storia di Fiona non è la storia della loro bambina, la quale vive felice insieme a loro.

M. C.

Indice

Stampato per conto della Casa editrice Einaudi
presso Mondadori Printing S.p.A., Stabilimento N.S.M., Cles (Trento)
nel mese di febbraio 2005

C.L. 16984

Edizione								Anno			
1	2	3	4	5	6	7		2005	2006	2007	2008